Roman Fantastique

幻想と怪奇 7

Weird Tales

ウィアード・テールズ

恐怖と冒険の王国

新紀元社

『ウィアード・テールズ』

——ある雑誌の歴史と、表紙画家たちの横顔

『幻想と怪奇』編集室

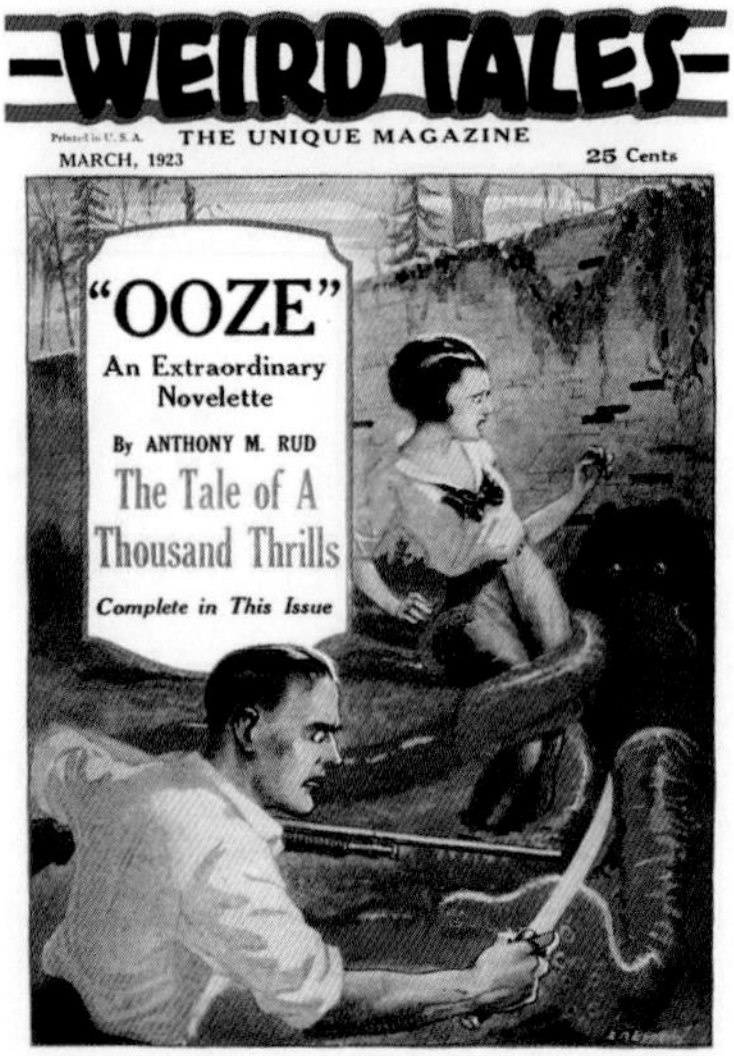

創刊号（23年３月号）　画／エパリー
ラッド「人喰い沼」

『ウィアード・テールズ』は一九二〇年代から三十年にわたりアメリカの読者に怪奇・幻想・ＳＦ小説を届け続けたパルプマガジンとして、Ｈ・Ｐ・ラヴクラフトやＲ・Ｅ・ハワード、Ｃ・Ｌ・ムーアら、誌上で活躍した作家たちの名とともに、日本でも知られている。怪奇、幻想、冒険など娯楽小説の王道の楽しみと、けばけばしく雑多で怪しげな、脇道の面白みが共存する独特の世界は、今なお読者の心をとらえて止まない。

この『ウィアード・テールズ』の歴史を表紙とともに、画家たちの略伝も加えて、たどっていきたい。

23年10月号　画／マリー
ラヴクラフト初登場

草創期（1923-24）

　二十世紀初頭のアメリカに数多く流通していた娯楽読物雑誌の中でも、『ウィアード・テールズ』（以下WT）は特異な存在といえる。発行者ジェイコブ・C・ヘネバーガー（一八九〇―一九六九）はポーに惹かれ、怪奇幻想小説に興味を持っていた。彼は一九二二年にシカゴでルーラル社を創立、雑誌出版事業に乗り出す。ベン・ヘクトら地元の小説家と交流するうちに「ポーやビアスのような小説は発表する場に乏しい」と彼は気づき、ユーモア雑誌、探偵小説誌に続いて二三年三月、怪奇幻想小説を中心とした、この〝特異な雑誌《ザ・ユニーク・マガジン》〟を創刊した。

　だが、探偵小説作家エドウィン・ベアドを編集長に招いたWTは不評だった。ぱっとしない二色刷の表紙。知名度の低い作家たちのごく短い、平凡な怪談話。さらにルーラル社の経営不振も加わり、ベアドは一年あまりで編集長を降板。ヘネバーガーは二四年五・六・七月合併号でWTを刷新するとともに経営権をポピュラー・フィクション社に委譲。そして創刊当初から小説を寄稿しつつ原稿査読係もつとめていたファンズワース・ライトが、新たな編集長に就任した。

24年3月号　画／マリー
フーディーニの心霊記事を連載開始

24年5～7月合併号　画／マリー
刷新で再起を図る

ライト編集長時代（1924-40）

ファンズワース・ライトが編集長を務めたのは、一九二四年十一月号から四〇年三月号まで、足かけ十六年に及ぶ。

ラヴクラフト、シーベリー・クイン、Ｈ・Ｓ・ホワイトヘッドらを擁しながらも、ベアドはレギュラー作家陣の養成には消極的だったが、ライトは掲載作品のジャンルを広げ、多くの作家を育てていった。ラヴクラフトと親交深いフランク・Ｂ・ロングやＥ・ホフマン・プライス、クラーク・アシュトン・スミス。ヒロイック・ファンタジーのロバート・Ｅ・ハワードやＣ・Ｌ・ムーア。エドモンド・ハミルトンをはじめとするスペース・オペラ――ＳＦの書き手たち（ＷＴは二六年創刊の『アメージング・ストーリーズ』、三〇年創刊の『アスタウンディング』などのＳＦ専門誌に先じんていた）。また、ライトがイヴリル・ウォレル、メアリ・Ｅ・カウンセルマン、グレイ・ラ・スピナら、女性作家を積極的に起用したことにも注目したい。

ライトはまた、表紙絵や挿絵でもＷＴを一新した。創刊当時はひどく不評だった表紙絵も、掲載作品の一場面を活写した色鮮やかなものに代わった。

26年８月号　画／ペトリーJr.
メリット「樹精の復讐」

28年12月号　画／ランキン
クイン「恐怖の鐘楼」

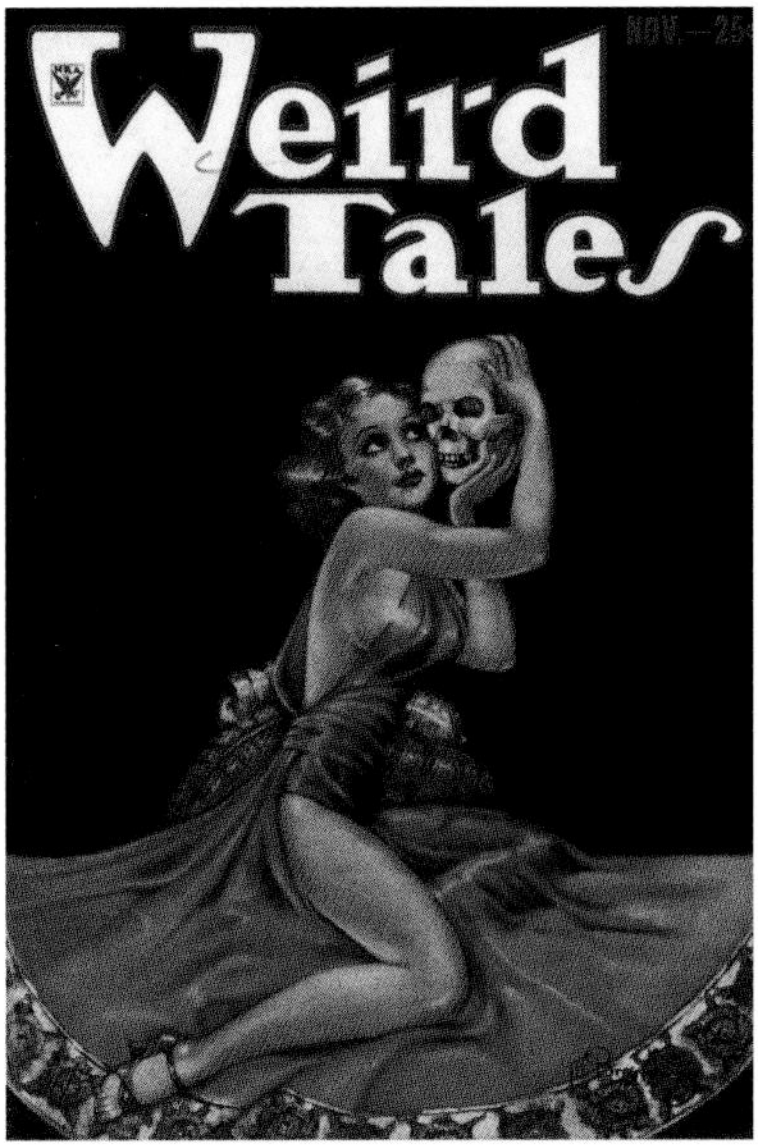

33年11月号　画／ブランデージ
ムーア「シャンブロウ」掲載

33年４月号　画／セント・ジョン
旧タイトル最終号

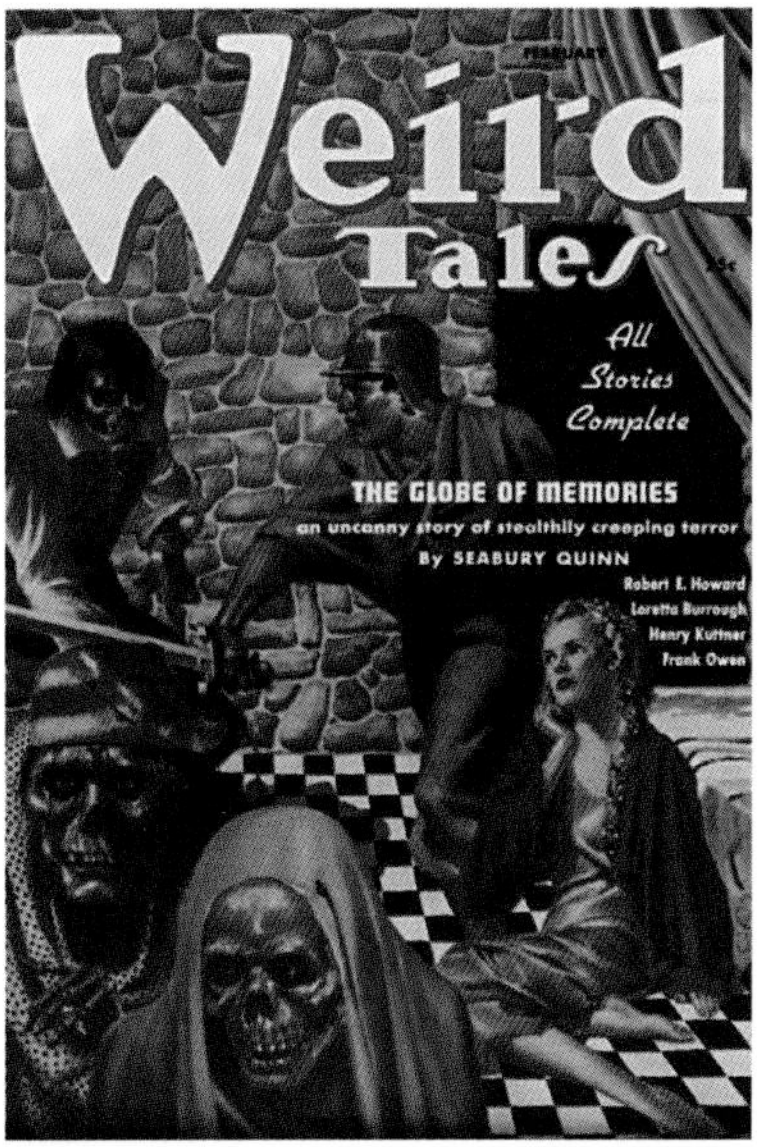

37年２月号
ヴァージル・フィンレイ、初の表紙起用

33年５月号　画／セント・ジョン
新タイトル第１号

28年10月号

32年1月号

カーティス・C・センフ
Curtis C. Senf (1873-1949)

初期のＷＴを代表する画家センフは、ドイツからの移民。シカゴで美術を学び、一九〇二年にはイラストレーションの事務所を開いて新聞や雑誌の仕事を数多く請け負った。

ＷＴの表紙を手がけたのは二七年三月号から。以降三二年七月号までに四十五回、表紙絵を描いている。古雅なモチーフを得意としたが、怪奇なものを描くのは不得手だったようで、怪物はあまり描いていない。

センフは挿絵も多く手がけているが、三一年八月号で「闇に囁くもの」のタイトルページに結末の場面を描いてラヴクラフトを怒らせるなど、作品に合わない絵を描いてしまうことがままあり、作家たちには不人気だったといわれる。それでも、長年にわたり商業美術を手がけた経験の持ち主だけに、仕事の確かさが重用されたのだろう。ＷＴを離れてからは、広告イラストレーションの仕事に移ったという。

センフが手がけた数多い表紙から、ここではワーナー・マンの人狼もの“The Werewolf's Daughter”を描いた二八年十月号と、Ｃ・Ａ・スミス「予言の魔物」を描いて読者の称賛を浴びた三二年一月号を御覧いただきたい。

ヒュー・ランキン
Hugh Rankin (1878-1956)

センフと並び、ライト時代初期のWTの表紙を飾ったランキンは、イリノイ州の雑貨商の家に生まれた。本名ヒュー・ディアボーン・コッブ。母はシカゴ美術館で彫刻を学んだ最初の女性の一人で、シカゴ万博で作品が展示されるほど評価されていた。ヒューも十四歳で彫刻を認められ、十六歳でミュンヘンに留学。だが、夫婦間の不和が父による祖父母殺害未遂事件に至り、離婚した母と共に暮らすようになる。同時にヒュー・ドーク・ランキンと改名。一九〇一年、母の死後からシカゴで新聞や広告のイラストレーション、本や雑誌の挿絵を手がけるようになる。

WTには二七年から挿絵で登場。鉛筆画とペン画を使い分け、ミドルネームの「ドーク」を別名義に使うこともあった。表紙に初登場したのは、O・A・クライン"The Bride of Osiris"を描いた同年八月号。ロバート・ブロックは、十歳の頃この表紙に惹かれ、おばさんに同誌を買ってもらった、と語っている。

木炭と水彩を用いたアール・ヌーヴォー風の筆致でエドモンド・ハミルトン「太陽強奪」(二九年二月号)も描いたランキンは、三〇年十二月号まで十五冊の表紙を飾った。

27年8月号

29年2月号

32年11月号

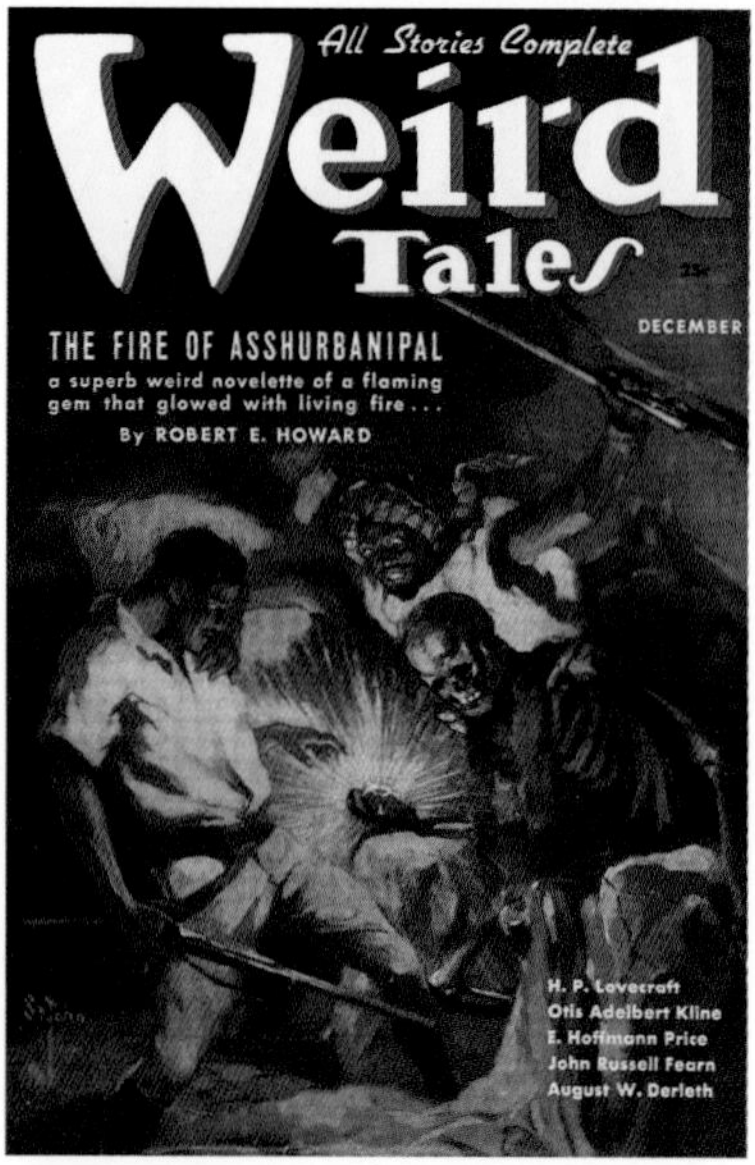

36年12月号

J・アレン・セント・ジョン
James Allen St. John （1872-1957）

『ターザン』や『地底世界ペルシダー』はじめエドガー・ライス・バローズの著作の表紙画と挿絵で著名な画家。のちに「ファンタシー・アートのゴッドファーザー」と呼ばれ、写実的な筆致はフランク・フラゼッタらに影響を与えた。

美術家の母からの感化を受けて幼少時から絵を学び、若くして画業で名をなした点は、画風は違えランキンと共通し、年齢も近い。

彼がWTの表紙を手がけたのは一九三二年から三六年までに九回。三二年一一月号からはクラインの連載小説“The Buccaneers of Venus”を四号にわたり描いた。バローズの流れを汲む冒険SFだけに、作風の美点を見事に発揮している。

三六年十二月号の表紙はハワードの「アシャーバニパルの炎宝」の一場面。これがWTでの最後の仕事となったが、もし彼がコナンの勇姿を表紙に描いていたら、と夢想せずにはいられない一作だ。

なお、ジェイムズ・アレン・セント・ジョンには、ファンタシー小説の創作*A Face in the Pool: A Faerie Tale*（A.C.McClurg & Co., 1905）があり、挿絵も自ら手がけている。

マーガレット・ブランデージ
Margaret Brundage (1900-76)

妖艶な美女を描いたパステル画が表紙を飾ったのは六十六回、WT史上最多を数える。

高校卒業後に絵を学び、服飾デザインの仕事に就いたが、世界恐慌で生活苦に陥る。労働運動家だが酒癖の悪い夫は家庭を顧みなかったため、彼女は収入を得るため地元シカゴでただ一軒見つけたパルプマガジンの編集部であるWTに絵を持ち込んだ。その後の評判を思えば、ライトにもブランデージにも幸運な出会いだったと言えるだろう。

男性や怪異は不得手な画家ではあったが、あざやかな色調で描く裸形の美女は、読者から称賛と非難を共に浴びつつ、WTの売上を大きく伸ばした。コナン・サーガの「黒い怪獣」を描いた三三年六月号の表紙はハワードも大いに気に入っており、またクインは、ジュール・ド・グランダンものを書くにあたって、彼女の絵を意識したという。

パステルは剥離しやすいため、ブランデージは表紙絵の表をガラス板で押さえ、額縁に入れて手ずから編集部まで運んだ。三八年に出版社がニューヨークに移転したため疎遠にはなったが、それでも四五年一月号までWTの仕事をしている。

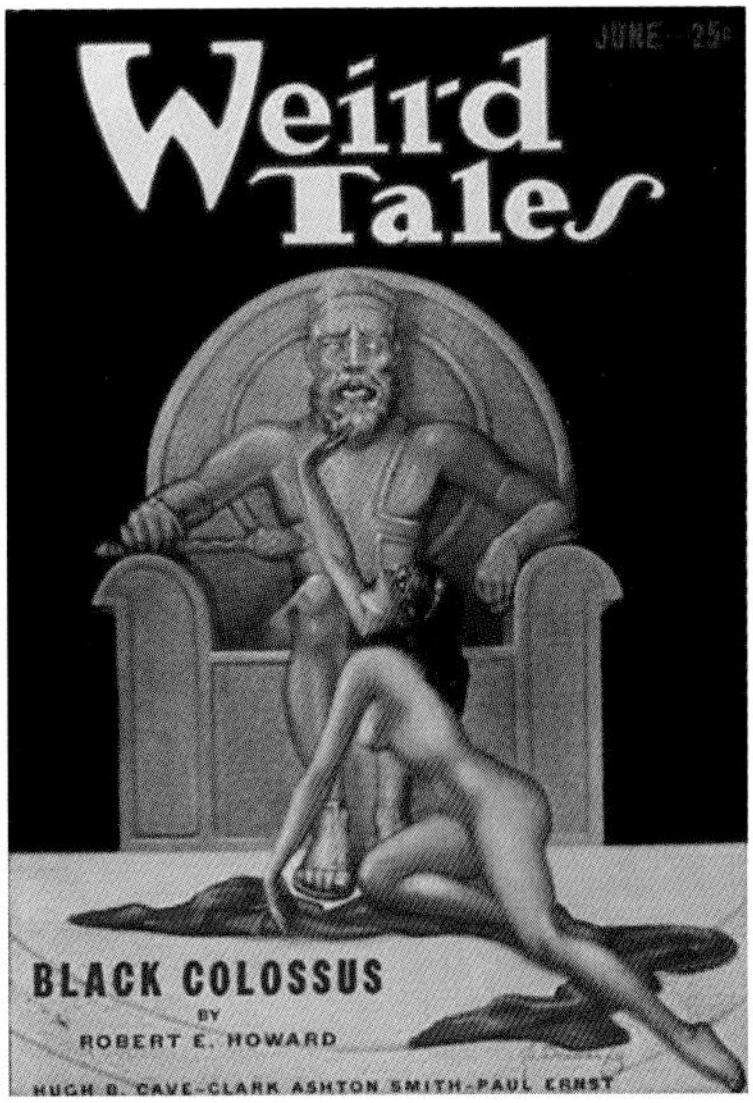

33年６月号

38年３月号
クイン“Incense of Abomination”

ヴァージル・フィンレイ
Virgil Finley (1914-71)

ポピュラー・フィクション社の所在地ゆえにだろう、WTの画家にはシカゴ在住者が多いが、フィンレイはニューヨークから画稿を送っていた。世界恐慌のさなかに父を亡くした彼は、塗装やラジオ組立などの仕事で生活を支えつつWTを愛読していたが、三五年の秋には編集部に絵を持ち込む。ライトはすぐに採用し、挿絵はラヴクラフトの目にとまった。それを機にフィンレイは長年ファンだった彼との親交を深めた。

フィンレイがWTの表紙を手がけたのは、三七年二月号から四〇年一月号までの十九点。ライトは彼を誌面の扱いでも画料でも優遇していたが、経費節減を命じられて画料を下げざるを得ず、フィンレイもA・メリットの『アメリカン・ウィークリー』での仕事が主となり、『ストレンジ・ストーリー』などの競合誌にも場を得て、WTから遠ざかっていった。彼が古巣に戻るのは終刊間際の五二年のことだった。

フィンレイの真髄は点描やペンの細密な描線にあるが、三七年十二月号のダイアリス「うなばらの魔女」や三八年四月号のスミス「アドンファの園」からも、彩色画の巧みさが十分にうかがえる。

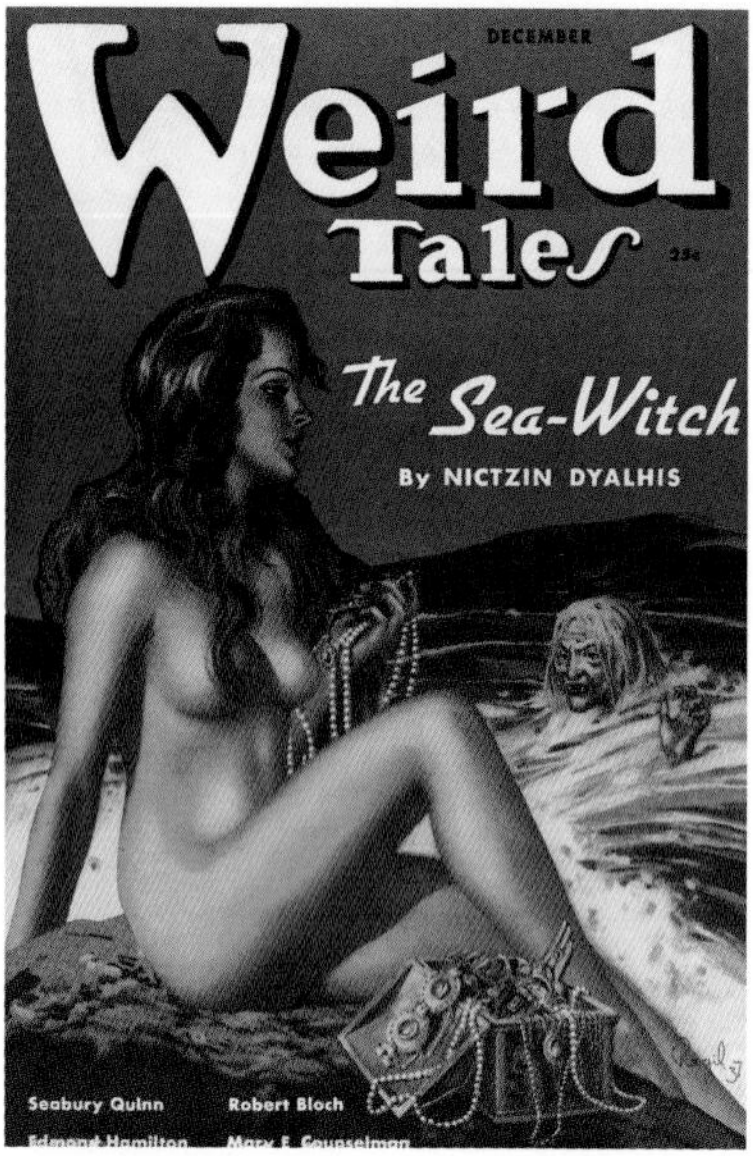

37年12月号

38年４月号

ハネス・ボク
Hannes Bok（1914-64）

本名はウェイン・フランシス・ウッダード。筆名はヨハン・ゼバスチャン・バッハに由来する。カンザスシティの年若い両親のもとに生まれたが、家庭環境には恵まれなかった。美術は独学だが、商業画家マックスフィールド・パリッシュと交友を持ち、大きく影響を受けている。

フォーレスト・Ｊ・アッカーマンやレイ・ブラッドベリのＳＦファンジンに画稿を寄せ、ブラッドベリがライトに彼を紹介したのをきっかけに、ＷＴから仕事を得るようになる。表紙でのデビューは三九年十二月号。

四〇年三月号でのライト編集長退任後も、ボクは後任のマクルレイスの下で挿絵、表紙絵に加え、目次のカットなども描いた。浮彫りのような質感とコントラストを持つ画風は注目を集めたが、やがて活動の場を台頭してきたいくつものＳＦ専門誌や、アーカム・ハウスなどの単行本に移していった。

ボクは詩作や小説の創作もしており、短編の多くは自身の挿絵と共にＷＴに掲載された。二作の長編ファンタジー『魔法つかいの船』『金色の階段の彼方』は邦訳されている。また、メリットの未完の作品を補綴し、完結させてもいる。

40年３月号
C・アーヴィン“The Horror in the Glen”

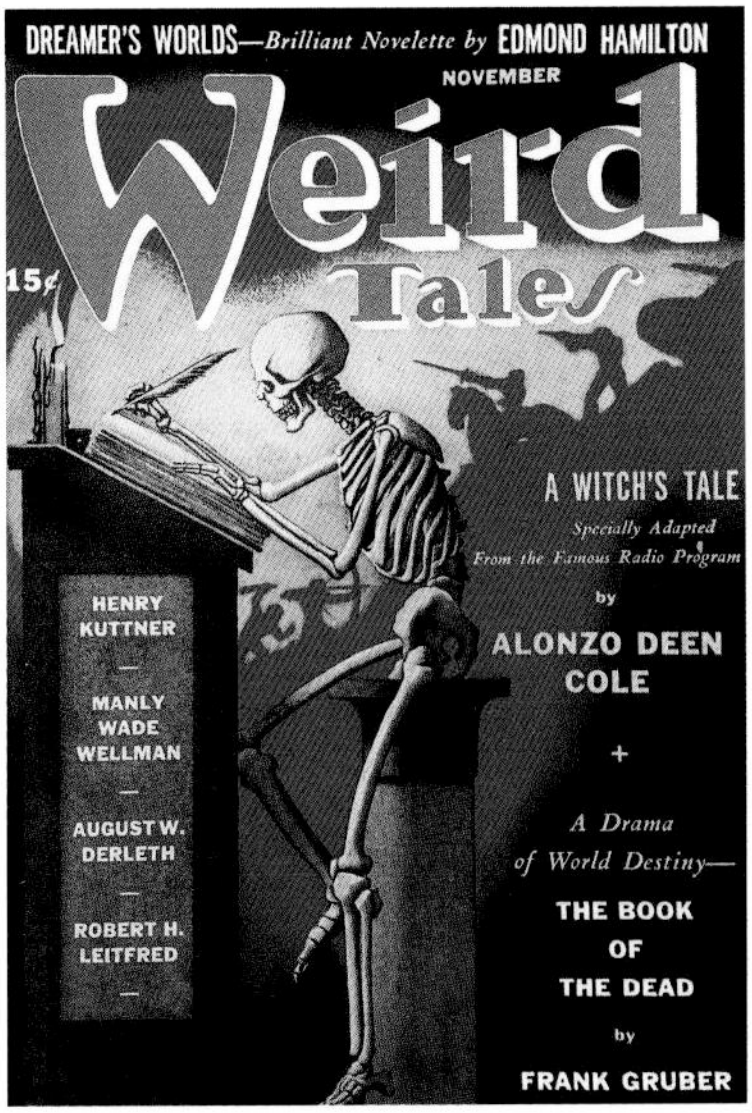

41年11月号
F・グルーバー”The Book of the Dead”

マクルレイス編集長時代（1940-54）

一九三八年、債権者が出版事業からの撤退を決めたため、創刊者ヘネバーガーは、ニューヨークはショート・ストーリーズ社の社主W・J・デラニーにWTを託した。デラニーはショート・ストーリーズ社と同じビル内に「ウィアード・テールズ社」を設立、ライトは編集長に留任し、十一月号より新会社でのWTが発行された。

デラニーはライトに経費節減を命じ、その結果、作家たちはより原稿料の良い雑誌に場を移した。売上は低減、ライトも持病が悪化し、四〇年三月号をもって退任する。

後任は雑誌編集の経験豊富なドロシー・マクルレイス、副編集長はラモント・ブキャナン。以降、WTは隔月刊となる。

クイン、ハミルトン、オーガスト・ダーレス、ブロックら古参の作家が寄稿を続ける一方、ブラッドベリ、フリッツ・ライバー、シオドア・スタージョンら新たな作家たちも登場、誌面はよりモダン・ホラーの色調を強めていった。

パルプマガジンというメディアが退潮の兆しを見せる中、WTはその独自《ユニーク》な存在を保っていく。

45年１月号　画／ブランデージ
ハミルトン”Priestess of the Labyrinth”

45年９月号　画／クルホフ
ブロック「サド侯爵の頭蓋骨」掲載

51年１月号　画／ティルバーン
F・オーウェン"Quest of a Noble Tiger"

46年11月号　画／ドルゴフ
C・H・トンプスン「深淵の王者」

52年９月号　画／フィンレイ
ラヴクラフト「郊外のハロウィーン」

47年３月号　画／ドルゴフ
ダーレス「ジョージおじさん」掲載

47年7月号
レ・ファニュ「教会墓地の櫟」掲載

51年5月号
ブロック「無人の家で発見された手記」掲載

リー・ブラウン・コイ
Lee Brown Coye (1907-81)

マクルレイスとブキャナンが見いだした怪奇画の天才。

シラキュース出身のコイは、高校時代から絵を独学。一九二七年にはイラストレーションの仕事を得るためにグリニッジ・ヴィレッジに移住した。大恐慌時には帰郷し、看板や地元紙の広告をはじめ、公共施設の壁画なども手がけた。三〇年代には奨学金を得て解剖学を学び、医学書の図解で注目された。また『白鯨』の挿画者ロックウエル・ケントと邂逅し、その画風から大きな影響を受けた。

幼い頃からの民話への志向と、医学書図解の経験に裏打ちされた怪奇画で本領を発揮するのは四〇年代。WTでは表紙を四五年六月号から五一年九月号まで十回、挿絵を多数手がけたほか、四七年から五一年まで怪奇なテーマの絵と短文のコラム“Weirdisms”を担当した。

その後も油彩、水彩、彫刻を手がけつつ、幻想文学書の装画に健筆を揮った。中でもアーカム・ハウスのラヴクラフトの著作の挿画は有名だ。七五年、七六年には世界幻想文学大賞を美術部門で受賞。コイの作品はメトロポリタン美術館ほか、アメリカ各地の美術館に所蔵されている。

マット・フォックス
Matt Fox（1906-88）

四〇年代後半のWTを漫画風のユーモラスな怪物画で飾った。

　ロシア系ユダヤ人の移民二世であるフォックスは、ニューヨーク・シティに生まれ、早逝した父に代わり鉄工所で働いて母と妹を支えつつ、美術を学んだ。妹の結婚後は母と二人暮らしをしていたが、大恐慌で務めていた鉄工所が閉鎖されたため、絵を持って出版社に売り込み、『アメイジング』『フェイマス・ファンタスティック・ミステリーズ』など多くのパルプマガジンに挿絵を描いた。WTでは挿絵だけでなく、一九四四年十一月号から十一回にわたって表紙も手がけている。

　また、四〇年代から台頭して次第にパルプマガジンを駆逐していくコミックの仕事も、フォックスはいち早くしており、六〇年代にはマーヴエル・コミックスで作画を担当。六六年からは映画雑誌『キャッスル・オブ・フランケンシュタイン』の編集部に所属し、同誌のイラストレーションで新たに注目を集めたが、二年後の六八年には引退し、コネティカット州に隠棲した。持病の療養のためという説があるが、自身を語ることのない人だったため資料が乏しく、詳しいことはわからない。

44年11月号
ダーレス「闇に棲みつくもの」掲載

49年３月号
スタージョン「火星人と脳なし」掲載

廃刊とその後

1973年夏号　画／フィンレイ

一九五四年、ショート・ストーリーズ社の倒産により、WTも九月号をもって廃刊した。通巻二七九号。

だが、七三年夏、サム・モスコウィッツによってWTは季刊で復刊する。翌年までに四号を出して終わったが、ハネス・ボクの目次カットを踏襲し、ホジスン、メリット、ラヴクラフト、ハワードらの作品を再録。オリジナルへのリスペクトが強く感じられる誌面を構成した。

八四〜八五年には、G・M・D・ガーブがベレロフォン・ネットワークから年刊で二号を発行。八四年号にはブラッドベリやブロックらの再録に加え、R・A・ラファティ、ハーラン・エリスン、スティーヴン・キングらの寄稿がある。

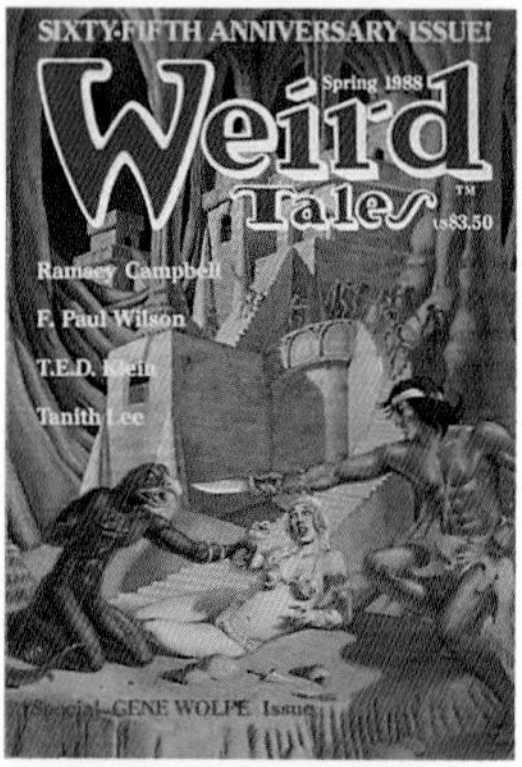

1988年春号　画／バー

八八年からは、小説家ダレル・シュワイツァーらにより、不定期ながら二〇一四年まで刊行が続けられた。寄稿者にはジーン・ウルフ、タニス・リー、トマス・リゴッティ、ラムジー・キャンベル、ジョナサン・キャロルなど錚々たる名が並ぶ。

一九年、ウィアード・テールズ社はウェブ上に復活、WT通巻三六三号が発売された。目下は年一回発行で、寄稿者にはヴィクター・ラヴァル、ジョー・R・ランズデール、ショーニン・マグワイアらがいる。

WTは間もなく創刊百年を迎える。

2019年号　画／ラーソン

【参考】書籍：『ウィアードテールズ別巻』那智史郎・宮壁定雄編著　国書刊行会一九八五／『パルプマガジン　娯楽小説の殿堂』荒俣宏　平凡社二〇〇一／*The Weird Tales Story* by R.E.Weinberg (Wildside Press 1999)
WEB: pulpartist.com (by David Saunders) / isfdb.org

パルプ・ホラーが映しだすもの

牧原勝志

たとえば植草甚一が一九七〇年代に書いていたコラムにもあるように、外国の雑誌を読むと、その国の一面が思いの外鮮明に見えてくる。『ニューヨーカー』や『ローリング・ストーン』からアメリカが見えるのは当然だが、通俗的な雑誌ほど見えるものは興味深い。その雑誌が現在発行中でも、昔に出ていた今はないものでも、変わることなく。

二十世紀の前半、コミックやTVが登場する前に、娯楽を求める読者に多彩な読み物を提供したパルプマガジンは良い例で、ことに『ウィアード・テールズ』（以下WT）から見えるものは、実に興味深い。このパルプマガジンの売りものが「恐怖」——そう、H・P・ラヴクラフトの言う、何よりも古く強烈な人間の感情だったからだ。

手軽な読み物雑誌だけに、掲載作には当然、単純な「怖い話」も散見される。だが、あらためて読むと、怖がらせにとどまらない、今の読者の鑑賞に耐える作も同様に多いのだ。それはWT前半期の編集長を長年務めたファンズワース・ライトの見識もあってのことだろう。同時代に探偵もののパルプマガジンから派生し、恐怖の刺激を追求していった〝ウィアード・メナス〟——残虐小説とは大きく異なる。〝ウィアード・メナス〟誌として悪名高い『テラー・テールズ』（一九三四―四一）や『ホラー・ストーリーズ』（三五―四一）の表紙絵を次頁に挙げるが、共通の寄稿作家がいたとはいえ、WTとの違いは明らかだ。WTはむしろ、三年後の二六年に創刊されたSF誌『アメイジング・ストーリーズ』のほうに、ずっと近い。

『ウィアード・テールズ』27年1月号

「恐怖《ホラー》」の形はさまざまだ。二十世紀のはじめから半ばにかけてのアメリカ人が、何に恐怖を覚え、どのように恐怖を楽しんでいたか。WTには伝統的な怪奇小説も、ラヴクラフト的な宇宙的恐怖《コスミック・ホラー》も、〝ウィアード・メナス〟に属するものも掲載されていた。中には犯罪や病気、狂気

『ウィアード・テールズ』36年3月号

など、現実に存在する「恐怖」を題材としたものも散見される。そこから、かれらが抱いていた「現実」の恐怖の反映が見えてくる。

たとえば残虐な作例では、シーベリー・クインのジュール・ド・グランダンもの「呪いの家」（別題「恐怖の館」二六年七月号）が挙げられる。妄執に憑かれた男が女性たちを誘拐し奇怪な手術で〃ペット〃に改造して地下室に飼うという、ただおぞましいだけの話だが、絵空事の悪徳と残虐をつかのま味わい、因果応報のカタルシスも得られる作だから

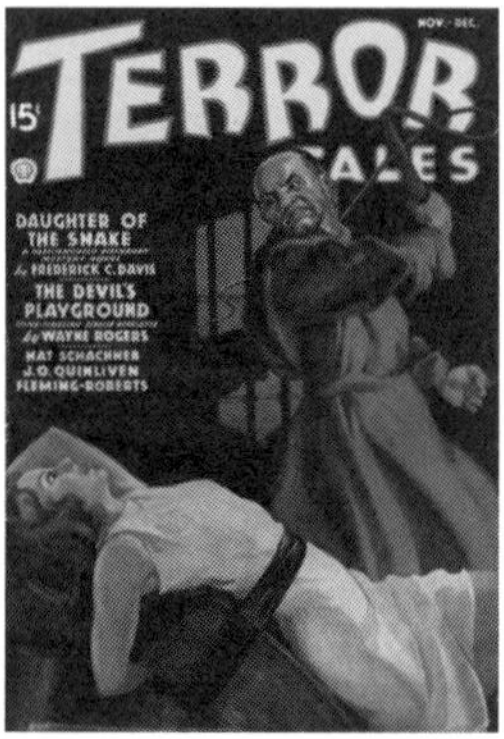

『テラー・テールズ』36年11/12月号

か、アンソロジーへの再録も多い。

異人種恐怖《ゼノフォビア》の作例としては、エリ・コルター「最後の戦慄」（戦前邦題「白手《しろて》の黒奴《くろんぼ》」二七年一月号）が好適だろう。差別を受け自身の肌色を厭う黒人が、白人を殺しては皮膚を剥ぎ、それを自分に移植して見た目だけでも白人になろうと企む物語だ。作中で人種差別への批判が語られるものの、読者が恐怖するのは凶行に及ぶ黒人だ。また、十九世紀末からのアジア系移民の増加を受けた黄禍論を受けてか、ギージー「呪術大日本」（二五年二月号）やヴァ

『ホラー・ストーリーズ』38年10/11月号

ンダー・ヴィル「黄色い妖怪」（二六年四月号）など、東洋人を怪しく怖ろしげに描いた作もある。

なお、「最後の戦慄」と同じ号には、ラヴクラフトが人種に対する偏見をあからさまに表出した「レッドフック街怪事件」も掲載されている。ヴィクター・ラヴァルの『ブラック・トムのバラード』が邦訳され、ドラマ『ラヴクラフトカントリー　恐怖の旅路』がネット配信で見られる今、あらためて一読を乞うべく、同作の新訳を本書に収録した。また、西山智則氏の評論「Ｈ・Ｐ・

初期の『アメージング・ストーリーズ』（27年2月号、7月号）

ラヴクラフトの退化論の進化論」は、同作を含むラヴクラフト作品の再読への指針となることだろう。

　精神病院が恐怖の場となる作も多いが、それらはフロイトの『精神分析入門』の英訳（一九二〇）を機にした、この時代の精神医学への関心を反映してもいるのだろう。同様に題材として散見されるハンセン病も、たとえば本邦の国枝史郎『神州纐纈城』（一九二六）などと比べれば、当時のアメリカでのこの病気の認識を読みとることができるはずだ。

　WTに掲載されたファンタジーもまた同様だ。読者たちが抱いた夢や、遠い世界への憧れが、作品を通して見えてくる。読者はアジア人を恐れながらも、フランク・オーエンが物語るファンタジーに東洋への思いを馳せた。神話のない新しい土地で、クインの「道」やダイアリスの「うなばらの魔女」（ともに本書収録）、あるいはエドモンド・ハミルトンの「神々の黄昏」（四八年七月号）を通して、北欧神話に夢を馳せた。日常の合間に、キンメリアのコナン、アトランティスのエラーク、あるいはノースウェスト・スミスなど、ヒーローたちを心の友とした。

　いかに怖ろしくても、どれほど不思議で華やかでも、絵空事は絵空事。怪奇《ホラー》も幻想《ファンタジー》も現実逃避でしかない——と言うのは簡単だ。だが、現実に身を置かなければ逃避はできず、絵空事も楽しくはならないことだろう。

　本書の収録作は、一九二〇年代から四〇年代にかけてのWT掲載作が中心だが、中には現在の目から見て、いくばくかの差異を感じるものもあるだろう。そこを含めてこれらの作品はみな、書かれた時代のアメリカの一面を見せているはずだ。読み捨ての安雑誌を彩った夢の数々を、それらを生み出した時代の残影とともに、お楽しみいただければ幸いである。

【参考】慄然の書（渡辺桜訳　継書房一九七五）、魔の配剤（ヴァン・サール編　朝日ソノラマ一九八五）、ウィアード・テールズ（全五巻　那智史郎・宮壁定雄編　国書刊行会一九八四〜八五）

幻想と怪奇7

ウィアード・テールズ　恐怖と冒険の王国

目次

表紙：ひらいたかこ（Pen Studio）
装丁：YOUCHAN（トゴルアートワークス）
『幻想と怪奇』題字：原田治

Weird Tales Trio

レッドフック街怪事件

The Horror at the Red Hook

H・P・ラヴクラフト　H. P. Lovecraft

植草昌実 訳

H・P・ラヴクラフト（一八九〇―一九三七）の人種差別意識はつとに知られており、中でも本作は差別意識や異人種恐怖《ゼノフォビア》をことにあからさまに書いている。アフリカ系アメリカ人の小説家ヴィクター・ラヴァルは、本作への返歌として『ブラック・トムのバラード』を書いた。アメリカ最大の怪奇小説家である彼の作品を、負の面も含めてどう再読するか、私たち現代の読者は自問せざるを得ない。ここに本作を新訳で収録した所以である。翻訳は『ウィアード・テールズ』一九二七年一月号の初出による。

「われわれの周囲には、善の洗礼があると同時に悪の洗礼もあってね、一生のうちには、洞窟があって暗くて、薄明のなかに住んでいる者がいるような、そういう未知の世界の信仰に動いていくことがあるものなんだ。人間は、ときどきどうかすると、進化の母胎に戻ることがあるらしいよ。恐ろしい伝説は今日でも滅びてはいないというのが、ぼくの信仰なんだ。」

――アーサー・マッケン

1

　ほんの数週間前、ロードアイランド州パスコーグ村の表通りで、がっしりした長身の、見るからに健康そうな通行人が奇矯な行動に及び、村人たちはさまざまな当て推量を競った。その男はどうやら、チェパチェットから街道を下ってきたようで、家の立て込んだ一角から、小ぎれいな店が何件も並ぶにぎやかな表通りへと左に折れた。と同時に、何が見えたというわけでもなさそうなのだが、男は問題の行動に及んだ。通りでいちばん高い建物に目を向け、しばし見つめていたが、急に怯えきった悲鳴をあげると、追い立てられたかのように駆けだし、次の角でつまづいて転んだのだ。助け起こされ、服の砂埃を払われるうちに、急な神経の発作もおさまったか、男は落ち着きを取り戻し、怪我もないようだった。男はきまり悪そうな口調で、いきなり緊張状態に陥ったのだと言うと、伏せていた目を来た道に向けるや振り返りもせずに歩きだし、やがてその姿は見えなくなった。大柄で頑強、顔つきからして真面目で常識もありそうな男にしてはなんとも奇妙なふるまいで、村人の中には彼がチェパチェット郊外の名の知れた酪農家に寄宿しているのを覚えていた者もいたが、それで何の説明がつくというものでもなかった。

　この男はニューヨークから来た刑事で、名はトーマス・Ｆ・マローンといった。かの都会で起きた、大規模な事故を伴う無気味な事件に、尋常でないほど力を注いだ彼は今、長期休職中で、医師の治療も受けていた。その事件の強制捜索のさいに、煉瓦造りの古い建物が何軒も倒壊し、同僚にも容疑者にも数多くの死者が出たことから、精神に大きな痛手を負ったのだ。その結果、倒壊した建物に似た建造物を異様に恐れるようになり、精神科医は彼に当分のあいだ、そのような建物を目にしないように強く勧めた。そこでチャパチェットに親戚のいる警察医が、植民地時代の木造建築しかないこの村ならば療養に理想的だと紹介した。彼はウーンソケットの主治医からはっきりした許可を得るまでは、チェパチェットより大きな集落の、煉瓦造りの建物のある通りには行かないと約束し、病状も快方に向かっていた。パスコーグまで雑誌を買いに出向いたのはまだ早すぎたようで、その結果、患者は恐怖に駆られただけでなく、人前で転んであざをつくり、恥をかくという憂き目にもあった。

　ここまではチェパチェットやパスコーグの事情通も知っていたし、専門医たちが疑念を抱くこともなかった。だがマローンは、捜査中に信じがたいものを目にした、と主治医に語っていた。だから、ブルックリンのレッドフック地区にごみごみと固まって建つ煉瓦造りの家が何軒か倒壊し、多くの勇敢な警察官が命を落としたため精神の均衡を崩したのだと、あとで周囲が決めつけても、彼は反論ひとつせず落ち着き払っていた。荒くれた無法者たちの巣窟を一掃しようとする努力が重荷に過ぎたのだ、と誰もが言った。あの事件そのものが良識ある者には衝撃的にすぎたうえ、予期せぬ大事故のせいで、彼の限界を超えてしまったのだ、と。このように説明すれば、たいていの相手は納得したし、それで納得してもらったほうがいい、とマローンも気づいていた。想像力の乏しい人たちを相手に、人知を超えた恐怖――言うなれば、邪悪な存在が太古の世界から持ち込んだ、街角にも家々にもはびこる悪疫がもたらす恐怖――が存在する、などとほのめかせば、片田舎での安逸な日々をあきらめ、壁を緩衝材で覆った独房での生活に甘んじることになるだろうし、マローンは神秘を理解するだけでなく常識人でもあった。彼の目は、ケルト人らしく奇怪なものや神秘なものを察知しながら、そういった不確かなものを懐疑的に見ることもできた。相反する性癖を共に持っているからか、フェニックス・パーク近くに建つジョージ王朝風の家に生まれ、ダブリン大学を卒業した彼は、四十二歳の今、この馴染みのない地に身を置くことになった。

　そして今、マローンは自ら目にし、感じ、知ったものを顧《かえり》みて、勇敢な刑事を震え戦《おのの》く神経症患者に変え、古い煉瓦造りの家々のあいだを数限りない人々が行き交う海のようなスラムを、凶兆に満ちた悪夢にしてしまう存在があることを、胸の内に秘めて満足していた。彼が説明を避けるのも、もっともなことだ――だいいち、いくつもの異国語が喧《かまびす》しいニューヨークの底辺に身を投じることこそ、説明しようのない奇行ではないか。邪智に伝えられたさまざまな素材を大釜で煮立てて毒となし、正視できぬ恐怖を今に顕《あらわ》そうという、奇怪にして恐るべき太古の魔術を、そのようなものを夢にも思わない世人に、言葉で伝えられるものだろうか。外なる貪欲と内なる瀆神が、時にあからさまに、時に密かに交じりあい、緑の業火をあげる神秘を、彼は目のあたりにした。そして、捜査活動上の新たな試みがニューヨーク市民から嘲笑を受けようと、かすかに笑って受け流した。才気走った連中は、この安っぽい俗悪な都市《まち》に未知なるものの謎を追い求める彼を、現実的でないと冷笑した。マローンが『ダブリン・レビュー』に発表した、数々の当を得た記事を知りもせず、あいつにはニューヨークの貧困層の生活を記事に書く腕はない、賭けてもいい、などと嘯《うそぶ》く輩《やから》さえいた――が、彼らの浅薄な見解が、預言者の言葉よろしく彼のその後を言い表すという大いなる皮肉に、マローンはあとになって気づいた。自分が目のあたりにした恐怖が何だったのか、彼にはまったくわからなかったのだ――ポーがその作で言及した、ドイツの「読まれることを拒む本」さながらに。

2

この世ならざる存在が身近に潜んでいるのを、マローンはつねに感じていた。少年時代は、あらゆるものが具える陶然たる美を受け止め、詩人になることを夢に見もした。が、貧困ゆえ余儀なく母国を離れた悲しみから、その目は幽暗《くらき》に向けられるようになり、世界には邪悪なものが満ちている、と信じて畏れを抱くようになった。日常のほうがむしろ、ビアズレーの技巧を凝らし腐爛を秘めた作品さながらの無気味な影絵芝居のように見え、ありふれたものの形にも、ギュスターヴ・ドレの暗く細密な絵画よろしく、その陰に潜む怖ろしいものを感じ取っていた。知識階級の人々がそのような内奥の神秘を笑い飛ばしているのを、むしろ造化の慈悲と感じていた。高い知性の持ち主が図らずも、古《いにしえ》の邪教が守り続けてきた秘密に触れてしまった結果、世界が異変をきたして破滅するばかりか、この整然たる宇宙さえ危機に瀕すると、彼は考えていたからだ。だが。なんとも悲観的で健全でないその考えを、彼は持ち前の論理的な思考とユーモアのセンスで相殺していた。マローンは知ってはならない領域には半ば踏み込むに止め、その先は考えるくらいにして満足していた。恐慌状態におちいったのは、職務ゆえに置かれた逃げ場のない状況下で、事実がその地獄めいたさまを露《あらわ》にしたときのことだった。

レッドフック街に彼が注意を向けたのは、ブルックリンのバトラー・ストリート分署に配属されていた頃のことだった。そこはガヴァナーズ島を望む海岸沿いの、ごみごみと立て込んだ迷路よろしき古さびた一角で、煤けた通りが何本か、波止場から丘に向かって延びており、寂れた二本の通り、クリントン・ストリートとコート・ストリートが、高台のブルックリン区庁舎にまで続いている。立ち並ぶ家屋はほとんどが煉瓦造りで、十九世紀半ばあたりに建てられたものだ。入り組んでどこに通じているとも知れぬ路地や横町には、読書好きが「ディケンズ風」と呼びそうな、古さびた趣《おもむき》がないとも言えない。その住民たちたるや、シリア人やスペイン人、イタリア人や黒人などが入り交じって渾沌とし、そこからさほど離れずに、スカンディナヴィア人やアメリカ人の居住区がこぢんまりと収まっている。その一帯の耳障りな喧噪はさながらバベルの塔の再現で、汚れた埠頭に打ち寄せる油膜の浮いた波の音や、教会のオルガンを巨大にしたような汽笛の単調な響きに答えるかのように、耳慣れない言葉が絶え間なくざわめいていた。その昔、このあたりの眺めは明るく、埠頭に続く通りを眼差《まなざ》しも明朗な船員たちが行き交い、丘には裕福な人々が居を構えていた。その幸福な時代の面影は、整然とした建物や、ふと目につく優美な教会や、あちこちに断片的に残る細工に見てとることができる――すり減った階段や壊れた門扉、対のまま崩れかけた装飾円柱や、かつては緑地だったところに撓《たわ》んで残る、錆びた鉄柵といったものに。どの家も堅牢な煉瓦造りで、中には最上階に窓を巡らせた丸屋根の物見台を具えた家もあり、船長や船主の家族がそこから海を望んだ日々を思い起こさせる。

だが、今や町並も人々の心も荒れ果て、百をも超える異郷の、神をも畏れぬ卑しい言葉が、天に響かんばかりにどよめいている。往来では得体の知れぬ者どもがうろついては高歌放吟し、屋内の人は通りに人気《ひとけ》を感じるや、手を延ばして明かりを消し、カーテンを引く。通りかかる者があれば、後ろ暗そうな表情を浮かべた浅黒い顔が、窓辺から奥に消えていく。警察官たちは治安の維持や状況の改善を諦めたか、伝染病の患者を隔離するように、この一角と外の世界を隔てる壁を築こうとしているかのようだ。巡邏《じゅんら》の足音に応えるのは墓場のような静けさで、悪事を咎《とが》められ捕縛された者たちは一言たりとも口をきこうとはしない。明るみに出た犯罪だけでも、ここで聞かれる言語の数ほど多岐にわたり、ラム酒の密輸や密入国の手引きから、さまざまな違法行為や軽犯罪、さらには重度の傷害や殺人といった忌むべき犯行に至る。犯罪の隠蔽は信頼関係に基づく技術であるから、事件が明るみに出てこないのは、この地域の住民たちの結びつきがそれだけ堅固だということだろう。レッドフックに来る者は、去っていく者――とりわけ陸路で去る者――よりも多く、出ていった者は誰もみな、かの町のことを語ろうとしない。

こういった物事から、市井の人々が非難するような、あるいは聖職者や博愛主義者が悲嘆にくれるような罪科よりも、さらに忌むべき秘密が悪臭よろしく漏れ出しているのに、マローンは気づいていた。彼は想像力と科学的な知識を兼ね備えていたので、無法状態に置かれた現代人が、儀式のように日常生活を守り続けるうちに、類人猿にほど近い原始的な野蛮さに目覚め、本能の暗い面をあからさまにした異常な行動を繰り返すようになると知っていた。小暗い朝まだき、にきびづらの若い男たちが、ぼんやりした目つきで何やらぶつぶつ繰り返したり悪態をついたりしているさまに、人類学的な興味に目を向けるたび、彼は身震いを覚えたものだった。屯《たむろ》する若者たちを目にしないときはない。街角で見るともないそぶりをしつつ何かを見張り、戸口で安物の楽器を下手に鳴らし、時には区庁舎に近いカフェテリアのテーブルで正体もなく眠りこけたり下品な言葉を交わしていたり。埃っぽいタクシー乗り場や、古い空き家の崩れかけた玄関前に集まって、何やらひそひそ話していることもある。マローンは怖れつつも、無法者特有の密かな連帯をもつかのように見える彼らに、同僚たちに語る以上に強く惹かれていた。警察が手をつくし細心の注意をはらって集めた犯行とその手口、隠れ家といった、芳しからざる情報の山のどこを見ても、彼らの傍若無人なふるまいの陰に、遠い昔から守ってきたものが潜んでいるように思われた。あのならず者どもはみな、原始の忌むべき伝統を守る継承者であり、人類よりも古い時代の教義や祭祀の朽ち果てた破片《かけら》を隠し持っていると、彼はうすうす感じ取っていた。彼らの芳しからざる行動は、一見は無軌道なようでも奇妙なほどに秩序が見てとれたし、しっかりと団結している様子があったからだ。ミス・マレー（一八六三―一九六三　イギリスの人類学者）の『西ヨーロッパの魔女儀式』などの著作にただ漫然と目を通しただけではなかったので、アーリア人の古い邪教にはじまり、一般には黒ミサだのサバトだのとして知られている怖ろしい秘儀の集会が、近年まで貧農などのあいだに密かながら確実に残っていたことを、マローンは知っていた。古代の中央アジアに位置したトゥーラーンの魔術や豊穣神崇拝の儀式が、跡形もなく消えてしまったとは信じがたく、もっとも怖ろしい伝承よりもさらに古く暗いものが残っているのだろうと、彼はしばしば考えていた。

3

マローンがレッドフック街の内奥に踏み込むきっかけになったのは、ロバート・サイダムの事件だった。サイダムはオランダ系の古い家柄に生まれた教養ある人物で、なんとか自活していけるだけの財産をたよりに隠遁生活をしていた。広いだけに手入れが行き届かない屋敷に住んでいるが、その屋敷を祖父が建てた頃は、フラットブッシュの村には植民地様式の家々が教会をのどかに囲んでいるばかりだった。尖塔を具えた教会は改革派で、その壁は蔦に覆われ、鉄柵で囲まれた墓地にはオランダ風の墓碑が立ち並んでいた。マーティンス通りから引っ込んだところに、老木に囲まれて建つその淋しい屋敷で、サイダムはかれこれ六十年以上も読書と思索にふけって過ごしていた。もっとも、三十年ほど前に一度、ヨーロッパに渡ったことがあったが、その間の八年ほどもやはり人目を避けて過ごしていた。使用人を置くほどには裕福でなく、一人住まいに客を招き入れることもほとんどなかった。人づきあいは避けていたが、それでも珍客が訪ねてくることはあり、そんなときは一階に三つある部屋のうちの一室に迎えた。そこは広く天井の高い図書室で、壁の書棚にぎっしり詰まった重たげな本はどれも古びてぼろぼろになり、どこかしら気味悪く見えた。町は発展してブルックリン地区の一部になったが、サイダムがそれに関心を持つことはなく、彼のほうも町の人々から忘れ去られていった。古くからの住民であれば、通りで彼を見かけたときその名を思い出したが、新しく来た人々には肥満した変わり者の老人でしかなく、蓬髪も無精髭も白く、てかてかに擦れた黒い服を着て金の握りの杖を手にしたその出で立ちに、ちらりと好奇の目を向けるくらいだった。マローンは職務で関わるようになるまではサイダムとは面識はなく、中世の迷信については権威と呼ばれるほど造詣の深い人物であると友人から聞いただけだった。だが、彼がかつて上梓した、今は入手困難なカバラとファウストゥス伝説に関する冊子について、その友人が記憶を頼りに語るのを聞いて、興味を抱いたことはある。

そのサイダムが「事件」となったのは、彼が正気か否か、遠縁の者たちが裁判所に判定を求めたときのことだった。世間には唐突に思われたが、実のところは長らく観察し、悲しむべき議論を重ねた末のことだった。それも、サイダムの言動に奇妙な変化が起き、奇怪なことがもうすぐ起きると口走ったり、ブルックリンでも怪しげな地区にわけもなく踏み込んだりしていたからだ。歳を重ねて身なりはさらにみすぼらしくなり、うろつくさまは物乞いと変わらず、地下鉄の駅で見かけた知人には恥ずかしく思われ、区庁舎前のベンチにだらしなく座って、柄の悪そうな浅黒い顔の見知らぬ連中と話していたこともあった。口を開けば、無限の力がもうすぐ手に入ると言ったり、「セフィロト」だの「アシュマダイ」だの「サマエル」だの、何かの名前なのか妙な言葉を得意げに何度も口にしたりしていた。裁判所の調査でわかったのは、サイダムがロンドンやパリから古書珍籍を取り寄せたり、レッドフック街の一角に小汚い地下室を借りたりで浪費し、利子ばかりか元金まで使い果たしている、ということだった。その地下室で毎晩のように時を過ごし、無頼漢や外国人など怪しげな連中を集めて、低くついた窓に緑のカーテンを引き、その陰で何やら儀式めいたことをしているらしい。彼の尾行を依頼された探偵たちは、その夜の儀式のあいだ、異様な叫びや詠唱や踊り跳ねる足音を聞き、地下室を気づかれないように覗いたところ、酔いどれがうろつくこのあたりではおかしな酒宴が珍しくないとはいえ、連中が忘我の恍惚に浸っているさまが見えたので、さすがに肝をつぶした、と報告した。だが、この一件が調停に取り上げられると、サイダムの行動は慎重になった。裁判官の前では礼儀正しくふるまい、自分の突拍子もない言動を認めて、研究に没頭しすぎたせいだ、と率直に認めた。ヨーロッパの伝承をより詳しく調査し、民族舞踊や伝承歌謡をより深く知るために、何人もの外国人と親しくなる必要があった、と彼は言った。怪しい秘密結社か何かのカモにされているなどと親類たちは言っているようだが、まったくもって馬鹿げた話で、自分自身のことも研究のことも無理解なのは悲しい、とも。その冷静な返答に裁判官も納得し、サイダムは拘束されず退廷を認められ、サイダム、コーリア、ファン・ブラントの親類各家は愛想をつかし、探偵たちはお役御免となった。

　ここに至って連邦捜査局と警察が本件に介入し、マローンも動員された。警察もサイダムの行動は注視しており、私立探偵に協力したことも一度や二度ではなかったのだ。捜査の結果、サイダムの新たな仲間たちが、レッドフック街の入り組んだ路地に潜む犯罪者のうちでもことに凶悪な連中とわかり、そのうち少なくとも三人に一人は、窃盗、騒擾、不法入国の手引きなどの常習犯として記録されていた。実際、この年老いた学者が集めた仲間は、エリス島の移民検疫所が賢明にも送還した、国籍も名前も怪しげなアジア人どもに密入国の手引きをする、最も悪辣な組織の成員とほぼ一致していたといっても過言ではない。サイダムが地下室を借りていたパーカー・プレイス――今は改名された――の、ごみごみした貧民街には、アラビア語を使ってはいるものの、アトランティック・アヴェニューのシリア人のほとんどが同胞ではないときっぱり言いそうな、細く吊り上がった目をした、どこから来たとも知れぬ一団が根を下ろしていた。身分を証明するものを何一つ持っていないので、強制送還されそうなものだが、役所もなかなか動こうとしないので、世論が騒ぎでもしないかぎり、レッドフックの現状を乱す者はいない。

　この人と呼ぶも憚《はばか》られる者たちは、木曜日ごとに舞踏場に使われている、石造りの廃教会に寄り集まっていた。海岸通りのとりわけ柄の悪い一角に建つ、ゴシック風の扶壁に囲まれたその教会は、カトリックのものだと言われていたが、ブルックリンの司祭たちは誰一人としてそれを認めず、夜間の巡回をする警察官たちも、中から漏れる音を耳にして、司祭たちの見解に納得した。マローンもまた、教会に明かりが灯らず人気《ひとけ》もないときには、気のせいか地下深くからオルガンが鳴るような無気味な低音を聞き、人が集まって礼拝をしているときには、怖ろしげな叫び声や太鼓の音を耳にしたように思った。サイダムは礼拝について問われると、ネストリウス派の名残にチベットのシャーマニズムが交じった儀式のように思える、と応えた。ここに集まる人々のほとんどはクルディスタンあたりに祖をもつ黄色人種であろう、と彼は推測していた——クルディスタンといえば、ペルシャの悪魔崇拝者たちの末裔、ヤジディ教徒の地であることを、マローンは思い出さずにはいられなかった。推測の正否はどうあれ、サイダムの身辺を調査するうちに、不法入国者がこのレッドフックで数を増し続けていることがわかった。密輸監視官や港湾警察官がまだ知らない違法組織の手を借りて入国し、パーカー・プレイスに潜んだり丘に身を隠したりして、先に入ってきていた似たような境遇の住民たちから独特の共感をもって迎えられていた。色鮮やかなアメリカの衣類を、見苦しくも短軀に身につけた、吊り上がった細い目のそいつらは、区庁舎周辺にうろつく浮浪者たちやならず者どもに交じりだし、多く見かけるようになった。その人数を割り出し、身元や職業を確かめ、可能であれば一斉に逮捕して移民管理局に引き渡すよう手を打つ必要を感じるほどに。連邦捜査局と市警察当局の合意のもと、レッドフック街の詳細な調査を命じられたマローンは、着手するや否や、自分が名状しがたい恐怖の淵に臨むかのように覚え、みすぼらしい身なりのロバート・サイダムが魔王のように見えてきた。

4

警察の捜査方法は多岐にわたり、巧緻をきわめる。マローンも例に洩れず、通りをそぞろ歩き、意図を悟られないようさりげなく話しかけ、頃合いを見て携帯フラスコの酒を勧め、逮捕され怯える相手からはものわかりよいふりをして話を引き出し、そうこうするうちに不穏な外国人たちの動向について、断片的だが多くの事実を知り得た。新しく入ってきた者たちは明らかにクルド人だったが、彼らの方言はどの地域のものかもわからず、言語学に照合してみても特定できなかった。職にありついた者はだいたい沖仲仕や、無許可の行商人をしていたが、中にはギリシア料理店の給仕や、ニューススタンドの売り子をしている者もいた。だが、ほとんどの者は見たところまともな職についている様子はなく、後ろ暗い付き合いに頼っているようで、密輸や密造酒の販売などをしているのはまだましなほうだった。彼らはここまで不定期貨物船でやってきて、月のない夜に手漕ぎのボートに乗り移って波止場から運河を上り、隠れ家の地下に設けた船着き場で下りているようだった。その波止場も運河も、隠れ家も、どこにあるのかマローンには突き止められなかった。情報提供者たちはみな記憶が曖昧だったし、使う言葉は知識の豊富な通訳にも理解が困難なものだったからだ。組織的な入国の意図についても、中身のある情報は得られなかった。誰一人、どこから来たのかはもちろん、自分たちを集めて行き先を指示した組織のことも、口を割りはしなかった。しかし、ここに来た理由を問うと、誰もがきまって急に怯えたような態度を取るのは見て取れた。人種の異なる者たちも、やはり口は堅く、ようやく聞き出した話といえば、異郷に行けば莫大な力なり、この世ならぬ栄誉や権力なり得られると、神だか高僧だかに約束された、などというものだった。

　サイダムが厳重な警戒のもとで開く夜の集会には、そんな新参者たちも、もとからいるならず者たちも欠かさず出席しており、警察がほどなく突き止めたのは、かの隠者がさらにいくつもの部屋を借りて合い言葉を伝えた者たちを住まわせ、さらには借家を三軒も借りて奇妙な取り巻き連中をかくまっている、ということだった。そして、サイダム本人は今やフラットブッシュの屋敷にはほとんどおらず、たまに本を出し入れするのに帰るくらいになっていた。そして、見た目も態度も驚くほど粗野に変わってもいた。マローンは二度ほど面談を申し入れたが、いずれも素っ気なく断られた。クルド人が何か企んでいるかなど知らず、どうやってここに来たか、何を求めているか見当もつかないし、自分はこの地区のあらゆる移民たちの民間伝承を調べているだけで、誰からも口出しをされるいわれはないのだから、まして警察が何の用か、と。サイダムがかつて上梓したカバラや神話についての小冊子を褒めてみても、老人が態度を軟化させたのはほんの一時だけだった。意図に感づいたか、サイダムは協力をきっぱりと断った。万策尽きた、とマローンは察し、情報は他から得ることにした。

　マローンがこのまま調査を続けていたら何か見つけられたか、今となってはわからない。市警と連邦捜査局のあいだに起きたくだらない衝突で、調査は数カ月のあいだ止めざるを得なくなり、マローンも他のいくつもの事件で多忙をきわめた。だが、この事件に関心を失うことはなく、ロバート・サイダムの身辺に起こった事柄に驚きの目を向けていた。続発する誘拐と失踪にニューヨーク一帯が騒然としていた頃、かのみすぼらしい老学者は、呆気にとられるような変身を遂げはじめていたのだ。ある日、区庁舎のそばで、髭を剃り髪を整え、趣味の良い清潔な服装をした彼の姿を目にした者がいたが、それから毎日のように、目立たず少しずつ、その身なりは変わっていった。身なりはさらにこざっぱりとし、目は明るく輝き、歯切れの良い口調で話すようになり、徐々にではあるが不格好な肥満体も痩せてきた。しばしば実年齢より若く見られるようになり、見た目にふさわしく足取りは軽快になり、立ち居にも活気が出てきて、さらに奇妙なことに、染めてもいないのに髪が黒々としてきた。何カ月かすると、変化は服装や外見にとどまらず、フラットブッシュの邸宅の修理改装に及び、新しい友人たちを驚かせた。サイダムは思い出せるかぎりの知人を招待して立て続けに宴席を設け、自分の自由を奪おうとした親類たちまで寛大にも許したばかりか、彼らを歓迎するためにも宴会を開いた。好奇心で出席する者や、付き合いで顔を出す者もいたが、ついこのあいだまで隠者だった男の見違えるほど優雅で洗練されたさまを目にして、誰もが一様に驚いた。サイダムが言うには、彼は科せられていた仕事をほぼ成し遂げたうえ、忘れかけていたヨーロッパの友人からまとまった額の遺産を相続したので、これからは心の平穏と食餌療法によって得た健康な体で、残りの人生を第二の青春と思って明るく過ごすのだ、とのことだった。そして、元の社会生活に戻ったので、レッドフック街で彼の姿を目にすることはなくなった。ならず者たちはパーカー・プレイスの地下室ではなく、舞踏場にされた石造りの廃教会に集まるようになった、と警察官たちは気づいた。地下室のあるアパートは最近建て増しされたが、不健全な様子は相変わらずだった。

　やがて、二つの出来事があった——かけ離れているようだが、どちらもマローンの興味を強く惹いた。一つは『イーグル』紙にひっそりと載った、ロバート・サイダムとベイサイドのコーネリア・ジェリツェン嬢との婚約の告知だった。年若いジェリツェン嬢はサイダムの遠縁にあたり、確かな仕事に就いている職業婦人だった。もう一つは廃教会に警察が調査に入ったことで、誘拐された子供の顔がその地下室の窓にちらりと見えた、という通報を受けての立ち入りだった。マローンも加わり、踏み込んでくまなく調べた。何も見つからなかった——中には何もなかったのだ——が、彼のケルトの勘は至るところに不審なものを感じていた。見るからに気に障る、下手な絵を描いた板が何枚もあり、それらは聖人像ながらありがたみのない筆遣いで、どの顔も嘲笑を浮かべ、中には世俗の目をもってても許しがたいほど歪曲されたものもあった。説教壇の上の壁には、ギリシア語の銘文が刻まれており、マローンはこれにも眉を顰《ひそ》めたが、それは彼がダブリン大学在学中に目にしたことのある文言で、逐語訳すると以下のようになる。

「嗚呼《ああ》、夜の血族《うから》、朋輩《ともがら》よ、狗共《いぬども》の遠吠《とほぼえ》と流るる血潮《ちしほ》を愛《め》でる者、黄昏時《たそがれどき》の墓地を彷徨《さまよ》う者、死すべき者等を畏れさせ血を欲する者、ゴルゴ、モルモ、千の貌《かほ》の月魄《げつぱく》よ、我等が犠牲《いけにへ》を受け給へ！」

　これを読んでマローンは慄然とし、このあたりを夜に巡回したときに聞こえた気のする、割れた低いオルガンの音《ね》を、おぼろに思い出していた。祭壇に置かれた金属製の水盤の縁に浮いた錆を見てまたも身震いし、奇怪で禍々《まがまが》しい臭気を間近に覚えたときは凝然と立ち竦《すく》んだ。オルガンの音が耳から離れないので、立ち去る前に地下室をことさら念入りに調べてみた。なんとも厭わしい場所だ。あの罰当たりな板絵や銘文は、無知な者の悪戯《いたずら》にすぎないものと片付けられるものだろうか。

　サイダムが結婚する頃までには、続発する誘拐事件は新聞にも頻繁に取り上げるようになっていた。被害者のほとんどは貧困層の子供たちだったが、人数があまりに多く、世情は激しい怒りに沸き立っていた。新聞各紙は警察の捜査を声高に要求し、バトラー・ストリート分署では手掛かりや被害者、そして加害者をも見つけようと、再三レッドフック街に警察官を派遣した。マローンは勇んで捜査を再開し、かつてサイダムが借りていたパーカー・プレイスの貸し家の一軒を調査したさいには誇らしくさえ思った。だが、悲鳴を聞いたとか、地下室の入口に血まみれの飾り帯が落ちていたとかいう噂を耳にしてはいても、子供の一人も見つかりはしなかった。だが、どの部屋にも剥がれかかった壁紙に、やはり奇怪な絵や稚拙な文字の銘文が遺され、さらに屋根裏部屋が簡易的な化学実験室にされているのを見て、途方もないものを追っているのだ、という確信を得た。絵はさまざまな大きさや姿の怪物どもや、人間の姿を言葉にしようもないほどひどくゆがめたものを描いた、無気味なものばかりだった。銘文はどれも赤く、書かれた文字はアラビア、ギリシア、ローマ、さらにはヘブライと、一様でなかった。マローンにはそのほとんどが読めなかったが、判読できた部分だけでも、充分に謎めいて不吉だった。それは繰り返し書かれた、ヘブライ語訛りの古典ギリシア語みたいな言葉で、アレクサンドリアの頽廃が生み出した恐るべき悪魔召喚の呪文かとさえ思われた。

HEL. HELOYM. SOTHER. EMMANVEL. SABAOTH. AGLA. TETRAGRAMATON. AGYROS. OTHEOS. ISCHYROS. ATHANATHOS. IEHOVA. VA. ADONAL. SADY. HOMOVSION. MESSIAS. ESCHEREHEYE.

　床のいたるところに描かれた円や五芒星は、ここで自堕落に暮らす者たちの信仰や願望をあからさまに告げているようだった。さらに地下室には、ここで見つかったものの中でもひときわ奇妙なものがあった――無造作に麻布をかぶせただけの、本物の金の延べ棒の山で、その輝く表面には、壁に書かれたものと同じ文字が刻まれていたのだ。調査のあいだじゅう、どの戸口にも目の細い東洋人どもが群がっていたが、抵抗の様子を見せる者はいなかった。結局、誘拐事件に関わりのありそうなものは何も見つからず、警察は貸し家からそのまま立ち去るほかなかった。だが、分署長はサイダムに宛てた手紙を書き、世論の抗議が高まる折につき、貸し家に住まわせている者たちの身元ははっきり把握しておくよう求めた。

5

　六月、結婚式の当日はちょっとしたお祭り騒ぎになった。開式の正午を控えたフラットブッシュは華やぎ、改革派教会近辺のアーケード街に面した通りは、三角旗をつけた車で込みあった。サイダム家とジェリッツェン家の婚礼は、この地区では類を見ないほど大がかりで華やかなもので、新郎新婦を見送りにキューナード埠頭まで出向いた面々たるや、貴人高位と呼ぶのは大袈裟にしても、紳士録のまる一ページを埋めるに足るだけの面々だったのだ！　五時になり、堂々たる定期旅客船は手を振る群衆に送られ、長い埠頭をゆっくりと離れていくと、タグボートを離して舳先を湾の外へ、心躍る旧世界へとつながる海へと向けた。夜になる頃には港もすっかり遠ざかり、まだ船室に入らないでいる乗客たちは、鏡のような海の上空にさんざめく星を見上げていた。

　船員たちの注意を惹いたのが不定期貨物船だったのか、それとも悲鳴だったのかを、定かに知る者はいない。同時だったのかも知れないが、確かめてどうなるというものでもないだろう。その悲鳴はサイダムの特別室から聞こえ、ドアを破った船員は、もしすぐさま狂気に陥るようなことにならなければ、いかに怖ろしいものを目にしたか語ったにちがいない――だが実際は、さらに大きな悲鳴をあげてから、へらへら笑いながら船中を走りまわり、ついには取り押さえられ監禁された。彼のあとで特別室に踏み込んで明かりを点けた船医は、正気を失いはしなかったものの、のちにチェパチェットで療養中のマローンと文通するようになるまで、そのとき見たものを口外することはなかった。船室で起きていたのは殺人で、サイダム夫人が扼殺されていたのだが、その頸部に遺っていた指の痕は、夫はもちろん人間のものですらなく、白い壁にほんの一瞬、禍々しく浮かんだ赤い文字は、記憶を頼りに書いてみると、カルデアで使われた古代文字で「リリス」と綴られていたことが判明した。文字はすぐに消えてしまい、あとはみなが落ち着きを取り戻すまで、サイダムの部屋に誰もいれないようにするほかなかった。船医はマローンに、それは見なかったと断言した。だが、明かりを点す直前のほんの一瞬、開いていた舷窓がぼうっと燐光を帯び、外からはかすかでも身の毛もよだつような忍び笑いがしたという。だが、それが何だったかは見られなかった。だから正気でいられたのだ、と船医は主張した。

やがて船員たちは、不定期貨物船が近づいてくるのに気づいた。貨物船から降ろされたボートの乗員は、身なりだけは上級船員風の、浅黒い肌をした横柄なやくざ者たちで、事件のため一旦停泊した〈キュナーダー号〉に乗り移ってきた。彼らはサイダムを――もし死んでいるなら遺体を――引き渡せと要求した。乗船を知っているばかりか、死ぬようなことが起きると確信しているようだった。船医の報告と、貨物船から来た男たちの要求とで、船長室は混乱をきわめ、たとえ賢明で肝の据わった船員でも、何をどうすれば良いのか考えもつかなかったことだろう。貨物船から来た男たちのうち、アラブ人が分厚い唇を憎々しげにゆがめながら、くたびれ汚れた一葉の紙を船長に差し出した。そこにはロバート・サイダムの署名とともに、奇怪な文言が書かれていた。

もし私が不慮の事故に遭うか、あるいは死んだときは、この手紙を持参した者とその同伴者を疑うことなく、私の身柄もしくは死体を引き渡してください。本状に従うことが私にも、おそらくは貴下にも、最善の対応になります。理由はいずれわかります――今は本状に書いたとおりにしてください。

ロバート・サイダム

船長と船医は顔を見合わせ、船医は船長に何事か小声で伝えた。そして、やむを得ぬと言いたげにうなずき交わすと、怪しげな船員たちをサイダムの船室に案内した。中を見ないよう船長に念を押してからドアを開いて彼らを通し、船室から荷物を運び出すまでの妙に長いあいだ、ずっと息をひそめていた。荷物は寝台からはがした寝具で包んであり、中身の形がはっきり見えなかったので、医師は安堵した。船員たちは荷物を舷側から下ろして貨物船に運んだが、その間に寝具がほどけることはなかった。〈キュナーダー号〉は航行を再開し、船医と船付きの葬儀屋は、亡き乗客のための最後の仕事をしようと、サイダムの船室を調べた。だが、ここでおぞましい行為が行われたことに気づき、船医は再び沈黙するばかりか、虚偽を述べざるを得なかった。なぜサイダム夫人の体から血を抜いたのか、と葬儀屋が尋ねたが、彼は自分がしてもいないことなのにそれを聞き流し、酒瓶が並んでいた棚が空になり、中身を急いで始末したのが流し台のにおいからわかったが、何も言わずにいた。その二時間後、ラジオがこの怖ろしい事件を世界中に伝えた。

6

六月、その日の夕刻、海上で起きていることを知るよしもないマローンは、レッドフック街の路地の張り込みに専念していた。この一帯が突如として騒然としはじめ、さながら異変が口伝《くちづ》てに広まったかのようで、舞踏場になった廃教会や、パーカー・プレイスの貸家の周辺に、町の住人たちが何かが始まるのを期待するかのように集まっていた。三人の子供が——ガワーナス街に住む、青い目をしたノルウェー人の子供たちが姿をくらましたので、街の屈強なヴァイキングたちが集まり、暴動を起こしかねないという噂も流れていた。ここ何週間か、一斉検挙に踏み切るよう、マローンは同僚たちを説得しつづけていた。いよいよ事態はダブリン出身の夢想家の推測に留まらず、明らかに職務上の常識でも捉えられるものになったので、警察はついに行動に移った。この夜の不穏さが検挙に踏み切るきっかけになり、三つの分署から集められた警官隊が深夜、パーカー・プレイスとその周辺に一斉に踏み込んだ。ドアを破り、抵抗する者たちを逮捕し、文様入りのロープや司教帽《ミトラ》や、珍奇なものを身につけた、さまざまな異人種を何十人も、蠟燭を点した部屋べやから追い出した。この混乱の中、証拠となるものは思いもよらぬところに設えられた縦穴に投げ込まれ、臭いは刺激の強い香に消された。だが、飛び散った血痕を拭い去るいとまはなく、火鉢や祭壇からはまだ煙が立ちのぼり、マローンはそのさまを見て身震いした。

　彼は一箇所に身を置いていられないほど気が急《せ》いていたが、廃教会はもぬけの空、という報告を受け、サイダムが借りていた地下室に行くことにした。あの隠秘学《オカルト》研究者は明らかに異教集団の首魁であり、自分の部屋に手掛かりになるものを残しているにちがいない、と読んだのだ。大きな期待を抱いて黴臭い部屋を隅々まで探り、死臭のようなものを微かに感じながら、無造作に散らばる珍奇な古書や道具類、金塊やガラス栓のついた瓶を検分した。痩せこけた白黒斑の猫が足のあいだに入り込んできたのに気づかず、つまづいて転んだひょうしに、赤い液体を半ば満たしたビーカーを倒してしまった。マローンはひどく動揺したが、そのとき自分が何を見たのかはよくわからない。ただ、その猫が逃げていくさいに、怪物めいた姿に変わっていくさまを、今も夢に見る。地下室のドアにたどり着いたが、施錠されていたので、彼は打ち破るものを探した。すぐそばに置かれたどっしりした椅子の、座面の頑丈さは古い鏡板を壊すには事足りるようだった。板を割ると亀裂はすぐに広がり、ドアは破られた——向こう側からの力で。底知れぬ窖《あなぐら》の底から、凍てつく風が悪臭を帯びて吹きだしてくるや、立ち竦む刑事をこの世のものとは思われぬ吸引力で捕らえ、身のまわりで渦を巻き、囁きや嘆きや、嘲笑の響き渡る底なしの奈落へと、彼を引きずり込んだ。

　もっとも、これは夢にすぎない。マローンが会った専門家は口を揃えてそう言ったし、彼自身もまた、それに反論しうる証拠を持っていない。夢であってほしいと願っている。夢であれば、古い煉瓦造りの建物が犇めくスラムや、浅黒い顔の外国人たちを目にしても、何も怖れることはないと自分に言えるからだ。だが、そのときは見たものすべてが怖ろしくも現実らしく、闇に沈んだ地下の、巨人が通れるほどの拱廊を声もたてず行き来する、地獄のどこかを姿に現したような巨大なものどもの姿や、それらが手にしている生きながら半ば食われた獲物が、泣き叫んだり笑い狂ったりするさまは、記憶から消し去りようがない。香と腐敗物が混じりあった胸の悪くなる臭いがし、眼のほかは形をもたない原形質の、どんよりと半透明の姿をしたものが、暗がりに蠢いていた。黒く澱んだ水が岸辺に打ち寄せる音が聞こえ、小さな鐘がいくつも騒々しく鳴って空気を震わせるや、燐光を帯びた毛のないものが狂おしい笑い声をあげながら泳ぐように這い上がってきて、黒い瑪瑙《めのう》の礎石に据えられた、彫刻を施した金の台座によじ登り、上にうずくまってあたりをちらちらとうかがった。

　果てしなき夜の拱廊があらゆる方角に向かって広がり、そのいずれかの先には町という町を覆い尽くし、国々さえも席捲しかねない悪疫がはびこり、瘴気を発していた。この空間では、宇宙的な罪科は不浄な儀式によってさらに膿み爛れ、歯を剥き出して嗤う死の行進が瞬く間に奇病を広めて、墓地に葬りきれぬほどの死者の山を惨たらしく築くだろう。ここは魔王サタンの悪徳の宮廷であり、魔女リリスが疫癘《えやみ》に仄《ほの》光る手足を無垢なる幼子《おさなご》の血で洗う場である。夢魔と淫魔は死の女神ヘカテーを称えて哮《たけ》り、頭のない孕み子たちは大地母神《マグナ・マーテル》を呼んで泣く。微かだが忌まわしい笛の微かな音に山羊どもは跳ね、半羊半魚の牧神は蝦蟇《がま》のように膨れた腹を岩に引きずって半獣の精霊を追いまわす。供犠を求める牛神モレクや、地獄の大公アスタロトの姿も垣間見えた。この呪わしい領域の中心では意識が境界を失い、邪悪な力が訪れた者の心眼にあらゆる恐怖と禁忌を映していた。封印を解かれた夜の縦坑から襲いくるものどもには、現実は抗《あらが》う術《すべ》もなく、いかなる護符や祈りも、悪魔の智慧を納めた櫃の呪縛を賢者が解錠したかのような、この恐るべき魔宴の狂騒を退けようがなかった。

　突如、一条の光がこの幻影を切り裂き、この忌むべき瀆神の群の中に、マローンはオールの音を聞いた。舳先にランタンを点したボートが近づいたかと思う間もなく、湿気に滑《ぬめ》る石造りの船着き場に素早く寄り、鉄輪に繋留されるや、寝具にくるんだ長い荷物を担いだ浅黒い顔の男たちが降りてきた。男たちは荷物を金の台座の前に置き、燐光を放つものはそこに座したまま、またあの笑い声をあげて、前肢で荷物の表面に触れた。すると男たちは寝具をほどき、無精髭が伸び白髪の乱れた、太った老人の壊疽《えそ》を生じた死体を、台座の前に据えた。発光体はまたも笑うような声をあげ、男たちは手に手に瓶を取り出して中身の赤い液体を発光する怪物の後肢に塗ると、残りを飲むようにと怪物に差し出した。

　すると急に、果てしなく続く拱廊の先のどこかから、禍々しく震えるオルガンの喘鳴が、嘲笑うかのように低く響いてきた。動いていた悪夢の一群は、それを聞くや一斉に立ちすくんだが、すぐさま儀式めいた列をなして、音のする方へと静かに去っていった——山羊、半獣の精霊、牧神、夢魔、淫魔、死霊、歪《ひず》んだ蝦蟇のような不定形の霊体、犬の顔をした吠えるもの、闇の中を音もなく這いまわるもの――それらすべての先頭を、黄金の玉座にうずくまっていた毛のない燐光を放つ怪物が、虚ろな目を開いた老人の死体を抱え不遜な足取りで進んでいく。その後ろで黒い男たちが舞い狂い、行列の全体がディオニュソスの狂躁さながらに跳ね躍っていた。自分が今いるところはいったいどこのどういう世界なのか訝しんだまま、マローンはその数歩後を朦朧とした意識のままよろよろと追った。だが、悪魔のオルガンが鳴り響く中、彼はよろめいて濡れた石に倒れ、喘ぎながら身震いしているうちに、狂気の行列の咆哮や、太鼓や鉦の音は遠ざかっていった。

彼はそのまま、遠くから響く恐るべき詠唱と、身の毛もよだつ歓声に、ただぼんやりと耳を傾けていた。犠牲《いけにえ》の泣く声が暗い拱廊を渡ってきた。そして、廃教会の説教壇に書かれていた、無気味なギリシャ語の呪文を唱える声が湧き起こってきた。

「嗚呼《ああ》、夜の血族《うから》、朋輩《ともがら》よ、狗共《いぬども》の遠吠《とほぼえ》と（ここで禍々しい咆吼が轟いた）流るる血潮《ちしほ》を愛《め》でる者（ここで気味の悪い悲鳴に合わせるように、言い表しようのない音が響いた）、黄昏時《たそがれどき》の墓地を彷徨《さまよ》う者（短い、口笛のような喘鳴）、死すべき者等を畏れさせ血を欲する者（数多くの喉から絞り出される短く鋭い叫び）、ゴルゴ（唱和する声）、モルモ（恍惚とした唱和の声）、千の貌《かほ》の月魄《げつぱく》よ（吐息と笛の音が続く）、我等が犠牲《いけにへ》を受け給へ！」

詠唱が止むと、ひときわ大きな叫びがあがり、低く割れたオルガンの調べをかき消さんばかりに、それに唱和する声が起こった。そして、吠え、唸る声が口々に言葉となって聞こえた――「リリスよ、偉大なるリリスよ、かの花婿を照覧あれ！」叫びはさらに荒々しく湧き上がり、何者かが走ってくる足音が聞こえた。マローンは肘をついて身を起こし、近づく足音のほうに目をやった。

薄暗い地下室にわずかながら光が差していた。邪悪な光の中、足音の主の姿が見えた――動くわけもない、すでにものを感じることも、呼吸すらしていないものの姿が。肥満した老人の死体が、いましがた終わった悪魔の秘儀に力を得たか、どんよりとした目を見開き、誰にも支えられずに立って歩いていた。その後を追うのは、黄金の台座に乗っていた、毛のない体から燐光を発し、嗤うような声をあげる怪物と、黒い肌の男たち、そして、見るも厭《いと》わしいあの一群だった。それらに間を詰められながらも、死体は意思をもって腐敗した筋肉を駆使し、蘇生の秘儀において重要な役割を担うと思しき黄金の台座へと向かっていた。追うものどもよりもひときわ早く、死体は台座にたどり着いた。かつてロバート・サイダムと呼ばれたものの骸《むくろ》は、腱も切れんばかりに最後の力を振り絞り、ぬるつく床に腐り果てた体を運び、ついに台座に手をかけた。すさまじい力で押したが、台座は微動だにしなかった。だが、サイダムが汚泥のように崩れるとともに、台座は揺らぎ、傾き、そして瑪瑙の礎石から滑り落ち、彫刻をきらめかせながら暗い水の中へ、夢も及ばぬ奈落の底へと、沈んでいった。その一瞬後、恐怖の光景はマローンの視界から消え失せ、邪悪な世界をすべて無に帰すかのような轟音の中、彼は意識を失った。

7

マローンの夢はまちがいなく、サイダムが客船上で死んで貨物船に移されたことを知る前に見たものだが、事件は奇妙にも夢を補足するようなものだった。だからといって、マローンが見たのが現実の出来事だったとは、誰も信じはしないだろう。パーカー・プレイスの三軒の古い家は、見た目には気づかれなくても、腐朽はじわじわと進んでいたようで、原因は不明ながら被疑者の大多数と警察官の半数ほどを中に入れたまま倒壊し、多くの死者を出した。だが、倒壊は地下にまでは及ばず、マローンは幸運にもロバート・サイダムの地下室に入っていたために、一命をとりとめた。彼が地下室にいたのはまちがいなく事実だ。発見されたとき、彼は地下の船着き場の縁に意識を失って倒れており、数フィート離れたところには、崩れ果てた腐肉と骨の塊があり、歯の治療痕からそれはサイダムの死体だとわかった。地下水路は埠頭からここまでつながり、彼らが死体をここまで運び込んできたのは明らかだった。密輸人たちの身元はいまだ不明で、行方もわからない。警察があっさりそう決めつけてしまったことに、船医は不満を抱いている。

　サイダムが大規模な人身売買組織の首領であったことは、地下を数限りなく走る水路が彼の家に続いていたことからもうかがえた。家には廃教会に通じる地下通路もあった。教会の地下には、北側の壁沿いに作られた狭い通路を通ってしか入れないが、そこに並ぶ数々の部屋からは怖ろしいものがいくつも見つかった。割れた音を鳴らすオルガンがあったのは、木製のベンチと奇妙な形の祭壇を備えた、迫持《せりもち》造りの地下礼拝堂だった。その壁沿いには狭い独房が並び、うち十七室には――怖ろしさに記するのも憚られるが――狂気に陥った者が一人ずつ囚われ、鎖につながれていた。うち四人は女で、それぞれが見るも奇怪な姿の乳児を抱きかかえていた。乳児たちは日光にあたるやいなや死んでしまったが、かれらを診た医師たちはその死を慈悲深いものと受け止めた。そのさまに、デル・リオ（一五五一—一六〇八　ベルギーの神学者、魔女学者）の暗澹たる問いを思い出したのは、マローン一人だった。「夢魔や淫魔なる魔は存在するのか、存在するのであれば、かれらとの同衾は人に子をなし得るものか」

　水路は埋められる前に徹底的に浚渫され、鋸《のこぎり》で切ったり、打ち割ったりされた、さまざまな大きさの骨がおびただしく出てきたので、ちょっとした騒ぎになった。連続誘拐事件の謎がここで明らかになったわけだが、生き残った被疑者たちを追及してはみたものの、事件の関与を認めたのは二人だけだった。だが、この二人が殺人の従犯であるという確証は得られていないため、今も拘置所にいる。彼らの秘儀にはきわめて重要なものとマローンが主張していた、彫刻を施した黄金の台座、あるいは玉座はついに見つからなかったが、サイダムの家の地下の、浚渫できないほど深い穴に沈んだにちがいない。地上の家を建て替え、地下室を作るさいに、その穴はセメントで埋められたが、マローンはその底に何があったのか、その後もたびたび考えた。警察は、凶悪な外国人密輸組織を摘発し、逮捕には至らないが強制送還させるべきクルド人数名を連邦当局に引き渡した。かれらはみな、悪魔を崇拝するといわれるヤジディ教の信徒だった。不定期貨物船とその乗組員の行方は杳《よう》として知れないが、口の減らない刑事たちは、また人身売買やラム酒の密輸をするようであればすぐに押さえつけてやる、と息巻いている。そんな同僚たちが、説明のつかない数々の事象に疑問を抱かず、おぼろな暗示に気づかないほど洞察力に乏しいことを、マローンは気づいている。だが、宇宙の内奥から告げられた恐怖に気づくことなく、猟奇教団を興味本位で取り上げ騒いだ新聞社にも批判的だ。もっとも、今の彼はチェパチェットに身を寄せ、沈黙を守って神経を荒立てることなく、自分の怖ろしい体験が時とともに薄らいで、現実ではなく神話を描いた一幅の絵のようになることを祈るばかりだが。

　ロバート・サイダムは、グリーンウッド霊園に妻とともに葬られた。遺体が原形を留めていなかったので葬儀は行われず、親族は事件そのものが早く忘れ去られたことに感謝している。かの隠秘学者がレッドフック街の怪事件と関わっていることを明示する証拠はなく、彼が生きていればされたはずの調査もなかった。その最期を語る者もなく、毒にも薬にもならない魔法や民間伝承を道楽にした温厚な隠者だったとだけ記憶されればいい、と親族は願っている。

　レッドフック街は——といえば、今もさほど変わったところはない。サイダムが来て、去っていったと同時に、恐怖はここに集《つど》い、薄らいで消えた。だが、混血の住人が居をなす古い煉瓦造りの街角には邪悪で不浄な空気が漂い、家々の窓からはゆがんだ顔が外をうかがっては明かりが消され、通りには何の目的があるのか、徘徊する者たちが絶えない。古い恐怖は千の頭をもつ怪物ヒュドラのように死に絶えることなく、闇の教義はデモクリトスの井戸よりも深く瀆神に根ざしている。このレッドフックには黙示録の獣の魂がはびこり、勝ち誇っているのだ。うつろな目をしたにきびづらの若者たちが今も、呪いの言葉を唱え、歌い、叫びながら、自分たちには理解できない生物学上の法則に突き動かされて暗い路地をうろつきまわるが、どこに行こうとしているかは余人はもとより、本人たちにもわかりはしないだろう。昔と変わらず、レッドフックに来る者は、陸路を通って出ていく者よりも多く、さらには密造酒や言うも憚るものを運ぶための水路が新たに地下を通っているという噂さえ、耳にするようになった。

　舞踏場に使われていた廃教会は、今はただの舞踏場となったが、夜に窓から中を覗くと、見慣れない顔つきの者たちが見える。最近、塞いでおいた独房のある地下室が、何か用途があるのか、また掘り起こされたらしいと、ある警察官が報告した。人類の歴史よりも古い邪悪と闘える者がいるのだろうか。アジアで猿どもを踊らせた恐怖が、腐朽していく煉瓦の壁の向こうに、癌のようにじわじわと広がっている。

　マローンはわけもなく身震いした——ある日、薄暗い路地で、黒い肌をした斜視の老婆が幼い子供を相手に、ジャマイカ・クレオール語で囁きかけているのを、別の警察官が聞いたという。老婆がこのような同じ言葉を何度も繰り返すのに気づいて、なんとも奇怪に感じた、と彼は語った。

「嗚呼《ああ》、夜の血族《うから》、朋輩《ともがら》よ、狗共《いぬども》の遠吠《とほぼえ》と流るる血潮《ちしほ》を愛《め》でる者、黄昏時《たそがれどき》の墓地を彷徨《さまよ》う者、死すべき者等を畏れさせ血を欲する者、ゴルゴ、モルモ、千の貌《かほ》の月魄《げつぱく》よ、我等が犠牲《いけにへ》を受け給へ！」

エピグラフはアーサー・マッケン「赤い手」(平井呈一訳『三人の詐欺師』所収　牧神社一九七三)より。本作の邦題は、『定本ラヴクラフト全集3』(国書刊行会一九八四)に準じました。なお、新訳にあたり、赤井敏夫、佐藤嗣二、大瀧啓裕各氏の翻訳を参考にしました。記して感謝いたします。
(訳者)

Weird Tales Trio

アンポイの根

The Root of Ampoi

クラーク・アシュトン・スミス

Clarke Ashton Smith

夏来健次 訳

サーカス巡業でカリフォルニアに来た巨人が語る奇妙な体験に、ひととき耳を傾けてください――独自の怪奇美に満ちた世界を描き、ラヴクラフト、ハワードと並び称される巨匠クラーク・アシュトン・スミス（一八九三―一九六一）の、彼には珍しく『ウィアード・テールズ』では没にされたという作品を、ここに御紹介しよう。一九三〇年、「地図にない島」や「秘境のヴィーナス」と同時期に書かれた本作は、なぜかライト編集長のおめがねにかからず、のちにオーガスト・ダーレスが発掘して *The Arkham Sampler* 四九年春号に収録した。

オーバーン（作者スミスが住んだカリフォルニア州の小都市）の町にサーカスが来たときの話。駅の側線に駐《と》まるサーカス列車の長い車輌の列からは、さまざまな異国の動物の吠え声や唸り声や叫び声が聞こえていた。象や縞馬《しまうま》やひと瘤駱駝《こぶらくだ》などが目抜き通りを牽《ひ》きまわされてのし歩いたり、あるいはまた曲芸師やフリークが街なかを練り歩いたりしていた。

髭を生やした二人の淑女が如何《いか》にも女性らしい優雅な物腰で通りすぎていき、それにつづいて小人の一団が、洗練されたおとなしい子供たちさながらに歩いていった。そのつぎに目に入ってきたのは、身長が八フィート（約二メートル四〇センチ）はありそうな大男だったが、体つき自体が堂々たる風情で、いわゆる巨人症の人によくある不均衡な感じがしなかった。見た目は普通でありながら、単に体格が平均より少しいいだけというふうだった。それとともに一見して気づいたのは、顔立ちや歩きぶりなどからして、船乗りではないかと思わせるなにかがあることだった。

　医者であるわたしは、医学的な見地から好奇心を喚起された。並はずれた身長と体格を持ちながら、先端巨大《アクロメガ》症《リー》（巨人症の正式病名）らしい痕跡が認められない例には、それ以前に出遭ったことがなかった。

　その男もわたしが関心を持ったことに気づいたようで、意味ありげな視線で見返した。そして船乗りらしい歩き方で近づいてきた。

「旦那、この町で余所者が一杯やれそうなところはありますかね？」と男は用心深く問いかけた。

「一緒に来てみなさい」とわたしは応えた。「じつは対症療法医でね。尋ねなくともきみが病人だというのがわかるんだ」

　わたしの医院までは一ブロック離れているだけだった。着くなり男に階段をあがるよう促し、診察室に案内した。勧めに応じて男が椅子にかけると、患者独りだけで部屋がいっぱいになったような雰囲気だった。わたしはライ・ウイスキーのボトルをとりだし、グラスになみなみと注いでやった。男は嬉しさをあらわにして一気に飲み干した。初めて見たときはいくらか憂鬱そうな気配をまとわりつかせていたが、多少とも明るさが戻ってきたようだった。

「旦那、おれがずっとこんなでかぶつだったわけじゃなさそうだと、思ってるんじゃねえですかい」男は独り言のように言った。

　二杯目を飲んだあと、男はまた少し憂鬱気味になって、こう言った。

「そうですとも。ジム・ノックスは初めからサーカスのフリークだったわけじゃねえんでさ」

　そのあと、わたしがそれとなく促すと、彼はつぎのような体験談を語った。

　冒険好きのロンドンっ子だったジム・ノックスは、若いころには平《ひら》水夫あるいは甲板《こうはん》長として世界の海の半分を経巡《へめぐ》り、多くの珍しい見聞をしてきた。生来の倦むことなき大胆な気質やみがたく、三十歳に手が届く前に、それまでにもなかった途方もなく壮絶な探険をすることになった。

　その出来事に先立ついきさつ自体、多分に尋常ならざるものだった。バンダ海（インドネシア島嶼とニューギニア島に挟まれた海）で激しい台風に遭って船が遭難し、ただ独りの生存者となったノックスは、沈みゆく船からもぎとられた昇降口蓋《ハッチ》に乗って、二日間海を漂った。そして現地人の釣り舟に救助され、サラワティ島（ニューギニア島西端の小島）に運ばれた。

サラワティ島の族長《ラージャ》は老齢のマレー人で、ノックスをとても親切に迎えた。この族長が伝説を数多く語り聞かせ、ノックスは熱心に耳を傾けた。そんなふうに気が合ったおかげで、族長の館でひと月以上も大切な客人として扱われながらすごすことができた。そのあいだに傾聴したたくさんの驚異に満ちた話のなかに、パプア人（ニューギニア島の先住民）のある部族にまつわる、初めて耳にした格別に不思議な噂があった。

その稀少な部族はアルファク山（西パプア北部の山）のほとんど近づきがたい高原に住む人々で、女性は九フィート（約二メートル七〇センチ）もの身長があって、透き通るような乳白色の肌をしているが、奇妙なことに男たちは普通の背丈で色も浅黒いという。めったに来ない旅行者がその部族の邑《まち》にたどりつくと親切に迎え入れ、ガラス珠《だま》の飾り物や鏡などを求める代わりに、付近の山腹で豊富に産出するピジョンブラッド紅玉《ルビー》を提供するという。族長はその証拠として、疵《きず》もない未加工の大きな紅玉を見せ、たしかにその地域で採れたものだと主張した。

巨人女族《にょぞく》の話には眉に唾をつけながら聞いていたノックスだったが、紅玉の話ははるかに信が置けると思った。冒険に付きものの危険さや困難さやとんでもなさなど気にもかけない性格ゆえ、そのアルファク山に是非行ってみたいとただちに心を固めた。

熱心に話を聞いてくれる客人がいなくなるのを惜しむ族長に別れを告げ、探索の旅を再開した。どうやって調達したのかノックスは説明しなかったが、ガラス珠の飾り物と鏡をたくさん入れた袋をふたつ担ぎ、ニューギニア島北西部の海岸にたどりついた。アルラク地区のアンダイという群落で巨人女族の居場所を知っているという案内人を探しだして雇い、内陸の山地へと向かって出発した。

案内人はマレー人とパプア人の混血で、安ぴかの土産物を入れた袋のひとつを担いでくれ、もうひとつはノックス自身が担いだ。帰りにはそのふた袋を、鈍くきらめく深紅の紅玉でいっぱいにしたいものだと願っていた。

文明世界に知られていない土地ゆえ、先住民の一部には首狩りや人喰いの風習があるとも噂されていたが、途中で出遭う人々は意外にもみな親しみやすかった。しかし奥地へと分け入るにつれ、案内人でさえ地理が曖昧になってきたことをあらわにしはじめた。アルファク山の中腹までたどりついたときには、そのあたりが見事な紅玉の採れる地域だというノックスの持つ知識以上のことを、案内人はほとんど知らないのだとわかった。

　急勾配の森のなかを進んでいくと、依然として亜熱帯の高い木々が立ち並ぶ上方に、高山の断崖をなす花崗岩の岩肌が切り立っているのが見え、午後の太陽はその背後に隠れて見えなくなっていた。夕刻の早いうちに、とても登れそうにない絶壁の麓《ふもと》でキャンプを張った。

　黄色くまばゆい朝日に目覚めたノックスは、案内人が安ぴか物の袋をひとつ持っていなくなっていることを知った――安ぴか物でも未開の民の目には、一生つづけられる事業を起こせるだけの資金源になると見えたかもしれない。ノックスは肩をすくめ、軽く毒づいた。案内人などいなくてもどうということはないが、本物のお宝を手に入れられる力が半減したのは痛かった。

　頭上の絶壁を見あげた。朝日の輝きのなかで無数の地層をあらわにしつつ聳《そび》え、てっぺんはまわりの雲に紛れてよく見えない。そのさまを見すえるうちに、この断崖は件《くだん》の秘められた高原を護るためにあるのだという思いが強くなってきた。その静けさと近づきがたい孤高さ、永続的で隔絶的な雰囲気からして、巨人女族とピジョンブラッド紅玉の領域を保護する天然の砦以外のものではありえない。

　ノックスは袋を担ぐと、花崗岩の崖を見まわし、試みの登攀をはじめられそうな場所がないか探した。切り立った絶壁は鉄板のようになめらかで、蜘蛛猿《くもざる》（中南米産の身軽な猿）でも手がかり足がかりにできそうなところがない。それでも探しつづけるうちに、水の流れ落ちた跡が炎熱のせいで干あがってできたとおぼしい深い亀裂があるのを見つけた。そこを登りはじめたが、これまたたやすいことではないとすぐわかった。水が流れ落ちた経路が段々をなしているのだが、まさに巨人のための階段ででもあるかのように段差が大きいのだ。

　つかまるところがなくてしばらくぶらさがったり、あるいは足を思いきりのばしてやっと爪先立ちになったり、つかまろうとしたらあやうい場所だったりといった、危ないことの連続で時間の半ばが費やされた。登攀は危険このうえない仕事で、わずかでも過《あやま》てば下方の尖った岩による死で罰せられる。

　決して下を見ないようにと努めつつ、亀裂のなかを登りつづけた。正午に近づくころ、上方に恐ろしげなほど大きく突きだした岩棚があるのが見えてきた。上へ行くにつれ狭まる亀裂はそこで終点となり、岩棚の上では黒々とした洞窟が口をあけているのだった。

ノックスは最後の段となるその岩棚に登り、亀裂を作った水の入《はい》り口が上方のどこかにあるにちがいないという希望とともに、洞窟のなかに入っていった。マッチを擦って火を点け、その明かりを頼りに、滑りやすい登り勾配を恐るおそる進みはじめた。洞窟は間もなく狭まり、煙突のなかをあがるときのように、ときどきまわりの壁面に体を挟まれねばならなかった。

　手さぐりしながら長く進みつづけるうちに、前方の真っ暗闇のなかに、針の穴ほどの小さな光が見えてきた。ここまでの苦闘で疲れきってしまいそうなノックスだったが、とたんに勇気づけられた。ところが洞窟の幅がいっそう狭まり、袋を背負ったままではこれ以上体を挟みこめなくなった。少しさがって袋をおろすと、自分より先に狭い隙間に押しこみ、それから四十五度ほどの急勾配を登りにかかった。当時のノックスは中背でいくらか痩せているほうだったが、そんな彼でも洞窟の最後の十フィートばかりは、体を無理に捻じこみながら登るのがやっとだった。

　袋に最後のひと押しをくれて外の地表に押しだすと、そのあと自分の体を捻じこみあげ、ようやく外界の日差しの下で疲れきって倒れこんだ。彼が横たわったその場所こそ、今は干あがっているかつての流水の湧出源なのだった。椀のように凹んだ源泉のすぐ先では、花崗岩の尾根がゆるやかな傾斜をなし、そのすぐわきに白い雲が迫っていた。

　ノックスは急坂を登りきった自分の能力を祝福した。秘められた紅玉と巨人女族の領域への入口に、まちがいなく近づいたと感じていた。

　依然としてそこに横たわっているとき、上方の尾根に迫る雲を背景として、突然数人の男たちが姿を現わした。驚きを表わす仕草で興奮したわめき声を発しながら、山岳民族らしいたくましい足どりで近づいてくる。ノックスは立ちあがって男たちを待ち受けた。

　彼の姿はよほど風変わりな光景だったにちがいない。洞窟をくぐり抜けるあいだに付着したさまざまな土壌や鉱物の色で、衣服も顔も汚れきっていたのだから。近づいてくる男たちの視線には、ある種の恐れの気持ちすらあるようだった。

　みな裾の短い赤紫色の上衣を着て、獣皮製の草履《ぞうり》を履いている。低地にすむ民族とは明らかに異なる。肌は薄い黄褐色で、顔立ちはヨーロッパ人の基準でも見目がよいと言える。全員長い槍で武装しているが、敵意はなさそうだった。驚きに目を見開き、おびえさえ感じさせる表情で、ノックスが知るかぎりのメラネシア（ニューギニア島はじめ太平洋南西部の島々）のどの言語とも異なる言葉で話しかけてきた。

それに対し、わずかに使ったことがあるだけの単語を含めたあらゆる言葉で応答してみたが、ほとんど理解されないようだった。そこで袋の紐を解《と》き、ガラス珠をふたつかみほどとりだして、遠い土地から取引目的できた者だと仕草で伝えるべく努めた。

男たちは盛んにうなずいた。一緒に来るよう促したあと、雲の迫る尾根へと引き返しはじめた。ノックスは後ろに付き従いながら、あの族長が話していた部族についに出遭えたのだという確信を覚えていた。

尾根を登りきると、長くのびる高原を見晴るかせる場所に出た。一面に森林に覆われ、そのなかに川や田畑も見える。斜めに射す穏やかな日差しのなか、ノックスらの一行は高原をめざし、柳蘭《やなぎらん》や石楠花《しゃくなげ》の花々に挟まれた細道をくだっていく。ほどなく路面の踏み均《なら》された道になり、まわりをダマール・ゴムの林や麦畑が囲みはじめた。粗く削った石の壁に草葺きの屋根を載せた家々がまばらに見えるさまは、海岸近くの小屋造りの群落よりもいくぶん高度な文明を感じさせる。

付近にいる男たちは、ノックスを導いてきた一行と同じ服装をして、畑仕事にいそしんでいた。やがて何人かの女たちがひとところに集まるようにして立っているのが目に入った。するとただちに、この知られざる部族にまつわる噂を完全に信じざるをえない気持ちになった。というのは、その女たちこそ八フィートあるいはそれに勝《まさ》る身の丈を具え、且《か》つまた女神のごとく均整のとれた見事な肢体を持つ巨人女族にほかならなかったのだから！　顔色こそ族長が語った透き通るような乳白色とまでは行かなかったが、男たちよりはずっと淡く薄い黄褐色の肌をしていた。そんな女たちが壮麗な女人像の一群のごとき雰囲気を湛《たた》えつつ、穏やかなまなざしを向けてくると、ノックスは歓声をあげたいほどの興奮に駆られた。ついに伝説の領域を発見したのだ。草や小石の散らばるまわりの地面へそっと目をやり、紅玉が紛れていないかと半ば期待した。だがそれらしきものは見あたらなかった。

碧玉《サファイア》色の湖を囲むようにして邑《まち》が姿を現わし、きちんと区画された通り沿いに一階建てのしっかりした造りの家々が並ぶさまが見えてきた。大勢の人々がそぞろ歩いたり立ちつくしたりしている。女性はみな淡い色の肌をした巨人で、男たちは普通の背丈で黄褐色あるいは琥珀色の肌をしている。

ノックスのまわりに人が集まってきた。一部の巨人女族が気に障るほどしげしげと彼を見すえながら、ここまでつれてきた男たちの一行になにやらずけずけとした質問を浴びせはじめた。すると男たちが女たちに対して敬意と服従を示すようすがすぐに見てとれ、立場の上下がはっきりとわかった。女たちはみな女王のごとき泰然とした自信を溢れさせているのだった。

ノックスは湖の畔《ほとり》にある建物に案内された。ほかの家々より大きくて威風のある造りだ。広い内部には粗織りの紋様がほどこされた壁飾りが巡らされ、象牙造りの腰掛けや長椅子が並ぶ。総じて原始的な宮殿風の豪華さに満ちた印象で、尋常ならぬ天井の高さがそれをいっそう強めている。

謁見室のような部屋に通されると、幅広の玉座の上に一人の女性が鎮座していた。数人の女たちが護衛のようにそばに立つ。玉座の女性は王冠もかぶらず宝石も飾っておらず、身なりもほかの女たちが着ている裾の短いキルト風の衣装とさほど変わらない。それでも女王の御前《おんまえ》に参内したのだとすぐに察せられた。丸い顔立ちといい、波打つ胡桃《くるみ》色の髪といい、ほかの女たちより気品がきわだつ。客人に向けられた視線には、威圧感と女性らしい柔和さとが綯《な》い交ぜとなっている。

ノックスはできるかぎり堂々とした態度をとろうと努めたが、泥に汚れた顔と服装のせいで効果が減じたのは否めない。巨人女王の前で頭をさげると、丁重な歓迎の意を感じさせる短い言葉が優しくかけられた。そこで袋をあけ、鏡をひとつと青珠《あおだま》の首飾りをとりだして捧げた。女王は贈り物をおごそかに受けとったが、嬉しさも驚きも示しはしなかった。

女王は客人をここまでつれてきた男たちを退出させたあと、お付きの女たちへ顔を向けて話しかけた。女たちはノックスの前にやってきて、自分たちについてくるよう促した。案内されたのは広い中庭のような場所で、あの碧《あお》い湖から引いたにちがいない水が張られた大きな浴槽がしつらえられていた。ノックスは拒み、あらがったが、女たちは子供でも扱うように無理やり服を脱がせた。そして彼を水に浸けると、野草の硬い繊維で作った束子《たわし》で丹念に汚れを擦《こす》り落とした。一人が着替え用の茶色い上衣と草履を持ってきた。

体を洗ってもらうのはいささか気恥ずかしいことではあったが、すっかり綺麗にされたあとは別人になったような気分を否めなかった。女たちがタロ芋と黍餅《きびもち》と焼いた鳩肉の食事を大きな皿に山盛りにして運んでくると、ノックスもようやく気恥ずかしい思いをさせられたことを許す気持ちになった。

親切な女たちのうち二人が食事のあいだ給仕役として残っていた。食事が済むと、こんどはさまざまなものを指さしてそれぞれの名前を教えることによる言葉の教授がはじまった。間もなくこの人々の言語における命名法がわかってきた。

しばらくすると女王が自ら足を運び、教授に加わった。女王は名前をマブーサというのだとわかった。ノックスは理解の早い生徒で、その日の授業は満点と言っていい出来だった。女王が美しい女性だということも今までよりはっきりと認識されてきた。とはいえ、そんなに大柄でしかも堂々とした風格でなければいいのにと思わずにはいられない。そばにいると自分が子供のように感じられる。一方の女王自身は、彼のことを相当に憎からず思っているらしかった。彼のためにじつにさまざまなことを慮《おもんぱか》ってくれた。

紅玉を見つけるという目的を忘れかけていたノックスだったが、ようやく思いだした。しかしその話を切りだすのは、もっと言葉をたくさん習い憶えてからのほうがいいだろうと考えた。

宮殿内の一室を客間として供されたが、できればずっと女王自身によるもてなしを受けたいという意志をそれとなく仄めかした。その甲斐あって、女王と同じ食卓で数人の給仕に傅《かしず》かれながら食事をつづけることができた。女王の身近ではどうやらノックスがただ一人の男性であるらしい。椅子はひとつの例外を除いて全部巨人女族用の造りだった。ひとつの例外というのは子供が大人と同じ食卓で席につくための造りに近く、その椅子にノックスが坐っているのだった。

何日もすぎ、実用目的で使える多くの言葉を習い憶えた。平穏な日々だが、決して退屈などは感じなかった。女王マブーサの統べるオンドアルと呼ばれるこの国の日常生活にもすっかり慣れ親しんだ。山岳の断崖に囲まれているために外界からまったく隔絶した国で、ノックスが幸運にも見つけたあの道筋が唯一の侵入可能経路なのだった。それまでに入ってきた旅人はきわめて数少なかった。人々は女王マブーサの慈愛に満ちていながらも強固な権力の許《もと》で、裕福で満足の行く田園生活を営んでいた。この国の夫婦のあいだでは、著しい体格差のゆえに妻が夫の上位にあったが、しかし家庭の円満さは上下関係が逆の国と同程度に保たれていた。

女性がこれほどまでに体格差に優れているという事実は、自然が為《な》せる業《わざ》だとしたら考えるだに不思議なことだ。ノックスはその原因についてはなるべく人に尋ねないようにした。稀《まれ》に尋ねても、だれも秘密を教えてはくれなかった。

とにかく紅玉にだけはつねに意識を向けるよう努めた。

その種の宝石がきわめて稀少であることには驚くばかりだった。下等な紅玉ならば碧玉《サファイア》や翠玉《エメラルド》と同様に一部の男たちが耳飾りにしていることもあったが、女たちはそうした無価値な宝石にはだれも関心を示さなかった。ひょっとすると紅玉の産出量自体が極度に少ないのかもしれない。紅玉の原石である赤い鋼玉《こうぎょく》を手に入れるためにこそ、取引材料を袋いっぱいに詰めて困難な山岳を登ってきたのだから、その目的を諦めるのは到底好ましからざることだった。

ノックスはある日ついに心を決め、旅の目的を女王マブーサに打ち明けることにした。美しく高貴な巨人女王にそういう話題を切りだすのは、なぜかとても億劫なことだった。しかし目的は目的として伝えねばならない。

ふさわしい言葉を探しているうちに、女王にもなにか心に秘めていることがあるらしいと不意に察した。いつになく口数が少なくなり、見つめるまなざしも不安あるいは怯えすら誘うほどだった。いったいなにが問題なのか。そう考えるうちに、まさかこの部族には食人の風習があるのではないかと案じられてきた。それほどに女王の視線には熱烈な貪婪《どんらん》さがあった。

ノックスがガラス珠と紅玉を交換したいという意志を口にする前に、驚くことに女王が平易な口調で求婚の意志を告白した。到底予期せざることだったが、しかし断わるのは無思慮という以上に無作法なことと思われた。当然ながら女王や巨人に結婚を申しこまれた経験などないが、それほどの地位にある人物からの熱心な求めを拒絶するのは、礼節に適うこととはとても思えなかった。それに女王の夫ともなれば、紅玉の取引を交渉するのにこのうえなく有利な立場になれる。しかも、如何に途方もなく大柄であるとはいえ、この女王が魅力的な女性であることは否定のしようもない。束の間考えたあと、ノックスは求婚を受け容《い》れた。すると彼の体は女王によって字義どおり宙へ抱きあげられ、大きく魅惑的な胸に押しつけられた。

結婚の儀式はとても簡素なものだった。証人となる数人の女性たちの前で、口頭で婚姻を承諾しあうだけで済んだ。それほど簡単ですばやい手続きで聖なる絆が結ばれたことには驚くしかなかった。

女王との結婚によって多くのことを学びもした。今までノックスが宮殿の食卓で使っていた背の高い椅子が本来は女王の配偶者のためのものであることを、祝賀の晩餐の席で初めて知った。また女性の長身と体格のよさの理由もあとになってわかった。男女とも生まれたときには並みの大きさだが、女の子には母親がある種の木の根を食べさせ、それが原因で身長と体格が自然の限界を超えて巨大化するのだった。

その根はこの地域でいちばん高い山の中腹で採れるという。またこの根が持つ特殊な効能は、細心に保護されつつ母親から娘へのみ引き継がれる秘伝の調理法によって力を発揮するもので、これまで幾世代にも及んで伝えられてきた。男女の性においてはかつて男が支配的立場にあったが、あるときアンポイという名の虐げられた人妻がたまたまこの根を発見してからというもの、たちまちにして男女の主従関係が逆転した。その結果、アンポイにまつわる記憶は女性たちによって救世主のそれのごとく尊《たか》く崇敬されることになった。

そのほかにも、部族全体にかかわることから家庭のなかのことにいたるまで多くの情報を得た。しかし紅玉についてだけはだれも教えてくれなかった。そうなると、このオンドアル国にはその種の宝石が唸るほどあるという話は、やはりただの伝説にすぎないと思わざるをえなくなってくる。巨人女族の逸話に付随するお飾りの噂にすぎないのではないかと。

結婚によってほかにも幻滅する発見がもたらされた。女王の配偶者ともなればオンドアルを総べる政治にかかわれるだろうと期待していたし、王族としての特権もあるにちがいないと思っていたが、すぐわかったのは、自分もマブーサという女性に仕える男たちの一人にすぎないという実態だった。彼女が与えてくれるものにしても、妻が夫に与える愛情以上の特別な恵みがあるわけではなかった。妻は優しく愛らしかったが、居丈高とは言わないまでも支配志向の強い女であるのはたしかだった。そのため、ノックスはなにをするにもどこへ行くにも、まず彼女に相談して許しを得なければなにもできないのだと思い知らされた。

叱られることがときどきあり、オンドアル人としての礼節を正されることもしばしばで、生活全般にわたってもいろいろと、懇切ながらもきびしく躾《しつ》けられた。また妻は夫が自分の指示に逆らうはずはないとも思っているようだった。ノックスはそんな女性上位がどんどん厭になっていった。男としての誇り高さが、イギリス人男性としての精神が、いよいよ反感を強めていった。もし妻が並みの体格だったら、「少しぶちのめしてやりたいところだ」――ノックスの内心のみでの言葉遣いだが――とすら思うのだった。だが現実の条件においては、肉体的な力で妻を懲らしめるなどという行為は到底推奨されるべきことではない。

しかしそうしたさまざまな制約がありながらも、ノックスは自分なりにマブーサをますます愛しく思うようになってもいった。愛しくさせるに足る多くのことがあった。夫の上に立ちたいと思ってしまう残念な傾向さえ抑えられるなら、妻としては模範的な女性だと感じられるのだった。

世の慣らいか、そのまま時がすぎていった。マブーサは自分の配偶者に充分満足しているようだった。しかしノックスのほうは、彼女のせいで自分が偽りの立場に置かれていることについて鬱々と懊悩を重ねていた。男としての誇りが日々損なわれていくのを悩んだ。こういう状況を少しでも改善する道がないものか、自分が持つ当然の権利を主張し、妻をあるべき姿に戻す手はないものかと考えつづけた。

ある日、オンドアルの女たちが食べさせられてきたという木の根のことを思いだした。もしそれを手に入れられれば、自分もマブーサのように背が高くなって、それどころかうわまわるほどの体格にすらなれるのではないか？　そうなれば夫婦の本来のあり方で妻に対処できるだろう。そう考えれば考えるほどに、これこそがこの結婚生活の困難さを解決する理想的な方法だと思えてきた。

だが最大の問題は、どうやって根を手に入れるかだ。部族の男たちにそれとなく訊いてみたが、教えられるほどの情報を持ちあわせている者はいなかった。女たちは根を採取しに行くとき、決して男たちを伴わせないのだった。しかも食用に供するための調理はつねに深い洞窟の奥で行なわれる。過去に何人かの男たちが、調理したものを大胆にも盗みだしたことがあった。そのうちの二人はそれを食べたことによってたしかに大きな体格になれたが、しかし盗んだ男たちには例外なく、終生オンドアル国から追放される罰がくだされた。

そうした情報のすべてが勇気を殺《そ》ぐものだった。またそれらは同時に、オンドアルの男たちに対して、情ない意気地なしどもだとますます強く嫌悪を覚えさせることでもあった。ノックスは決してもくろみを諦めなかった。それでいて、いくら策を練っても難問の解決に近づけないのも事実だった。

あるいはほかの男たちのように断念するほうがいいかのもしれないとさえ思えた。一生妻の尻に敷かれるほうが利口なのかもしれないと。しかしマブーサと自分のあいだに女の赤ん坊が生まれるに及んで、長らく求めつづけてきた機会がついに訪れたことを覚った。

赤ん坊は並みの嬰児と変わるところがなく、ノックスとて普通の父親のように誇らしさや慈しみの気持ちが湧くのを止められなかった。赤ん坊が成長して乳離れし、いよいよ特別な食事が与えられるときが来るにいたって、最大の機会がわが家にもとうとう訪れたことをようやく思いだした。今こそその食事の一部を是が非でも自分のために使わねばならない。

邪心や猜疑心を持たない性格の妻マブーサは、そんな不法な陰謀があろうなどとはまったく疑いもしていなかった。男は女に従うものだという掟が国じゅうに徹底されていることに安心しきっている女王は、その特殊な料理を平然と夫に見せ、夫の前でそれを子供に食べさせすらした。その料理を容《い》れた陶製の大きな甕《かめ》を、夫の目から隠そうともしなかった。

宮殿の厨房に置かれているほかの普通の材料からなる料理と一緒に、その甕も置かれていた。ある日マブーサが女王としての仕事のため政務の場に赴いている折、傅《かしず》き女《め》たちもみな調理以外の仕事に専心しているときを見計らい、ノックスは厨房に忍びこんで、件の料理を少しだけ小袋に入れて持ちだし、自分の部屋に隠した。気づかれはしないかという不安は、子供のころロンドンで八百屋の裏の手押し車から林檎《りんご》を盗んだとき以来の興奮を覚えさせた。

その料理はサゴ澱粉（サゴ椰子などから採れる食材）を使った混ぜ物のように見える綺麗な食品で、よい香りがして味には辛みがあった。ノックスは効果がたちまち目に見えて現われるのを恐れて、いちどにたくさんは食べず、少しだけ口にするにとどめた。この料理が含む奇跡の養分のせいで、普通の体格だった六歳の少女が二週間ほどで信じがたい成長を遂げた例をそれまでに目撃していた。盗んだことを知られずに済ますためには、自分の体が急激に大きくなりすぎないよう、多くは摂取せずにおくのが賢明だ。

女王一家のなかで自分が主《あるじ》であることをはっきり示せるだけの身長と体格が得られるまでは、できるだけ人目を避けてすごすのがいい。体が大きくなる初期段階では、女たちの監視の目から逃れるようにするのが得策だ。

女性優位社会において、一挙手一投足まで管理されていながらその策をやり遂げるのは、容易なことではない。しかしまたしても運がノックスに味方した。オンドアルに狩りの季節が訪れたからだ。その季節になると男たちはより高い山地に何日もあるいは何週もこもることを許され、オクローと呼ばれる敏捷な種類の山鹿《やまじか》を追いまわしてすごせるようになる。

ノックスが急にオクロー狩りに関心を示し、そのための投げ槍の練習をしはじめたことを、マブーサは少し怪訝に思っているようだった。しかし狩りに出かけたがっている夫の要望に許しを出さないわけにはいかない。せいぜい掟に忠実なほかの男たちを同行させることを条件に出すぐらいだった。そのうえで、危険な崖や亀裂には充分気をつけるようにと言いわたした。

　ほかの男たちに同行されるのは、ノックスの計画にとってはあまり都合がよくはない。とはいえその指示に逆らうのも利口なことではない。そこで、宮殿の厨房にさらに何度か忍びこんで、妻を服従させるに足る大男になれるだけの、もっと多量の禁断の料理を持ちだした。そしていよいよ山地へと出かけたなら、掟に従順な意気地のない同行者たちの目を盗み、持ちだした料理を残らず胃《はら》に収めねばならない。帰るときには、勝ち誇るアナキム（旧約聖書民数記他の巨人）か、威張り散らすゴリアテ（旧約聖書サムエル記の巨人）もかくやという体格になっているだろう。そうなればだれもが、なかでもマブーサは、恐れをなして夫に従うにちがいない。

　ノックスは自分専用の黍餅の弁当を入れた袋に禁断の料理を隠した。一部は衣装の懐《ふところ》にも隠し、ほかの男たちが見ていないときすぐ口に入れられるように準備した。さらには夜になってみなが寝静まったときを見計らい、こっそり袋に近づいて、その香り高い料理を存分に食すればいい。

　それを実行した結果は驚くべきものだった。初めて一食分平らげた直後から、早くも自分の体が目に見えてふくらんでいくのがわかった。横幅は広がるし上背は刻々とのびるしで、同行者たちも当惑したほどだったが、想像力に乏しい彼らは、初めのうちはだれも真の原因など疑いもしなかった。言ってみれば、文明人がボルネオ島の先住民を目の前にしたときに見せるたぐいの、憶測を含んだ驚きと好奇心をあらわにするだけだった。つまり、未知の来歴を持つ民族に往々にして見られる、ある種の生物学的な特異さや奇妙な挙動の影響ではないかと思っているようだった。

　一行はやがて、オンドアル国の最北に位置するいちばん高い山にたどりついた。その地では砕けた大岩やそそり立つ尖り岩がつらなるなかで、すばしこいオクローを追いかけまわした。ノックスは手足がのびたおかげで、同行者たちがついてこられないような亀裂でもやすやすと跳び越えることができた。

　そのうちに一人二人がようやく疑念を持ちはじめたようだった。ある夜ノックスは聖なる料理を食べているとき、こっそり監視していた彼らに見つかったことを知って愕然とした。掟に従順な彼らはおびえながら、禁じられた恐るべき罪を犯しているではないかと警告した。そんなことをしたらたいへんな目に遭うにちがいないと。

自分が本当に巨人になりつつあるのを感じはじめていたノックスは、人のことにはかまわず狩りに精を出せといいわたした。さらには、覇気に欠けるだらしないオンドアルの男たちへの辛辣な意見をあからさまに口にした。すると同行者たちはノックスの挙動を心配そうに見やりながら、恐れる口ぶりでなにごとか囁きあったあと、そそくさと狩りへと向かっていった。ノックスは軽蔑の言葉を浴びせたが、男たちのうち二人がいつの間にかいなくなっていることには気づかなかった。苛立ちに興奮するあまり、そんなことには意識が向いていなかった。

一行は二週間にわたって尾根の高みへと登りながらオクローを狩りつづけ、長い角と山羊に似た蹄《ひづめ》を持つ獲物を仕留めていった。そのころにはノックスは盗んだ料理をすべて食い尽くし、優位に立つ妻を見くだせるほどの巨体になったことを実感していた。これで女王にも女のあるべき姿を教えてやれると自信を強めた。いよいよ帰るべきときが来た。女たちからは二週間後には帰ってくるようにと言いわたされていたのだが、同行した男たちはその期限を超えることになろうとは思っていなかったはずだ。一方ノックスはといえば、新たに獲得した優位に立てる体格と腕力を一刻も早く見せつけたくて仕方なかった。

山をおり、高原の耕作地となっているあたりを通過しているとき、ノックスは後ろからついてくる同行の男たちの足どりがどんどんのろくなっていることに気づいた。みんなおびえと億劫さをあらわにしていた。その前方でノックスは、大型のオクロー三頭を自分独りの肩に担いでのし歩いていく。普通の体格の男がたくさん獲物を担ぐとしたら、せいぜい兎が関の山のところだが。

田畑にも道にも人けがなく、巨人女族の姿がどこにも見えない。ノックスは少し訝しみはしたが、しかし自分が獲得した新たな立場に夢中で、そんな状況を不審に思うほどには頭がまわらなかった。

だが邑《まち》に近づくにつれ、静けさと人けのなさがだんだん不気味になってきた。同行の狩人たちは明らかにつのる不安と恐れに打ちのめされていた。それでもノックスだけは誇らしさを減じさせることなく、彼らの恐れの理由を問いすらもしなかった。

邑の通りに入ると、そこもやはり奇妙な静けさに満ちていた。人けに乏しく、ところどころで家々の窓や細く開いた戸口の隙間から、青褪めおびえた男たちの顔がわずかに覗き見ているだけだ。一行がようやく宮殿の見えるところまで来ると、やっと理由がわかった。どうやらオンドアルじゅうの女たちが宮殿前の広場に集まっているようだった！　驚くばかりにきちんと整列した大きな一団をなし、さながら巨人女族の軍隊のごとき様相を呈していた。しかもその完全な沈黙の静けさは、戦場で戦う軍隊の雄叫びや騒擾にも増して慄然とさせる。女たちのたくましい腕に盛りあがった筋肉を見ると、ノックスは不本意ながら困惑を抑えがたくなった。しかもみなが途方もなく大きな胸の隆起を上下させておごそかに呼吸しつつ、一様に彼を昂然と見すえている。

　この場にいる男性が自分だけであることに不意に気づいた――ほかの男たちはいつの間にかどこかへ失せていた。まるでここに居残ってノックスの命運を見とどける勇気は到底ないとでもいうように。彼自身、すぐにでも逃げだしたい衝動が湧き起こるのを止めようもなかった。だが英国男子たる者勇敢なるべしとの思いが、その衝動に屈するのを防いだ。自らを鼓舞し、陣をなす女たちへと一歩一歩近づいていった。

　女たちはさながら女人像柱《カリアティード》（古代ギリシャ建築の彫刻柱）の列のごとき沈黙のうちに待ち受けている。マブーサが傅き女たちを従えて最前列にいるのを、ノックスは目にとめた。睨みすえる彼女の目には、言い表わしがたいほどに強い非難の色が読めるのみだ。ひと言も発しない。ノックスは快活な挨拶を妻に浴びせかけてやろうともくろんでいたが、その言葉は口の端《は》で凝《こご》り固まってしまった。

　巨人女族軍は一斉に大胯《おおまた》で足を踏みだし、ノックスはたちまち包囲された。女兵士たちの分厚い壁にさえぎられ、マブーサの姿が見えなくなった。太くたくましい腕の群れに押さえつけられたと思うと、手から槍がもぎ離され、肩からはオクローを奪い去られた。勇ましき古代ブリトン人（ローマ帝国侵攻期のケルト人）のごとくあらがったが、巨大化する料理を食した男と雖《いえど》も、背丈八フィートの女たちの大軍に対しては、単身では如何《いかん》ともしがい。

　女たちはどんな雄叫びにも勝《まさ》るほど恐ろしい沈黙を維持したまま、ノックスを担いで邑のなかを進軍し、彼がはじめてオンドアルに訪れたときに通った道を山中へと入り、さらなる山道を登って、国の防壁をなす絶壁の頂《いただき》まで運んできた。その場に彼をおろすと、枯れた水流の跡がなす二百フィート下方の亀裂の底まで太い縄を垂らした。かくて彼はその縄をつたって危険な崖をくだり、余生をサーカス団のフリークとしてすごすしかない外界に立ち戻ったのだった。

Weird Tales Trio

消え失せた女たちの谷

The Vale of Lost Women

ロバート・E・ハワード　Robert E. Howard

宇野利泰・中村融　訳

ロバート・E・ハワード（一九〇六―三六）のコナンを誕生させたことは、『ウィアード・テールズ』最大の功績の一つだろう。彼の冒険譚は三二年十二月号の「不死鳥の剣」から三六年七～十月号分載の「赤い釘」まで、長短交え十七編が掲載されている。本作は三三年二月頃に書かれたがWTには採用されず、のちに *Magazine of Horror* 六七年春号に掲載された。*The Complete Chronicles of Conan*（Gollancz, 2016）の編者解説でスティーヴン・ジョーンズは、死者の多さと性的な要素ゆえライトが忌避したのだろう、と推定している。

なお本作は『愛蔵版コナン全集』（新紀元社・近刊）第一巻に収録される。

1

太鼓と、巨象の牙で作った喇叭《らっぱ》の音が、うるさいばかりに鳴りひびいていたが、それもリヴィアの耳には遠く、鈍い、混乱したつぶやきとしか聞こえなかった。大きな小屋のなかの寝床に横たわっている彼女は、精神錯乱と半意識状態のあいだをさまよいつづけていた。外部の物音も動きも彼女の五官に影響をあたえることはほとんどない。彼女のまぶたの裏には、震える太腿から血を流し、もだえ苦しむ弟の裸体姿が、混乱して朦朧《もうろう》とした形ではありながら、それでいておぞましいほど鮮明に映《うつ》し出されているのだった。人物の影が黒々とまじりあう悪夢のような光景を背にして、その白い裸身が残酷なくっきりした輪郭を描き出している。そして苦悶の叫びにまざりあって、悪魔的な笑い声が猥雑《わいざつ》に轟き、いまだに空気をゆるがしているかのように思われた。

いま彼女が意識しているのは、宇宙の他の部分から截《せつ》然《ぜん》と切り離された個人としてのものではない。彼女自身も強烈な苦悶の底に浸り、その苦悩が、肉体的な疼痛の形をとっているのであった。なればこそ、考えることもなく動くこともなく横たわり、その間、小屋の外では太鼓が轟き、喇叭が吼え、堅い大地を裸の足が叩き、掌《てのひら》が軽く打ちあわされるのに合わせて、未開人の男女が単調であるゆえにいっそう無気味な歌声をあげている。

しかし、彼女の凍りついた心的状態にも、個人としての意識がようやくにじみ出てきた。まず最初に、彼女自身の肉体が傷つけられずにすんだことに鈍い驚きをおぼえた。奇跡に近いことだが、感謝の気持ちも湧かなかった。それはどうでもよいことに思えた。機械的に行動して、寝床の上に躰《からだ》を起こし、鈍い眸《ひとみ》であたりを見まわした。それから手足が、目醒《めざ》めつつある中枢神経に呼応するかのように、弱々しくはあるが動きはじめた。はだしの足が、堅く踏みならされた泥の床を不安そうに踏んでみた。つぎには指が、いまは身に着けている唯一の衣服となった、丈の短い下着の裾を発作的に引っ張りあげた。ずっと以前の出来事のように思われたが、そのほかの衣服は、乱暴な手によって残らず躰からむしりとられていた。激しい驚きと恥ずかしさで泣き出してしまったことを、彼女はひとごとのように思い出した。いまになってみると、そのような小さな蛮行にあれほどの悲しみを感じたことが、むしろ奇妙にさえ思われるのだった。この世の出来事はみな同じようなものであるが、暴行とか侮辱とかいっても、要するに程度の問題にすぎないのだ。

小屋の扉が開いて、黒人の女がひとりはいってきた――雌豹のようにしなやかな躰が、磨きあげた黒檀《こくたん》のように光って、身に着けているものといっては、歩くときにしねしねと動かす腰のまわりを覆った絹布《けんぷ》だけであった。よこしまな意図を秘めた目をぎょろつかせると、その白目《しろめ》に外の火明かりが反射した。

女は食べる物を運んできたのだ――燻製の肉、焼いた芋とうもろこし、パンの大きな塊を竹の鉢に入れて、ヤラティ・ビールを満たした金細工の壺を添えてあった。女は寝床の上にそれらを下ろしたが、リヴィアは見向きもしないで、竹の若枝で編んだござを垂らした正面の壁をみつめるだけであった。若い黒人の娘は、黒い目と白い歯をきらめかせて笑った。それから唇に底意地の悪い音を立て、からかうような抱擁《ほうよう》をすることで、言葉よりもさらに露骨に淫らな意味をあらわすと、くるりと向きを変え、またもしねしね尻をふりながら小屋を出ていった。彼女の尻の動きには、文明諸国の女が言葉であらわすよりもはるかに挑発的な軽蔑の念が表現されているのだった。

　だからといって、この黒人娘の言葉なり行動なりが、リヴィアの意識の表面さえ掻き乱したわけでなかった。彼女の関心のすべては、いぜんとして彼女自身の内部に向けられていた。心に灼きつけた映像の生々しさが、目に見える世界をいまだに非現実的な幻と影と思わせているのであった。機械的に、味わいもせずに、彼女は食事をとり、飲み物を飲んだ。

　そのあと、やはり機械的ながら、彼女はとうとう立ちあがると、おぼつかない足どりで小屋を横切り、竹の隙間から外をのぞいた。太鼓と喇叭の音が急激に変化したことが、彼女の心の漠然とした部分に反応して、明確な意志のないままに、その理由を突きとめる気になったのだ。

　はじめのうちは、目にはいるものの意味をひとつとして理解できなかった。なにもかもが混沌として、暗い影のなかにいくつもの形が動き、まじりあい、のたうちまわり、曲がりくねっている。血の色に鈍くきらめくものを背景に、形にならぬ黒い塊が強烈な影を刻んでいるのだが、やがて動きと物体がそれらしい姿をとりはじめて、彼女の目にも、燃えあがる火を中心に男女の群れが動きまわっているところだとわかってきた。赤い焔が銀や象牙の装身具にきらめき、白い羽根飾りがそのぎらぎらする光を受けて揺れている。裸の黒い躰が腰をふりながら歩きまわり、ぴたっと停止しては、おかしな姿勢をとる。その影法師が闇にくっきり浮きあがり、焚火《たきび》の焔に赤く染め出される。

　象牙製の床几《しょうぎ》に、左右に羽根飾りのついた冑《かぶと》と豹の皮の腰布を着けた巨漢たちに守られて、でっぷり肥った男が腰を下ろしていた。見ただけで胸がむかつく醜悪な人物で、腐敗したジャングルの湿気《しっき》と夜の闇のように淀《よど》んだ沼の臭気をただよわすひきがえるを連想させる。まるまるした両手をなめらかに膨らんだ腹の上において、首筋に脂肪の皺《しわ》がより、円《まる》い頭顱《とうろ》を突き出している。ただしその目は、死のような夜の闇のなかでも石炭の火さながらにきらめいて、肥満した肉体の鈍重さとは裏腹に驚くばかりの生気を示していた。

　彼女の視線がその厭わしい人物に停まると、緊張感に躰がこわばり、狂暴な生命力が、またしても波のようにその全身を貫いた。彼女は意志のない自動人形から、突如として針や火の痛みを感じて生きてわななく肉体へと変貌したのだ。苦痛は憎悪に呑みこまれ、その憎悪はあまりの激しさに苦痛と変わった。彼女は躰が鋼鉄と化したように、硬さともろさをあわせ感じた。いうなれば、憎悪が手に触れることのできる物となって、視線に沿って流れ出ていく気持ちで、その力が憎悪の対象を彫刻のある床几から突き落として、殺してしまうのは当然に思えた。

しかし、バカラの王バユユは、捕虜の精神力によって心に動揺をおぼえたにしても、そのような気配すら示さなかった。かたわらにひざまずいた女が捧げ持つ器から絶えずとうもろこしをすくっては、蛙のような口いっぱいに詰めこんで、押しあうようにして左右に居並ぶ部下たちの作る広い通路を眺めやっていた。

リヴィアも汗まみれの黒人たちの列が形づくるその通路を目で追った。耳をつんざく太鼓と喇叭の音から判断して、よほど重要な人物があらわれるものと思われた。そして彼女が見守るうちに、その人物がやってきた。

三列横隊の戦士の一団が、群衆のあいだを分けるようにして、象牙の床几めざして行進してくる。揺れる羽根飾りときらめく槍。黒檀の肌をした槍兵《そうへい》たちの先頭に立つ男を見て、リヴィアの心は激しく騒いだ。一瞬、心臓が止まったが、すぐにまたどきどき打ちはじめた。息づまるような感じであった。まっ黒な夜の闇を背景に、その男の姿がくっきりと映し出された。引き連れた部下たちと同様、豹の皮の腰布と羽根をつけた頭飾りといった装いだが、この男は白人なのだ。

へりくだった態度をとるわけでなく、男は大股に象牙の床几に向かって歩みよった。そして彼が床几にうずくまった小男の王の前で立ち止まると、太鼓と喇叭の音がぴたっとやんで、その場を沈黙が支配した。リヴィアも緊張した。それがなんの前兆か、漠然としか知りようもないのであったが……。少しのあいだ、バユユ王は床几に腰を落としたままで、猪首《いくび》を前に突き出していた。その格好は、いよいよ大きなひきがえるを連想させた。それから、相手のゆるがぬ凝視の前に心ならずも引っ立てられたように、よたよたと躰を起こし、剃りあげた頭をぶざまにふってみせた。

たちまち緊張がほぐれた。集まった村人たちから大声のどよめきがあがり、見知らぬ白人の合図で、その部下の戦士たちが槍をあげて、バユユ王に敬意を表した。この男がだれであるにしろ、バカラのバユユ王が挨拶のために立ちあがったところを見れば、この野蛮な土地で勢力を持っている人物にちがいない、とリヴィアは考えた。その勢力とは軍事上の威圧を意味する――これら獰猛な種族が尊敬するものは、暴力だけなのである。

　そのあともリヴィアは小屋の壁の隙間に目をあてたまま、見知らぬ白人の様子を見守った。彼の部下の戦士たちは、バカラの住民にまざりあって、踊り、食事をとり、ビールをあおっていた。彼自身は、部下の主だった何人かと、バユユ王とバカラの領袖《りょうしゅう》たちといっしょにござの上に脚を組み、酒宴を楽しんでいた。白人はほかの男たちと変わることなく、料理鍋のなかに手を突っこみ、ビールの壺に鼻の先を突っこむ。バユユ王もまた同じ壺から飲酒しているのを見ると、この白人が王者に対する敬意をもって処遇されているのが明瞭だった。彼のための床几が用意してなかったので、バユユ王もまた床几を捨てて、客人と並んでござの上に坐った。新しいビールの壺が運ばれてくると、バカラの王はわずかばかりすするだけで、すぐにそれを白人の手に渡した。武力だ！　このような優遇はすべて彼の持つ武力――強い力と戦闘上の威信を示すものだ！　リヴィアの心に、思わず息を呑むような計画が形をとりはじめて、躰が震えだした。

　そこで彼女は、痛くなるほど目を凝《こ》らして白人の一挙一動をみつめ、あわせて彼の外観をなにひとつ見逃すまいと努めた。長身ではあったが、背丈の高さにしろ、筋骨のたくましさにしろ、大男の黒人たちと格段の差があるわけでない。ただ、その身のこなしに大きな豹を思わせる柔軟さがあった。火明かりを浴びると、目が青い焔のようにきらめいた。くるぶしのあたりを革紐で締めつけているサンダルが足を保護し、広い腰帯から革の鞘《さや》に収めた長剣を吊るしている。異国的で馴染みのない容貌であった。しかし彼女は、彼がどの種族に属するかを確かめてみようとはしなかった。その皮膚が白いというだけで充分であったのだ。

　何時間かが過ぎて、酒宴のざわめきも徐々に弱まり、男女ともに酔いつぶれ、眠りに落ちていった。そして最後にバユユ王がふらふらと立ちあがって、両手をかかげた。それは酒宴の終了を告げる合図とみるより、食べくらべ、飲みくらべに降参したしるしというに近かった。戦士たちがよろめく王の躰を支えて、小屋へ運んでいった。白人は、信じられぬくらいの量のビールを飲んでいたのに、少しも乱れた様子を見せずに立ちあがると、バカラの首長たちのうちのどうにか歩くことのできる連中につき添われて、賓客用の小屋へ向かった。その姿は小屋のなかに消えた。そしてリヴィアは、彼の部下の槍兵のうち十二人ばかりが、小屋の周囲に槍をかまえて陣取るのを見た。この賓客は、バユユ王の友情を信じて、命を預ける気持ちにまではなっていないと見てよさそうだった。

　リヴィアは視線をめぐらせ、村を見渡した。随所に走る道筋に酔いつぶれた男たちが転がっているところは、最後の審判の夜の暗澹たる光景を思わせないでもなかった。名誉ある防衛任務を受け持つ男たちが、聚落《しゅうらく》の外辺を固めているのはもちろんであるが、いま彼女の目にはいったかぎりでは、この村のなかで起きている者といっては、賓客用の小屋の周囲に並ぶ槍兵だけであった。しかもそのうちの何人かは、槍にもたれかかって、舟を漕ぎはじめていた。

　心臓を激しく鼓動させながら、彼女は忍び足で監禁された小屋の裏手へまわり、いびきをかいて眠りこんでいるバユユ王がおいた見張りのそばを通りぬけ、彼女の小屋と賓客用の小屋とのあいだを象牙色の影のように横切って進んだ。四つん這いの姿勢で小屋の裏手ににじりよると、黒人の大男がひとり、そこにうずくまって、羽根飾りをつけた頭を膝に押しつけ眠りこんでいた。彼女は身をよじってそのわきを通りぬけ、賓客用の小屋へ近よった。彼女は最初その小屋に閉じこめられていたので、内部の様子を心得ていた。壁に狭い隙間があって、内部に吊るしたござで隠してある。それを見て思い出したが、彼女はその弱々しい力をふり絞って、この隙間から逃げ出そうと哀しい努力を試みたものであった。その隙間を前にして、彼女は横向きの姿勢をとり、躰をしなやかにくねらせて半ばはいりこむと、内側のござをわきに押しのけた。

　外部の火明かりが小屋の内部を照らし出した。ござをもとの位置にもどしたとき、押し殺した低い声がなにかつぶやくのを聞いた。同時に万力のように力強い手が彼女の髪をつかみ、その躰を隙間から引きずりこみ、泥の床に投げ落とした。

　不意を打たれてたじろぎながらも、彼女は気をとり直し、額に乱れかかる髪を払いのけ、そこに突っ立っている白人の顔を見あげた。彼は傷痕のある浅黒い顔に驚きの色を浮かべ、抜き身の剣を引っ提げたまま、目をかがり火のように輝かせていた。しかし、その表情が怒りであるか、疑惑であるか、あるいは単なる驚きによるものか、彼女には判断がつかなかった。男は彼女に理解できない言葉で話しかけてきた。喉頭音《こうとうおん》の多い黒人の言語ではなかったが、そうかといって、文明国の言葉の響きも持っていないのだった。

「お願いですわ！」彼女は懇願した。「大きな声をお出しにならないで、あの男たちに聞かれたら――」

「おまえはだれだ？」男は耳ざわりなアクセントのあるオピル国の言葉できいた。「クロムの神の名にかけていうが、こんな地獄みたいな土地で白人の女に出会うとは、考えてもいなかった！」

「わたしの名はリヴィア。バユ王の捕虜になっている女です。お願いです。どうか、わたしの話をお聞きになって！　長いあいだ、この小屋にいるわけにいきませんの。あちらの小屋にいないことを気づかれぬうちに、もどらなければならないのです。

　わたしの弟は――」といいかけて、彼女の声は涙に途切れたが、すぐに言葉をつづけた。「弟はテテレスといって……わたしたち、オピルの国の貴族で、科学者でもあるケルクス家の者なのです。こんど弟が、スティギアの王の特別許可を得まして、魔術師たちの都ケシャタへその技術を学びに行くことになりましたので、わたしもいっしょに旅立ちました。弟はまだ少年といってよいくらいの齢《とし》なので……」

　彼女はそこで口ごもって言葉を途切らせた。異国の男は無言で、目を輝かせ、彼女を見おろしているだけだった。眉をよせたその表情からは、なにを考えているか読みとれなかった。この男の様子には、なにか荒々しい、曠野《こうや》のように親しみにくいものがあって、それが彼女をおびやかし、不安な気持ちにさせるのだった。

「そのケシャタの都が、クシュの黒人たちに襲われました」彼女は急いで話の先をつづけた。「わたしたちが駱《らく》駝《だ》の隊商の列にまじって、その都へ近づいているところでした。護衛の者は逃げ去ってしまって、わたしと弟は黒人たちの捕虜になりました。といって、害を加えられる危険はなくて、黒人たちがスティギア人と交渉するための人質なんです。身代金さえ手にはいれば国へ送り返してやるといっていました。ところが、首長たちのひとりが身代金をひとり占めにしたくなって、ある夜、部下といっしょに、わたしたちを天幕から盗み出して、はるか南東に向かって逃げ出しました。そしてクシュの国境にさしかかったとき、そこでバカラの掠奪者の一隊の襲撃に遭って、クシュ人はみな斃《たお》されてしまいました。そうしたいきさつでテテレスとわたしは、こんなけものの棲み処に連れてこられて――」彼女は発作的に泣きだした。「――けさ、弟はわたしの目の前で手足を切り取られ、殺されてしまいました……」彼女は口をつぐむと、そのときの悲惨事を思い出したものか、一瞬、意識を失いかけた。「黒人たちは弟の躰をジャッカルの餌食《えじき》に投げあたえました。わたしは気を失って、それがどのくらいのあいだか、自分でもわかりませんけど……」

語尾が薄れて消えたが、リヴィアは目をあげて、暗い表情で聞き入っている異国の男の顔を見やった。激しい憤《いきどお》りが彼女の全身をよぎっている。拳をふりあげ、男のたくましい胸を連打した。しかし男は、彼女の拳など蝿の唸りほどにも気にかけていなかったのである。

「どうして口のきけないけものみたいに黙って突っ立っていられますの？」彼女は押し殺した声で叫んだ。「あなたもやはり、ほかの男たちと同じけものなの？　おお、ミトラの神よ！　以前わたしは、男性はだれでも名誉を重んじるものだと信じていました。でも、いまではわかりましたわ。だれだって代償がほしいのだって。あなたは——名誉がなにか知っていまして？——あるいは、憐れみとか、思いやりとかがなにかを。あなたはほかの連中と同じ野蛮人なのね——肌の色が白いだけで、魂はあの連中と同じようにまっ黒なんだわ。

あなたと同じ肌の色をした男がひとり、あの犬みたいな黒人の手でむごたらしい殺され方をしたっていうのに——そして白人の女が彼らの奴隷にさせられるのに、ぜんぜん平気な顔をしていらっしゃるのね！　だったら！」

リヴィアは彼から身を離した。荒い息をつき、激情のあまり面変《おもが》わりしていた。

「代償をさしあげますわ！」狂ったようにいい捨てると、彼女は着ているものをむしり取って、象牙色の胸をさらけ出し、「この胸、美しいと思いません？　煤色の肌をした娘たちより、わたしのほうが望ましい女ではありませんか？　血を流すだけの価値がある報償じゃありませんかしら？　白い肌の処女は、殺戮の代償に相当しませんの？

あの黒い犬バユユを殺して！　あの男の呪われた首が、血に染まった泥のなかに転がるところを見せて！　殺して！　あの男を殺して！」感情のたかぶりが極点に達して、彼女は握りしめた拳を打ちあわせた。「そのあとでわたしを連れ出して、あなたのしたいようになさればいいわ。わたし、あなたの奴隷になるつもりよ！」

少しのあいだ彼は口をつぐんだまま、殺戮と破壊を思いやる巨大な彫像のように、剣の柄《つか》をいじりながら、動こうともしなかった。

「自分の躰なら、どうにでもできるみたいな口ぶりだな」彼がいった。「それに、あんたのその躰を提供すれば、王国を左右する力が生じるとでも思っているようだが、なんでおれがあんたを手に入れるために、バユユ王を殺さなくてはならんのだ？　この土地では女なんて料理用のバナナ同様の値段で手にはいる。その女が喜んでついてくるか、いやいやながらか、そんなことはたいした問題じゃない。あんたは、あんた自身を買いかぶりすぎているようだ。かりにおれがあんたを欲しがったとしても、バユと闘うまでのことはない。彼としては、おれと闘うよりも、あんたを素直に引き渡すことだろうよ」

　リヴィアは喘《あえ》いだ。体内の火が残らず消えて、目の前で小屋全体がぐるぐるまわりだした。彼女はよろめき、寝床の上にへなへなとくずおれた。苦悩が心を打ちひしぎ、完全な無力感が残酷にも意識を突き刺したのだ。人の心というものは、無意識のうちになじみ深い価値や観念に固執しがちで、たとえそのようなものが通用しない異質の環境や条件の下におかれても、その習慣は容易に変わることがない。リヴィアは最悪の経験をしながらも、自分の思いどおりにことを運ぶための切り札は自分の肉体の提供にあると本能的に考えていたのであった。それがなんの効果もないことを知らされて、打ちのめされた気持ちになった。男たちを勝負のための駒として動かすことができない。彼女自身が、無力な駒にすぎないのだ。

「わかりましたわ。世界のこちら側とあちら側では、風俗習慣がぜんぜんちがうってこと、あちら側のそれで、こちら側の男も動くものと考えていたわたしがばかだったことが」彼女は力なくつぶやいた。なにをいっているのか、彼女自身、意識もしていなかった。事実それは、彼女を叩きのめしたこの考えが、声となって流れ出てくるにすぎないのだ。予想もしていなかった運命の新しい展開に、呆然となった彼女は身動きもせずに横たわっていた。しばらくして、白い肌の野蛮人の鋼鉄の指が、彼女の肩をつかんで、ふたたび立ちあがらせ、

「あんたはおれを野蛮人と呼んだ」と耳ざわりな声でいった。「たしかにそのとおりで、おれは野蛮人であることをクロムの神に感謝している。あんたにしても、胆《きも》っ玉の小さな文明国の弱虫どもを護衛に使わんで、辺境育ちの男たちを連れてきていたら、今夜、豚みたいな黒人王の奴隷にならずにすんだはずだ。おれはコナンというキンメリア人で、剣の刃先ひとつで生きぬいてきている。しかし、白人の女が黒人の餌食にされるのを黙って見ているような犬畜生じゃない。それに、あんたはご親切にもおれを盗人呼ばわりしてくれたが、おれはいやがる女を手ごめにしたことのない男だ。風俗習慣は国によってそれぞれちがうものだが、力のある男なら、どんな土地へ行こうと生まれた国の風習を押し通すことができるものだ。それに、おれのことを意気地なしと呼んだ男はい

ないのだ！

あんたが老婆で、悪魔の寵愛《ちょうあい》する禿鷹みたいに醜かったとしても、白人だというだけで、おれはあんたをバユユ王の手から救い出してやっただろう。

だが、あんたは若くて美しい。しかもおれは黒い牝犬どもを見飽きて、うんざりしているところだ。あんたの思いどおりに動いてやろうじゃないか。それというのも、深い意味があってのことじゃない。あんたの天性のどこかに、おれのそれと一致するものがあるからだ。さあ、自分の小屋へもどるがいい。バユユも今夜は酔いつぶれて、あんたの小屋へ出向いていくことはあるまい。明日は明日で、あの男の躰に暇ができないようにとりはからってやる。明晩、あんたが暖める寝床は、バユユのためのものでなく、このコナンのそれであるだろう」

「どんなふうにやってのけますの？」入り乱れる感情に身震いしながら、彼女はきいた。「あなたの部下の戦士は、あれで全部ですの？」

「あれだけいれば充分だ」コナンは唸るように答えた。「みんなバムラの男で、戦争という乳首を吸って育っている。おれがこの土地へ出向いてきたのは、バユユの要請に応えてのことだ。彼はおれの助勢を得たうえで、イヒイ部落の襲撃を企てている。といったわけで、今夜おれたちはもてなしにあずかった。明日は作戦会議を開く予定だ。しかし、おれがあいつを片付けたら、作戦会議は地獄で開かれることになるだろう」

「彼との休戦の約束を破るのですか？」

「この土地での休戦の約束は、破られるために作られる」コナンは猛々しい口調でいった。「バユユとしても、イヒイとの休戦の約束を破ることになるんだ。そして、おれといっしょにイヒイの部落を掠奪したあとでは、こちらの油断をみすまして、おれを始末しにかかるだろう。ほかの土地では極悪《ごくあく》の裏切りとみられるものが、ここでは賢い知恵なのだ。おれはバムラの戦闘隊長の地位につくまでに、黒人の土地が教える教訓のすべてを学びとった。さあ、小屋へもどって眠るがいい。あんたの美しさはバユユのためのものでなく、コナンにあたえるためにあると知ったのだからな！」

2

リヴィアは神経を緊張させ、身震いしながら、竹を編んだ壁の切れ目ごしに外の様子を見守っていた。前夜の乱痴気騒ぎにぼんやりした頭で、太陽が高く昇ってから起き出した黒人たちは、その口一日を、その夜の酒宴の準備にかかりきっているのだった。キンメリア人のコナンは、一日じゅうバユの小屋のなかに坐《すわ》りこんだままで、彼とバユのあいだにどんなことが起きていたものか、リヴィアとしては知りようもなかった。彼女は小屋にはいってくる唯一の人間――彼女のために食事と飲料を運んできはするが、悪意を露骨に示している黒人の娘に、興奮を気《け》どられまいとするのに苦労した。しかし、みだらがましい娘は、前夜の酒宴で飲みすぎたとみえて、捕虜の態度の変化に気づくことはなかった。

やがてふたたび夜が訪れて、かがり火が聚落《しゅうらく》を照らし出した。首長たちはいまいちどバユ王の小屋を出て、酒宴を開き、正式な作戦会議に臨むために小屋のあいだの広場に坐りこんだ。今夜は前の晩ほどビールのがぶ飲みは行なわれなかった。リヴィアは、バムラの兵士たちがさりげない態度で首長たちの輪へ集まっていくのに気づいた。食べ物の壺をあいだに挟んで、バユの向かい側に席をとったコナンは、黒人部隊の戦闘隊長である大男のアヤと笑いあい、しゃべりあっていた。

キンメリア人は大きな牛の骨にかぶりついたが、リヴィアがその姿を見守るうちに、肩越しにちらと視線を走らせた。それが待ちかまえていた合図であったかのように、バムラの戦士たちは全員、指揮官の動きに視線を集中させた。コナンは微笑を浮かべたまま、近くの壺に手を伸ばそうとする格好で立ちあがった。と見るや、猫のようなすばやい動きに変わって、かぶりついていた太い牛骨でアヤの頭に猛烈な一撃を加えた。頭蓋を打ち砕かれたバカラの戦闘隊長がその場に倒れると同時に、バムラの戦士たちが血に狂った豹のような行動を開始し、凄まじい叫喚《きょうかん》が夜空を截断《せつだん》した。

料理用の鍋が引っくり返り、そこに集まっていた女たちに火傷を負わせた。逃げまどう黒人たちの躰がぶつかるので、小屋の竹の壁はたわいなく押し曲げられ、苦痛の悲鳴が夜の闇を引き裂いた。そして、それらすべてを圧して、猛り狂うバムラの戦士たちの口から勝ち誇ったように、「イ――！　イ――！　イ――！」と鬨の声があがり、槍の穂先が毒々しい深紅にきらめいた。

かくてバカラの聚落は、殺戮の血に染《そ》んだ混乱の場と化した。侵略者たちの行動はまったくの不意打ちで、不運な村人たちの身心を麻痺させた。客人たちが襲撃するなどとの考えは、ついぞ彼らの頭に思い浮かばなかったのだ。槍の大部分は小屋のなかに積み重ねてあったし、戦士の多くは酔いつぶれた状態に近かった。アヤの死を合図に、バムラの戦士たちのきらめく剣が、疑いもしなかった村人たち百人の躰を突き刺し、そのあとに大虐殺が展開されたのであった。

　リヴィアはのぞき穴の前で彫像のように血の気を失い、躰を凍りつかせていた。金色の髪をうしろへ掻きあげ、こめかみのあたりに垂れ下がる巻き毛を両手できつく握りしめた。大きくみひらいた目は焦点も定まらず、全身が硬直した。苦痛と怒りの叫びが、肉体に加えられる鞭のように彼女の神経を責めさいなんだ。剣と槍に追いまくられる姿が、彼女の目の前からかすんでいくが、すぐにまたぞっとするばかりの明瞭さで、視野のうちに飛びこんでくる。槍が身もだえする黒人の躰を突き刺して、血をほとばしらすところを見た。棍棒が唸り、けもののような力でちぢれ毛の頭の上にふり下ろされるのも見た。焚火の燃えさしが跳ねとんで火花が散り、小屋の草葺き屋根がくすぶりだし、やがて火を吹きはじめた。ここでまた新しい苦悶の叫びがあがった。犠牲者たちが生きながら、燃えあがる小屋めがけて放りこまれるのだ。肉の焦げる臭気が、汗と鮮血に濁った夜の大気を胸のむかつくものに染めあげていくのだった。

　リヴィアの張りつめていた神経は我慢の限界に達した。彼女はくり返し大声で叫んだが、その甲高い苦悩の絶叫も、炎と殺戮のどよめきに呑みこまれていった。拳を握りしめて、こめかみを叩いてみた。理性が揺らいで、その叫びをいっそう無気味に響くヒステリックな笑いと変えた。こうして無残に死んでいくのは敵なのだ――これこそ自分が熱心に望み、もくろんでいたことなのだ――この凄まじい虐殺は、自分と弟とに加えられた悪事に対する報復にすぎないのだ、と彼女は自分にいいきかせようとした。しかし、それもむなしかった。彼女は理屈の通らぬ狂気めいた恐怖のとりことなっていた。

　血のしたたる槍の下で大規模な殺戮に遭っている犠牲者たちには、なんの憐憫《れんびん》も感じていない――彼女にもそれはわかっていた。彼女が抱いている感情といえば、盲目的で、純粋で、狂気をはらみ、理性を超越した恐怖だけなのだ。黒人たちと対照的なコナンの白い躰が彼女の目を惹きつけた。彼の長剣が一閃するたびに、その周囲で黒人たちがばたばたと倒れていった。もみあいへしあい逃げまどう群れが、焚火のまわりをかすめて過ぎるのだが、その中央に肥満した小男がもがいているのが見受けられた。コナンは群衆を押しのけて進んでいたが、もつれあう黒人たちの陰に隠れてその姿も見えなくなった。群衆のあいだから、聞くに耐えぬような甲高い悲鳴があがった。一瞬、群衆が左右に割れて、その向こうに血を流してよろめいている醜いものの姿がちらっと映った。だが、すぐにまた戦士たちは群がりあい、夕闇を走る稲妻の光のように、群衆のなかで鋼鉄の刃《やいば》がきらめきだした。

　けもののような吠え声が起こった。その原始的な歓喜の響きは、身の毛のよだつものであった。群衆を掻き分けるようにしてコナンの長身があらわれ、娘がちぢこまっている小屋の方向へ大股で近づいてきた。手に気味の悪い戦利品を引っ提げていた——火明かりに赤く照らし出された黒人王バユの首であった。いまのそれは生気をまったく失って、黒い目がどんよりと濁り、白目だけが飛び出している。顎が、にたにた笑っている白痴のように、だらんと垂れ下がっていた。赤い血がぼたぼたと地面に降りそそいでいる。

　リヴィアは思わずうめき声をあげて、あとへ退がった。コナンは代償を支払い、その無気味な証拠を手に、報酬を求めてやってくるのだ。熱い血にまみれた手で彼女を抱き、殺戮にあえいでいる口を彼女の唇に押しつけてくるであろう。それを考えたとき、彼女は半狂乱の状態におちいった。

　悲鳴をあげ、裏口に駆けよると、扉に体当たりをした。扉が倒れ、彼女は外へ飛び出すと、黒い影と赤い炎のなかを白い幻となって広場を突っきって走った。

　自分にも説明のつかぬ本能が、馬をつないである囲いの方向へ彼女を導いた。ちょうどひとりの戦士が馬囲《うまがこ》いの遮断棒を下ろそうとしていたところで、彼女が矢のようにそばを通りすぎると、驚きの叫び声をあげた。そして手を伸ばし、彼女の着衣の衿《えり》のあたりをつかんだ。彼女は気が狂ったようにもがいて、男の手のなかに着衣を残して躰をひき離した。馬の群れが荒い鼻息を立て、彼女のそばをかすめて逃げ出した。その暴走に巻きこまれて、戦士は砂埃のなかに転がった。痩せてはいるが筋ばって屈強なクシュ産の馬は、火と血の臭いで、すでに狂気の状態になっていたのだった。

　彼女は一頭の馬の風になびくたてがみを無我夢中でつかんで、引きずられながらも、爪先で大地を蹴り、躰をはねあげ、いきり立つ馬の背によじ登った。恐怖に狂った馬の群れは、焚火めがけて走り入り、小さな蹄《ひづめ》で火を蹴ちらし、あたり一面に目もくらむばかりの火花の雨を降らせた。仰天した黒人たちの目に、風のように走り去るけもののたてがみに裸身でしがみつき、金色の乱れ髪をなびかせた娘の姿が映った。馬はまっすぐ防壁に向かって進み、息を呑むような跳躍を見せて壁を跳び越えると、夜の闇の奥へ消えた。

3

リヴィアは馬をどの方向へ向けることもできなかったが、その必要もないように思われた。喚声と火の輝きは背後に薄れてゆき、いまは風が髪をなぶるだけ。手足に当たるそれも心地よい。たてがみをしっかりとつかんで、この世界の縁《へり》を越え、苦悩と悲嘆と恐怖から逃れて、ひたすら馬を走らせること。彼女の意識にあるのは、それだけであった。

　このようにして何時間ものあいだ、クシュ産の頑強な馬はひたすら走りつづけ、やがて星明かりの下の山の尾根にたどりついたが、そこで馬がつまずいたので、彼女はまっさかさまに馬の背から投げ出された。

　落ちたところは柔らかいクッションのような草の上であった。彼女は半ば気絶したような状態でそこに横たわり、乗ってきた馬がだくを踏んで走り去る足音を夢うつつに聞いていた。よろよろと起きあがったとき、最初に感じとったのは、死のように深い静寂だった。野蛮な種族が間断なく轟かす喇叭《らっぱ》と太鼓の音に、何日ものあいだ神経をいらだたせてきたあとでは、柔らかな黒ビロードの感触の静けさが、肌にうれしく感じられた。濃紺の夜空を無数の大きな白い星が埋めていた。月はないが、星の光が地上を照らし出している。ただそこには、なにやら知らぬものの影が群がって、妖しい気持ちに惹き入れられてゆく。彼女の立つ地点は草に覆われた高台で、そこから星明かりの下でビロードのようになめらかに見える斜面がゆるやかに伸びている。はるか彼方に、こんもりした森が黒々とした姿を示している。ここに存在するものは夜の闇と、夢幻境のような静寂と、星のあいだを吹きぬける微風《そよかぜ》だけであった。

　そこは広々と拡がって、まどろんでいるような土地であった。微風に暖かく愛撫され、彼女は裸身であるのに気づいて、手で躰を覆おうともじもじした。やがて夜の寂寥《せきりょう》と、途切れることのない孤独が、ひしひしと心に沁みわたった。ここに存在するのは、彼女ひとりだけなのだ。高台の頂《いただき》に裸で立っても、目にはいるものはひとつとしてなく、夜の闇と囁く風の音だけの世界であった。

　彼女は不意に夜の闇と孤独とを喜ばしいものに思った。ここには彼女を脅《おびや》かす者は誰ひとりとしていないし、野蛮で乱暴な手が捕えにくることもない。彼女は前方の斜面を見おろした。それは深い谷の底に消えていて、葉《は》叢《むら》が波打ち、谷間のいたる個所に散らばるたくさんの小さなものが、星明かりを白く反射していた。大きな白い花だろうかと考えたとたん、ぼんやりした記憶が呼びさまされた。それは黒人たちが怖ろしげに話していた谷のことであった。バカラ族の祖先が移ってくる以前に、この土地には褐色の肌をした異種族が住みついていたのだが、その若い女たちが逃げこんだという谷だ。侵略者の凶手から逃れさすため、古代の神々が彼女らを白い花に変えてしまったという。その谷に近づく者はないというのだ。

　しかしリヴィアは、あえてそこへ行こうと考えた。華《きゃ》奢《しゃ》な足でビロードの感触を持つ草を踏んで、斜面をくだっていこう。揺れる白い花のあいだに住みつくとしよう。怖ろしい伝説の残る谷間にはいりこめば、彼女に乱暴な手を加えようと追ってくる男もいないだろう。コナンはいった――約束は破られるためにあるのだと。自分も彼との約束を破ろう。失われた女たちの谷へはいって、孤独と静寂のなかに身をおこう……かくて彼女は、夢のようなとりとめのないことを意識しながら、ゆるやかな斜面をくだりだした。左右に切り立つ谷間の壁が、しだいに高くなっていった。

　しかし、斜面の傾斜はゆるやかで、谷の底に降り立っても、険しい壁にとり囲まれている気はしなかった。周囲は絶え間なく影の動く草の海。大輪の白い花がゆらぎ、囁きかけてくる。彼女はあてもなくさまよい歩き、小さな手で葉叢を掻き分け、葉を渡る風の声に耳を傾けては、どことも知れぬ渓流の音を聞きつけて、子供っぽい喜びを見いだした。現実を離れた異様な雰囲気のとりことなって、夢うつつの状態で歩きまわっていたそのあいだ、ひとつの考えが、絶えず彼女の頭のなかを反復していた。この場所にいるかぎり、男たちの獣性から安全に守ってもらえるとの考えである。涙がこぼれ出たが、それは喜びの涙だった。芝地に長々と身を横たえ、柔らかな草を握りしめ、新しくみつけたこの保護者を永遠にそこにとどめておきたいとでもいうように、胸にきつく押しあてた。

　それから白い大きな花を摘んで、金髪を飾る花かずらを作った。谷のなかのあらゆるものと同様、花の香りもまた夢幻的で、名状しがたい魅惑に溢れていた。

　やがて彼女は、谷の中心部にある草の生い茂る湿地に出た。そこに人の手で刻まれたような大きな石が、羊歯《しだ》と花と花輪に飾られているのを見いだした。それをみつめて立っているあいだに、周囲に生気がみなぎり、なにかが動く気配を感じた。ふりむいた彼女の目に、濃い夜の影のなかから音もなくあらわれる人影が映った――漆黒の髪に花を飾って、しなやかな裸身がほっそりと見える、褐色の肌をした娘の群れであった。夢のなかの生き物のように、娘たちは無言で近づいてくる。だが、彼女たちの目を見たとたん、リヴィアは恐怖に襲われた。星明かりを受けて明るく輝いているが、それは人間の目でなかった。姿こそ人間の形をしているが、心に異様な変化が生じていて、その変化がきらめく目の光に反映しているのだ。リヴィアの全身を戦慄が波のように走って過ぎた。新しくみつけたこの楽園にも、邪悪な蛇がその無気味な頭をもたげているのだった。

　しかし、逃げ出すこともできない。しなやかな褐色の肌をした娘たちに、周囲をぐるっと囲まれていたからだ。なかでもっとも美しい娘が、震えているリヴィアのそばへ近よってきて、しなやかな褐色の腕で彼女を抱きしめた。褐色の肌の娘の息は、星明かりに揺れる白い大輪の花がただよわす香りとまったく同じだった。娘はリヴィアの唇にその唇を押しつけて、長い怖ろしいキスをした。オピルの娘は、背筋を冷たいものが走るのを感じた。手足の力がぬけ、白い大理石の彫像のように、口をきくことも動くこともできずに、相手の腕に抱かれているだけであった。

　柔らかな手がすばやく彼女を抱きあげて、花床の中央にある祭壇の石上に横たえさせた。褐色の肌の女たちが手をつなぎあって輪を作り、暗い気分のみなぎる異様な踊りを踊りながら、祭壇の周囲をまわりはじめた。太陽の光も月の光も、このような踊りの上にそそがれたことは絶えてないものと思われた。大きな白い星はますます白くなり、いよいよその輝きを増した。まるで陰気な踊りの不吉な魔力が、宇宙の怖るべき存在の反応を惹き起こしたかのようであった。

　単調な歌声が低く響きだした。遠くかすかに聞こえる渓流の轟きのほうが、まだしも人間的であるといえた。その歌声は、星の光の下に揺れ動く大きな白い花が立てる音に似ていた。意識はありながら動く力がない状態で、リヴィアは横たわったままでいた。自分の正気を疑う気にはならなかった。理性による判断や分析が必要とは思えなかった。彼女にしても、彼女のまわりで踊っている異様な生き物にしても、ひとしく実在なのだ。悪夢の実在性と、その生々《なまなま》しい現実的な動きを見せつけられて、彼女はどうするすべもなく、石の上に身を横たえたまま、星の群がる夜空を眺めていた。その夜空から――彼女は人知を超越した理解力で知っていた――なにかが彼女を訪れてくる。はるか昔、褐色の肌をしたこれらの裸の娘たちを、いま見るような魂のない生き物に変えてしまったなにかが……。

最初に頭上高くあらわれたものは、星のあいだに浮かびあがった黒点だった。それが徐々に大きくなり、彼女に近づくにつれてコウモリほどに膨れあがった。そして大きくなることをやめないが、形には変化が見られなかった。彼女の頭上、星のあいだを飛翔していたが、錘《おもり》を落下させるような勢いで、急に地上めざして舞い降りてきた。翼を大きく拡げ、横たわっている彼女をその影に包んだ。すると彼女のまわりで歌声が高まった。魂なきものの歓喜《かんき》の歌。暁《あかつき》の露に濡れた花のように、新鮮な薔薇色の犠牲《いけにえ》を求めて飛来する神を迎える歌。

いまそれは彼女の真上に浮かび、それを見た彼女の心がちぢみ、冷たくなり、小さくなった。翼はコウモリのそれに似ているが、躰と彼女を見おろしている黒い顔は、海、陸、空、いずれの場所にも見いだすことのできぬものであった。彼女がそこに見ているものは、夜の闇の深淵から生まれ出た冥界の魔王、狂人の悪夢にもあらわれることのない宇宙の根源的な邪悪が凝りかたまった恐怖に相違なかった。

そのときまで彼女に口をきけなくさせていた目に見えぬ呪縛を破って、彼女は凄まじい悲鳴をあげた。すると、その悲鳴に答えて、力強い男の声が響いた。そして大地を轟かすようにして駆けよってくる足音を聞いた。たちまち彼女の周囲に、急流の渦巻きにも似たざわめきが生じた。白い花々が激しく揺れ動き、褐色の肌の娘たちは姿を消した。頭上では大きな黒いものの影が宙を舞っている。しかし、彼女は見た。星明かりに、頭の羽根飾りを揺るがせながら突進してくる長身の白い姿を。

「コナン！」

われ知らず、彼女の口から叫び声が洩れた。なにやら意味のとりかねる鋭い叫びをあげながら、この未開人は宙を飛んで駆けよると、長剣を星明かりにきらめかして、空に向かって激しく突きあげた。

大きな黒い翼が、舞いあがっては舞い降りる。リヴィアは恐怖に声もなく、キンメリア人が頭上に舞う黒い影に包まれるのを見た。彼は荒々しく息を吐き、足で大地を踏みつけ、白い花を踏みつぶした。ふりまわす彼の剣が大気を切り裂き、夜の闇にこだました。しかし彼の躰は、猟犬に捕えられた鼠《ねずみ》のように、あちこちへ投げつけられた。草地の上におびただしい血が飛び散って、そこに積み重なっている白い花びらの絨毯《じゅうたん》とまざりあった。

その後も彼女が、悪夢のなかの出来事のような呪われた闘いを見守るうちに、黒い翼の怪物に動揺の様子があらわれ、その躰が中空でよろめきはじめた。傷ついた翼に激しい音をさせ、怪物は相手を離して空高く翔びあがると、星の群れにまじりあうようにして消えていった。勝利者もふらふらとよろめきながらも剣をかざし、脚を大きく踏んばり、呆然と空を見あげて突っ立っていた。その勝利に、むしろ驚いているようにも見えたが、身の毛のよだつこの闘いを再開する気がまえは、いかんなくあらわれているのだった。

　そのつぎの瞬間、コナンはあえぎながらも一歩ごとに剣の血をしたたらせ、祭壇の石に近づいていった。分厚《ぶあつ》な胸を大きく波打たせ、全身が汗に光り、首と肩から腕を伝わって血が流れ落ちていた。彼の手が娘に触れると、いままで捉えられていた呪縛が解けたものか、彼女は跳ね起きて、コナンの手を怖れるかのように後ずさり、祭壇の石からすべり降りた。コナンは石に身をもたせて、足もとでちぢこまる彼女を見おろした。

「あんたが馬に乗って村から出ていくのを、おれの部下が見ていた」と彼はいった。「おれはさっそくあとを追って、逃げた方向を突きとめようとした。松明《たいまつ》の光では、それも容易な仕事でなかったが、ともかく、あんたが馬から投げ出された場所まで跡をたどることはできた。だが、そのときには松明の火が燃えつきていたから、草の上に裸足《はだし》の跡をみつけることができなかった。しかし、谷間に降りていったことは見当がついた。部下がついてこようとしないので、おれひとりが徒歩でやって来た。ここはどんな悪魔の棲む谷だ？　あれはいったい、なにものなんだ？」

「神よ」彼女は小声でいった。「黒人たちが話していたわ――ずっと遠くからやってくる、大昔の神だって！」

「外界の闇に棲む魔物だな」コナンは唸るような声でいった。「ああ、別に珍しいやつらじゃない。この世界を取り巻く光の帯の外側には、ああいう魔物が、蚤《のみ》かなんかのようにはびこっているんだ。ザモラの賢者たちがそう話しているのを聞いたことがある。やつらのうちには、地上にたどりつくのもいるが、たどりついたとなると、なにかこの世界のものの姿、肉体を持つものの形をとらなくてはならんのだ。おれみたいな男が、剣さえ手にすれば、やつらの牙や爪に引けをとるものじゃない。地獄の悪魔だろうと、この世の化け物だろうと、束になってかかってこいだ。さあ、行こう。おれの部下が谷の向こうで待っている」

　なんと答えてよいやら言葉がみつからず、彼女はじっとうずくまったままだった。コナンは顔をしかめて、その姿を見おろした。やがて、彼女が口を開いた。

「わたし、あなたから逃げたわ。あなたを出しぬいて、逃げ去ろうと考えたの。あなたとの約束を守る気持ちはなかったのよ。たしかに、あなたのものになると約束した。でも、できることなら、あなたから逃げ出したかった。あなたの好きなように罰していただくわ」

　コナンは髪をふるって汗と血を払い落とし、剣を鞘《さや》に収め、

「立つがいい」と唸るようにいった。「おれがしたのは、汚ない約束だった。黒犬バユユとのことは、べつに残念とも思っていない。だが、あんたは売ったり買ったりされる売女とちがう。男の生き方は、国がちがえばいろいろと変わるものだが、どこにいようと、豚みたいになってはならんのだ。しばらく考えてみて、それがわかった。約束だからといって、あんたをおれのそばにおくのは、腕ずくでいうことをきかせるのと同じだ。それにあんたの躰は、こんな土地で耐えていけるほど丈夫じゃない。その躰は、都《と》邑《ゆう》や書物や文明的な風俗習慣が生み出したものだ。あんたの罪というわけじゃないが、おれといっしょに暮らしたら、すぐに死んでしまうだろう。死なれたんじゃ、おれの女としての役には立たん。さあ、これからあんたをスティギアの国境まで連れてってやる。それから先はスティギア人が、オピルのあんたの家まで送ってくれるだろう」

　彼女は顔をあげて、聞きちがいではないかというようにコナンを見あげた。

「家へ？」彼女は機械的にくり返した。「わたしの家へ？　オピルへ？　故郷の人たちのところへ？　町や塔や平和や、わたしの家のあるところへ？」不意に涙が目にいっぱいになって、彼女はその場にひざまずくと、コナンの膝を抱きしめた。

「おいおい」コナンは当惑した表情でいった。「そんな真似やめてくれ。あんたをこの土地から送り返すのを、おれの好意と考えているらしいな。いって聞かせなかったか、その理由を？　あんたという女は、バムラの戦闘隊長にふさわしい女じゃないんだよ」

訳者付記：本稿は『新訂版コナン全集1　黒い海岸の女王』（東京創元社二〇〇六）所収の訳文に中村が新たに手を加えたものである。

H・P・ラヴクラフトの退化論の進化論

——人種という疫病の恐怖

西山智則

はじめに　現代におけるラヴクラフト

『ウィアード・テイルズ』はH・P・ラヴクラフトを抜きには語れない（以下『WT』、HPL）。二〇二〇年は、マット・ラフの二〇一六年の小説をTVドラマ化した『ラヴクラフトカントリー——恐怖の旅路』が放送され、「異次元の色彩」（一九二七年）の映画化『カラー・アウト・オブ・スペース——遭遇』（二〇一九年）が公開されるなど、HPLファンにとって収穫の年だった。前者では黒人の主人公アティカスが父を探す旅に出て、後者ではHPLの名前をもじった黒人ワード・フィリップスが滅びてゆく農場を目撃する。

ジョージ・A・ロメロ監督の『クリープショー』（一九八二年）の第二話「ジョディ・ベリルの孤独な死」では、「異次元の色彩」をもとにスティーヴン・キングが農夫を演じた。二〇一六年九月一三日のツイッターでキングは「トランプは邪神クトゥルフだ。馬鹿げた髪型で巧妙に触手を隠している」と笑った。トランプは失業や貧困の原因を不法移民に転化した。「見えない」の不安を不法移民という「見える」存在に置き換えたのだ。HPLは一九二四年の結婚後、移民が溢れるブルックリンに移り、『WT』のような安価な紙の大衆向けパルプ誌に執筆して貧しい生活を送っていた。

HPLは自分を「北欧人種《ノルディック》」と考えたが、「母方」の先祖は彼が弱々しいと否定した「ケルト系」でもあった。また、一九一九年に母親が精神病院に入院したが、HPLの不安は悪夢となり彼を悩ませ、時に作品になって現れた。二〇二〇年は、「見えない」コロナ・ウイルスという脅威の下、警官による黒人への暴行によって人種差別が「見える」ものとなり、BLM運動が激化した悪夢の年だった。移民の姿を怪物に投影した人種差別主義者とされたてき

ＨＰＬだが、彼が活躍した一九二〇年代からほぼ百年後の現在、「ＨＰＬを覆う影」としてその異人種への恐怖を考えたい。彼の内なる不安はどう変化していったのか。

ガードナー家の崩壊——「異次元の色彩」の荒地の下に

「異次元の色彩」は、一八八二年、アーカム西の肥沃だったネイハム・ガードナーの農場に隕石が落下し、ガードナーの農場が没落してゆく物語である。井戸の水は邪悪な「汚染水」になり、果物は食べられなくなった。辺りは隕石と同じ言語で表現できない色を放ち、奇怪な動物たちも出現する。草花は灰色に枯れ、その「土壌」は汚染された「呪われた荒地（the blasted heath）」（山中清子訳）と化す。

妻は発狂し、屋根裏に閉じ込められる。話すことをやめて這う妻の姿は、「屋根裏の狂女」の系譜である（『カラー・アウト・オブ・スペース——遭遇』では、母が息子を体内に吸収しだし、二人が「連結」する悪夢の母体回帰が描かれ、最後では白く「色のない」世界となり、黒人のワードだけが生き残るのである）。子供たちも死亡し、ネイハムは身体が灰色に変色し崩れ果てる。

ガードナー農場は異次元の色彩に包まれ「崩壊」した。「異様としか言いようのない土地を見た詩人が編み出した言葉のようだ」と、「呪われた荒地」と呼ばれる風景は、Ｔ・Ｓ・エリオットの『荒地（The Waste Land）』（一九二二年）と通じなくもない。ＨＰＬのエリオットに対する評価は低く、「御宅に少々Ｔ・Ｓ・エリオットはございませんか？」というパロディ詩「荒紙（Waste Paper）」も書いている（倉阪鬼一郎・並木二郎訳）。

後に『ＷＴ』に掲載された「狂人狂騒曲——チャールズ・デクスター・ウォードの怪事件」（一九二七年）では、魔道士カーウィンの生まれ変わりであるウォードが奇怪な実験を行う地下を探索するウィレット医師は、恐怖から祈りを唱えるが、その祈りは「Ｔ・Ｓ・エリオット氏の現代的な『荒地』のような覚え歌の寄せ集め風になってきて」と揶揄される（小林勇次訳）。ちなみに、エリザベス・アウトカが『ウイルスとモダニズム文学』（二〇一九年）

「カラー・アウト・オブ・スペース」米版ポスター

において、『荒地』の断片からなる詩句の手法を、第一次世界大戦の戦死者のあふれる風景だけではなく、一九一八年から流行したスペイン風邪の意識混濁とつなげるのも興味深い。

「異次元の色彩」の汚染された土地。『別冊幻想文学――クトゥルー倶楽部』（一九八七年）の「後より来る者へ――ラヴクラフトと〈核〉の恐怖」の番郷本は、ＨＰＬ文学は現代の「予知夢」だとする。「異次元の色彩」は放射能の恐怖を予見し、「狂人狂騒曲」のウォードの地下ホールは、チェルノブイリの原子力発電所の内部構造を連想させるともいう。第一次大戦後のこの時期の文学には、荒廃した荒地が際立っている。

たとえば、Ｆ・スコット・フィッツジェラルドの『グレート・ギャツビー』（一九二五年）において、自動車工ジョージ・ウィルソンが住む「灰の谷」と呼ばれる陰鬱な地区は忘れ難い。ごみ捨て場のような「灰の谷」に住むウィルソンの妻と不倫し、「北欧人種《ノルディック》」の血脈を誇る富豪トム・ビュキャナンは、ゴダードの『有色帝国の勃興』という書を「科学的」であり、「万人必読の書」と主張する（野崎孝訳）。「支配的人種に警戒の義務があるんだよ。さもなければ、他の人種が支配権を握ることになる」と興奮し、「白人と黒人の雑婚」を非難する人種差別主義者である。「文明を擁護する最後のとりでに、自分がただ一人で立っている」と思い込むトム・ビュキャナンは、ＨＰＬの恐怖を共有する。

「異次元の色彩」の宇宙から飛来し、「疫病に汚染された農場」を誕生させた、生命体《エイリアン》かどうかも不明な謎の「物体《いろ》」。だが「色の侵略」はＨＰＬにとって現実でもあった。トム・ビュキャナンのように、彼もまたある疫病の拡大に戦慄していた。優生学が流行する一九二〇年代、「見慣れぬ色」の移民《エイリアン》がやって来て、米国の白人の純潔を汚染するという疫病である。犯罪は精神薄弱者がひき起こし、多くが精神薄弱だとされた移民との混淆は、「人種の退化と自殺」に陥ると考えられた。この恐怖がＨＰＬの作品の「土壌」に潜んでいる。

他者恐怖の変異論――連結する『遊星からの物体Ｘ』『狂気の山脈にて』

汚染恐怖の強烈な『カラー・アウト・オブ・スペース――遭遇』では、アルパカたちが「連結」したクリーチャーが誕生する。これは、ジョン・カーペンター監督の『遊星からの物体Ｘ』（一九八二年）の物体Ｘが犬に寄生した怪物がモチーフだ。

「遊星からの物体Ｘ」米版ポスター

『影が行く』(Shasta,1948)ボク画

『狂気の山脈にて』(Arkham House,1964)コイ画

だが『遊星からの物体Ｘ』とＨＰＬも「連結」していた。『遊星からの物体Ｘ』は、太古の昔に飛来し、相手に寄生しその姿を「模倣」し「変異」する物体Ｘに南極のアメリカ観測隊が襲われる物語である。

人間を「模倣」する物体Ｘが世界に増殖する疫病的シュミレーション・シーンも含まれている。隊員の血から物体Ｘの寄生の有無を検査するシーンは、ＰＣＲ検査で「陰性《しろ》」か「陽性《くろ》」かを体験するコロナ禍では、なお恐ろしい。検査される隊員たちに二人の黒人がいる。しかし、物体Ｘが寄生したのは白人だった。エイズをひき起こすウイルスの分離成功は翌年一九八三年だが、当時ゲイや黒人が感染源《はんにん》として差別されていた。黒人が白人の生活を「模倣」して白人化し、「白人《しろ》」か「黒人《くろ》」かが不明になるアメリカの不安がこの場面で皮肉られる。

『遊星からの物体Ｘ』はジョン・Ｗ・キャンベルJrの小説『影が行く』（一九三八年）の映画化である。『影が行く』は「もしわれわれが二千万年間凍結していた微生物を解凍したら、疫病が――地球には知られていない細菌性の病気が――広まるかもしれない」（増田まもる訳）と、伝染病が世界中に蔓延する恐怖に満ちている。誰がエイリアンに乗っ取られたか分からない隊員たちは、互いを疑い部屋に立てこもり、寄生《はん》者《にん》を探す推理小説的筋が展開する。

キャンベルの『影が行く』で隊員の体を奪ったエイリアンが触手を伸ばすのは、クトゥルフ神話だが、この作品に影響を及ぼしたのがＨＰＬの『狂気の山脈にて』（一九三一年）だ。編集者ファーンズワース・ライトがこの傑作の『ＷＴ』掲載を見送ったのは皮肉だろう。日本でも南極観測隊が怪物に襲われる『ウルトラQ』の第五話「ペギラが来た」（一九六六年）から、ＨＰＬに似たヒャッコイ博士が登場する『ドラえもん――のび太の南極カチコチ大冒険』（二〇一七年）まで、この「山脈」に連なるのだから。

『狂気の山脈にて』で南極探検隊は「古のものども《オールド・ワンズ》」の都市を発見する。「古のものども《オールド・ワンズ》」は主人の声を「模倣」し「テケリ・リ」と鳴く不定形生物ショゴスを奴隷として創造していた。「テケリ・リ」の声はポーの『ナンタケット島出身のアーサー・ゴードン・ピムの物語』（一八三八年）の青白い鳥や白色を恐れる原住民の声だった。当時珍しいペンギンの記述や謎の白毛の動物も登場し、結末でピムたちは「巨大な白い存《な》在《ぞ》」に遭遇する。ポーへのオマージュに「古のものども《オールド・ワンズ》」の時代から存在した「巨大な白いペンギン」をＨＰＬは描き、それはペギラに「変異」したのではないか（第一四話「東京氷河期」では南極の原発事故が言及される）。

「模倣」の対象だった「古のものども《オールド・ワンズ》」に反逆し、探検隊を地下トンネルで襲うショゴスは、黒人たちを意味したとも言われる。有色人種移民に白人が凌駕されるニューヨークの恐怖は、悪臭を放つ粘着質で黒い塊のショゴスの姿に託された。『ラヴクラフトカントリー』の原作では、黒人の主人公アティカスの父は「古のも《オールド・》のども《ワンズ》は白い肌で、ショゴスは黒い」と語り、神がニグロと呼ばれる悪徳に満ちた半獣的存在を誕生させたとするＨＰＬの初期の「ニグロの創造について」（一九一二年）という詩もアティカスは読んでいる。また、ポーの「アッシャー家の崩壊（The Fall of the House of Usher）」の中の詩「呪われた宮殿」も連想させる同年の「ニューイングランドの没落（New-England Fallen）」でも、「良き古のもの《ニューイングランド》」への移民の入国への嫌悪が滲みだす。

「何故に卑しき異国の輩が、サクソンの／栄光満てる田野に住むを許されたるか。／自堕落な下賤な暮らしを送る者共、／荒れたる古城に出入りする猿のごときぞ。／今はニューイングランドの山々はみどり色褪せ、空気は工場の煤煙によりて汚さるる。／…村には下劣な耳慣れぬ叫び満ちて、／酒場のあたりにうろつくは、／うつけたる眼の人の皮を着たならず者、／されど自ら〞アメリカ人〟と称しおる」（小林勇次訳）。

『ダンウィッチの怪』(Arkham House,1963) コイ画

拡大する脅威と優生学――『ダンウィッチの怪』の退化論

『カラー・アウト・オブ・スペース――遭遇』には、『ダンウィッチの怪』（一九二八年）の登場人物ラヴィニアの名が娘として使われる。『ダンウィッチの怪』のアルビノの女ラヴィニアが異界の存在と交わって誕生するのが、ウィルバーと彼が育てる双子の兄弟である。異界の存在との混血ウィルバーは、建物に隠した兄弟に牛の血を飲ませて育てている。背中は黄色と黒の斑で、縮れた髪の毛、分厚い唇、長く尖った耳で山羊にも似てラヴィニアの黒い小僧と呼ばれるウィルバーは、悪魔のイメージだけではなく、混血の畸形のイメージに近い。ウィルバーの下半身には、触手が二十ほど生えていた。この触手は性器の象徴的存在であり、旺盛な生殖能力が示唆される（触手系エロスの系譜だ）。

やがて巨大に成長し姿の見えない弟が建物を破り外に出てくる。この「見えない」怪物は悪臭と粘液の足跡を残すだけだが、ある粉の噴霧で触手と複数の眼をもつ樽のような姿が「見える」ようになる。異界との混淆で誕生し成長してゆくウィルバーの弟には、優生学が煽った混淆の脅威が投影されてはいないか。マックス・ノルダウの『退化論』（一八九二―三年）が話題を呼び、社会進化論による「自然淘汰」「適者生存」の思想が浸透する世紀転換期に、混淆により白人の「人種の退化（degeneration）」という危機から「人種の再生（regeneration）」を目指したのが優生学だった。

一九二六年にフィラデルフィアで開催された建国百五〇周年記念博覧会において、アメリカ優生学協会は、遺伝病患者のために毎一五秒で百ドルが浪費されることをフラッシュの点滅で示し、四八秒ごとに一人の精神障害者が生まれることを示す装置を展示した。「見えない」精神薄弱の拡大はこの装置が「可視化」する。ダンウィッチの住人たちもまた「ニューイングランドのうらぶれた社会に共通する、あの退行の末路を辿りつづけ」、知能程度は著しく低く、「退化と血族結婚によるまぎれもない烙印を背負わされていた」（鈴木克昌訳）。ダンウィッチの怪物はこうした混淆の脅威を表象していたのではなかろうか。

　優生学運動初期に影響力のあった本が、ヘンリー・Ｈ・ゴッダードの『カリカック家の人々』（一九一二年）である。ニュージャージー州の訓練学校にデボラという八歳の少女が収容された。二〇歳を過ぎたデボラは、知能があがらないため精神に障害があると判断される。家系を遡ると、デボラの祖先のマーティン・カリカックは独立戦争時、精神薄弱者の売春婦と関係があったことが発見される。後にこの女性はその子を出産し、マーティン・カリカック・ジュニアと命名した。ジュニアからは四八〇人の子孫が生まれるが、大部分が精神薄弱者、アルコール中毒者、娼婦、犯罪者で、健康なものは四〇人ほどにすぎなかった。

　優生学の書物では、無計画な生殖により一般人口の二倍のスピードで出産される精神薄弱者の拡大が警鐘された。デボラの血筋を遡ると、祖先の精神薄弱者女性との性交が浮上し、多くの障害者が生まれたという『カリカック家の人々』。この構造はＨＰＬの作品と共振する。「故アーサー・ジャーミンとその家系に関する事実」（一九二〇年）は、アーサー・ジャーミンが精神障害者や自殺者が続く自分の家系を調べ、先祖の男はコンゴの白い類人猿を妻として連れて帰っており、自分がその混血の末裔だったという「母方」の血筋を発見し、自殺する物語だった。

恐怖の血脈にて――「インスマウスを覆う影」と移民嫌悪

　またしてもファーンズワース・ライトが『ＷＴ』への掲載を断った「インスマウスを覆う影」（一九三一年）も、一九二七年にマサチューセッツ州の港町インスマウスを訪問した語り手が、血筋の秘密を発見する物語である。よそ者への「人種的な偏見」に満ちた町で、語り手は一八四六年の謎の疫病のことを聞きつける。「住民が半分以上も命をとられたものです。いったいあの伝染病はなんて病気だったのかはっきりしたことはわかりませんでしたが、たぶん帰国した船が、支那かどこかからもってきた外国の病《やまい》だったのでしょう」と話される（大西尹明訳）。

　町の人々はインスマウス面という魚類や蛙を連想させる容貌である。バスの運転手の「鼻はひらべったく、額とあごはひどく貧弱で、耳は異常に発達のおくれた形をしていた」という容貌は、チェーザレ・ロンブローゾの犯罪人類学の生来性犯罪者を匂わせる。「この男の体のなかに、いったいどういう外国人の血が流れているのか、わたしには見当もつかなかった」と語り手は訝る。以前肥沃だったこの地方の木は疫病以来枯れているが、運転手の「その頭のうしろには、顔と同じようにほとんど毛がなく、灰色のざらざらした皮膚」であるという描写が重ねられ、まさしく「荒地」だ。

海神ダゴンを崇拝するインスマウスの人々は、半魚人のような「深き《ディープ・》もの《ワンズ》」との間に生まれた混血の子孫だった。すでにダゴンはHPLが初期の一九一七年に書き、一九二三年に『WT』に掲載の「ダゴン」に登場している。ダゴンを目撃した語り手が何かが入ってこようとする音を聞き、飛び降りようと窓に近づくと、窓にも手が伸びてきて物語は終わる。死さえ許さぬ「外から入ってくる手」の恐怖(一九九二年にTBSのTVドラマ『インスマスを覆う影』に主演した佐野史郎は、ゴジラにもダゴンの影を見出している)。

バスの故障でインスマスに宿泊した語り手の部屋に、人々が外から入ってこようとする。一八四六年の謎の疫病とは、深夜の街に「深きもの《ディープ・ワンズ》」が侵入してきて、人々と混淆したことを置き換えたものだった(彼らはショゴスを使い侵略を企てている)。混淆という疫病。一九二二年にニューヨークのチャイナタウンを訪問したHPLは、そこを「おぞましい巣窟」と感じ、その二年後の手紙にイタリア、ユダヤ、モンゴル人のことを「ピテカントロプスとアメーバの混合物」や「感染する虫や深海に棲息する気味の悪い生物」にたとえた。

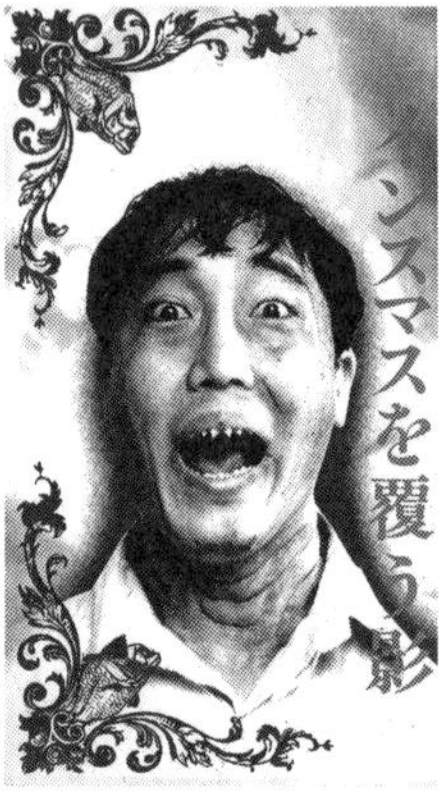

『インスマスを覆う影』(パックインビデオ、1993)

ならば、海から上陸し、人々を襲い混淆を始める「深きもの《ディープ・ワンズ》」に、「移民《エイリアン》」と混淆の恐怖を読み込むのは難しくない(ロジャー・コーマン制作の『モンスター・パニック』(一九八〇年)において、漁業の利益拡大のために遺伝操作で「変異」した半魚人たちが町の美女を襲うクライマックスは、「インスマスを覆う影」のこの場面さながらだ)。またHPLが影響を受けたのが、妊娠時に母親が巨大鯰に遭遇して誕生した身体的奇形の混血男性が白人に復讐するアーヴィン・S・コッブの「魚頭——フィッシュヘッド」(一九一三年)で、血の交わりの恐怖だった。

「インスマウス面」に「退化」する語り手は、自分の「母方」が「深き《ディープ・》もの《ワンズ》」の血筋だったことを知る。自分探しはこう終着した(HPLの母方は彼の否定したケルト系だ)。血脈を探ると禁断の性交が浮かぶ「インスマスを覆う影」もまた、『カリカック家の人々』のような優生学と連動するかもしれない。ところが、一九三〇年の冬から三一年頃、家系を調べ自殺した叔父と違い、語り手はその血統を受け入れ、「母」なる海に惹かれ「深海／進化《しんか（い）》」に生きようとする。現代的な「ポスト・ヒューマン」的な終わり方だろう。

　嫌悪を「外部」の移民に投影するのでなく、自己の「内部」に認めた結末。それは、冷遇されてきた文壇のアウトサイダーであるＨＰＬが、鏡に映った自己の姿を認めた三〇年代の「進化」ではないか。『ホームズ鬼譚～異次元の色彩』（二〇一三年）に収録された山田正紀の「宇宙からの色の研究」において、クトゥルフに征服された世界でラヴクラフトはつぶやく。「どうして私は黒人とアウトラロイドを生物的に劣っていると考えたのだろう」と。

「シェイプ・オブ・ウォーター」米版ポスター

終わりに
変異するラヴクラフト

　二〇一五年、世界幻想文学大賞は差別的表現が理由でＨＰＬが胸像のトロフィーをやめた。だが彼の文学は「進化」を続ける。『ラヴクラフトカントリー――恐怖の旅路』は、黒人のアティカスが旅に出て様々な恐怖を経験する物語だった。「ムーPLUS」に掲載の森瀬繚の「『ラヴクラフトカントリー――恐怖の旅路』に見る〝現代アメリカを覆う影〟とＢＬＭ」によれば、人種隔離が存在する五〇年代の田舎町で、アティカスたちが白人保安官らから差別的な扱いを受けるのは「インスマスを覆う影」の反転だという。アティカスは「インスマスを覆う影」も収録された『アウトサイダーとその他の物語』（一九三九年）を読んでいる。

　この「インスマスを覆う影」の最後は、ギレルモ・デル・トロ監督の『シェイプ・オブ・ウォーター』（二〇一七年）の結末を予見させる。声をだせない障害者の主人公イライザが、深海で恋する半魚人と暮らすのである。恐怖の物語から愛の物語への変貌だ。障害者や同性愛者や黒人たちのマイノリティが立ち向かう軍人ストリックランドは、トランプの愛読書『ポジティヴ・シンキングの力』を所持し、トランプをもじっている。『ヘルボーイ』（二〇〇四年）では半魚人を仲間に登場させ、

『ブラック・トムのバラード』(Tor,2016) R.ハント画

最後にショゴス的怪物とヘルボーイを格闘させたデル・トロは、クトゥルフ神話マニアだ。

　二〇二一年に福島第一原発の「処理水《おせんすい》」をめぐり、復興省制作の海を泳ぐトリチウムのゆるキャラが批判されたが、「インスマウスを覆う影」は原発ホラーとしても翻案された。『インスマスの血脈』(二〇一三年)に収録の樋口明雄「海からの視線」では、原発が建設された北陸の町狗須間《くすま》を舞台に、「深きもの《ディープ・ワンズ》」の血を受け継ぐ人々が、利権拡大の原発推進派と反対派に分かれ対立する。推進派の町長がパフォーマンスとして排水口近くで泳ぎ癌のために死亡したという噂が流れ、邪神の復活で津波が起き、原発が崩壊する可能性も示唆された。ＨＰＬの「予知夢」は現代でも更新され続ける。

　また、マット・ラフの『ラヴクラフトカントリー』と同じ二〇一六年、ＨＰＬの外国人嫌悪が垣間見える「レッド・フックの恐怖」(一九二五年)を改変し、黒人作家ヴィクター・ラヴァルは、『ブラック・トムのバラード』を書いた。「レッド・フックの恐怖」は、ニューヨークのブルックリンに配属された刑事トーマス・マロウンが、「邪悪でもって癩《らい》や癌《がん》に冒されたような」レッド・フック街で呪術師ロバート・サイダムの陰謀を調査する物語だった(大瀧啓裕訳)。建物に出入りするサイダムの手下は、「エリス島の移民検疫所で賢明にも追いかえされた、名前とてない国籍不明のアジアのくず」などの不法移民であり、そこは「雑多な病禍の悪臭のうちに国家さえ吞みつくそうとする、忌むべき害毒の病根」とされる。

　「レッド・フックの恐怖」に対して『ブラック・トムのバラード』では、一九二四年、ニューヨークのハーレムのギター弾きの黒人トミー・テスターをそこに加えて、トーマス・マロウンと並行して物語が二部構成で描かれるのである。父親を私立探偵に殺されたトミー・テスターは、憎悪からサイダムに協力してクトゥルフの「眠れる王」を復活させようとする。粘着質の怪物を好んだＨＰＬは、それに有色移民の腐敗した世界を託したが、ラヴァルはハーレム街を黒人の側から描き直すのである。ＨＰＬの文学は「変異」しながら「進化」する。現在のＢＬＭ運動を経過し、二〇三〇年代に黒人問題はどう「進化」しているのか。

Monster, She Wrote

レオノーラ

Leonora

イヴリル・ウォレル

Everil Worrell

植草昌実訳

『ウィアード・テールズ』で活躍した女性作家は数多い。同誌初期からの女性作家として記憶されているイヴリル・ウォレル（一八九三—一九六九）は、一九二六年九月号にＳＦ“The Bird of Space”でデビューして好評を博し、その後は断続的ながら、終刊の一九五四年まで十八編の中短編を寄稿している。本作は一九二七年一月号に掲載され、三八年十一月号に再録もされた代表作で、同年十二月号掲載の「赤い運河」と並び称される。タイトルからも察せられるように、リストの歌曲でも知られる十八世紀ドイツの譚詩を踏まえた、怖ろしくも美しい小品である。

　書けなくなる前にこれを書き終えなくては。今より悪いことは起きようもないし、わたしの命が尽きるのも時間の問題なのに、なぜ理解とか共感とかしてもらいたいのだろう、とは思うけれど。最後の手紙を入れて海に投げ込まれた瓶はいったい何本あったのか、沈みもせず波に運ばれていったのは、そのうちの何本なのか。

　わたしは今、最後の手紙を書いている。真面目に取られも、信じてもらえもしないだろうけれど、それでも誰かが読んでくれるだろうから。何度も話して、そのたびに「頭がおかしい」と言われてきた、その出来事を書いておく。わたしがこの鉄格子の中からいなくなり、怖ろしい運命が導くまま夜の闇のどこかに消え去っても、あの人たちは同じことを言うばかりだろうけれど。わたしが行くのは彼のいるところ、古い墓地に潜み、風が哭《な》く荒れ果てた道を夕暮れから夜明けまで彷徨《さまよ》う、望みも寄る辺もない影たちの国。きっと、夜明け前にはそこに着いている！

もう時間がないのだから、何が起きたのか書き遺さないと。

わたしは女で、まだ年端もいかない。十七歳になったばかりだけれど、一年前あたりから、頭がおかしくなったと言われている。十六歳の頃のわたしは、いつも目を輝かせていたし、頬の薔薇色は洗って落ちるものではなかった。田舎住まいに似合った、古風なものの考え方をしていた。楽しみといえば、好きなときに好きなところに行くことで、たった一人の親友と連れだって行くこともあった。その子の名前はマーガレット。

わたしの名前は、レオノーラ。

家が歩いても五分と離れていないので、どちらも思いたてばいつでも、ひと気のない小道を走って会いに行った。お互いの家しかなかったから、ごく幼い頃から、それぞれの両親もこの道のりを安全なものと思っていた。町からは遠いし、誰か来たら目につかずにはいかない。不便もあったけれど、そんなところにしかない良さもあった。マーガレットは裕福な農家の娘だった。わたしの父は学者だったが、世間のことには明るく、生活に不自由はなかった。

月も星も出ない夜や風の強い夜には、日が沈む前に家に入り、暖炉の前で過ごした。わたしは月が好きで、ことに月の明るい夜には、マーガレットの家に遊びに行き、真夜中近くに月明かりの下を散歩しながら帰る自由を味わった。マーガレットが遊びに来て、わたしと遅くまで過ごしてから帰るときも、何も怖いものはなかった。それに、わたしは月夜の散歩だけでなく、冒険も好きだった……。

生まれてからずっと、そんな日々を過ごしてきたので、わたしは恐怖というものを知らないままでいた。

十六歳の誕生日を迎えるまで、わたしの人生は小川の流れのように静かだった。事件はもちろん、興奮するようなことさえ、ほとんどなかった。冒険をしてみたくなったのは、あまりにも平穏だったからかもしれない。

十六回目の誕生日の晩、わたしはマーガレットを家に招いて一緒に食事をし、食後にはマーガレットの家でデザートにした。二人で考えたお祝いだった。十月の夜空には満月が昇っていた。真夜中近くなるまで帰らなくても、何も気にすることはなかった。父はわたしを心配したり、外で何をしているかを気にかけるような人ではなかったし、おまけに早寝だったから。わたしは月明かりの下、色づいた秋の木の葉に囲まれていた。風もないのに、木の葉の一枚が足元に落ちてきた。紫の天鵞絨《ビロード》のような夜空に高く、月が輝いていた。

　こんな幸せな夜は初めて。こんな綺麗な世界にいられるなら、もう家に帰らなくてもいい。この夜を心ゆくまで楽しみたくて、わたしはこれまで行ったことのない方へと、知らない道をたどっていった。月明かりの下、両手を高く上げて、父の部屋に飾ってある絵の踊り子のポーズをとったり――本当に見たことはないのに！――道を飛び跳ねたりした。十字路まで来たとき、自分の家の時計が零時を告げる音が聞こえてきて、わたしは立ち止まった。

　家に向かう道の入口に、きれいな自動車がヘッドライトを消して駐まっていた。パーキングライトが点いているかどうかは、月が明るいので、わからない。

　父の車と同じ車種で、たまにしか乗せてもらえなかったけれど、馬力のあるいい車だとは知っていた。父が出かけるとき頼んで乗せてもらい、車というものがすっかり好きになっていた。力強く、速く、形も美しいから。風を切って走るのは心地よく、父にねだって二十マイル先の州道まで出て、完璧な舗装の上を高速で走ってもらったこともあった。しかし、この片田舎の道で、父のもの以外の車を見ることは、これまでにはなかった。

　通り過ぎようと思ったのに、わたしは足を止めた。十字路の手前で立ち止まると、その大きな車は家への道をふさぐように、ほんの数フィートだけ、そっと進んだ。父の車も静かだが、この車は音も立てない。

　そのときはじめて、運転手の顔が見えた。

　月あかりの下で、彼の顔は陰になっていた。光が届かないのだろう。それでも、わたしに目を向けて、笑いかけたのは見てとれた。

　指が震えて字が書けない。わたしの力はもう限界で、恐怖に堪えるのも今夜かぎりかもしれないと、主治医《せんせい》が誰かに言っていた。気を確かにして、そのとき見たことを思い出さなくては。

　わたしはその日に十六歳になり、その夜に恋におちた。立ち止まり、彼とほんの少しだけ言葉を交わした。車に乗るようにとは言わなかったので、彼を怖くは思わなかった。怖いのは、恋のほうだった――だが、わたしはただ、彼の問いに答えただけだった。

「名前は？」彼は尋ねた。わたしは「レオノーラ」と答えた。

「音楽のような響きだね」彼の声はやさしかった。わたしはこのとき恋におちた。「長いあいだ探していたよ」と言われたときには、もうまちがいない、と思った。

　もちろん、夢を見ていたのでもないし、そう言った彼の心づもりはわからない。わたしは本をよく読んでいたし、その中には恋の物語もあった。お世辞の受け止めかたも心得ていた。

「こんな遅くによく出歩くのかい？」

　なぜか返事をためらった。彼のもつ何かと、月明かりの下で二人きりでいることに、心を捕らえられた。もし、ここで「いいえ」と言ったら、もう二度と会えないような気がした。

「満月の夜だけは」と答えて、車の脇をすり抜けた。彼の手がハンドルからさっと帽子の鍔に移ったかと思うと、すぐに車は静かに走りだし、去っていった。


　玄関に着くまで、胸がどきどきしていた。あんなふうに答えたから、次の満月にまた会えるかもしれない。

　再会したのは二か月後のことだった。十一月、夜空には雲ひとつなく、寒く、美しかった。まだ遅くなっていなくても、わたしは怖くて、外に置き忘れた本を取りにいくだけなのに、月の光を避けた。マーガレットの家に向かう道を通ることを考えただけで、足がすくんでしまった。真夜中には、ベッドで毛布の中に小さくなって、カーテンを開けた窓から月の光が白く冷たく差してくるのを、ただ見つめているばかりだった。まるで神経症にかかったみたい、と思った――神経症がどんな病気か、知りもしないくせに。

　でも、翌月は違っていた。

　謎と恋を同時に自分の手にできたのは、なかなか素敵なことだった。それとも、わたしが手の中におさめられていたのだろうか。車体の長い、車高の低い車に乗った彼はもう現れないし、二度と会うこともないだろう。でも、あの言葉は違うことを約束していたのかもしれない。今夜、彼は来るのだろうか。先月は来たのだろうか。わたしは好奇心に駆られはじめていた。あの夜、彼はわたしに何もしなかった。彼には心を惹きつける何かがあった。子供みたいに怖がっていた自分が馬鹿みたいに思えてしかたがない――決まった人たちとしか顔を合わせない淋しさのせいだ。

　わたしはマーガレットの家に行き、遅くまで――あの夜のように、時計が十二時を打つまで過ごした。そして、誰にも気《け》どられないよう覚悟を決めて、重いコートをまとうと、夜の中へと踏み出した。

　いつもの夜とは違っていた。身にしみる寒さに霧が白く凝っていた。重たげな夜霧ごしに、葉を落とした木々の枝が、骸骨の手足のように見えた。

　わたしは何を考えて書いているのだろう。悲鳴をあげたい気持ちが抑えられない。でも、堪えなければあの人たちに抑えこまれる。これを書き終えないと。夜が明ける前に。真夜中より怖い夜明けの前に。

　夜明けが近づくと、かれらは棲みかに戻ろうとする前に、わたしの部屋の窓を骨だけの指先で叩く。そればかりか、わたしを棲みかに連れ去ろうとする――命ある者は行けないところに！　そこに連れ去られたら、もう戻れない。

　わたしはゆっくりと十字路に向かって歩いた。立ち止まってはいられなかった。誰もいませんように、と願った。だが、叶わなかった。

　車が駐まっていた。車体は黒く――前に見たときは色に気づかなかった――車高は低く、サイドランプの光が霧の中に指を突き出すように延びていた。十字路には霧が低く、重く凝っていて、息ができなくなるような気がした。

　車の中の彼は鍔広の帽子を目深にして、前に会ったときよりも顔を隠しているような気がしたが、前と同じように、手袋をした片手をハンドルにかけていた。怖いと思いながら、彼に惹き寄せられて、わたしは身震いした。この人は違う――身近にいるどの人とも違う、と感じた。不思議で、物語のようで――そして、彼のふるまいは、まるでわたしの恋人であるかのようだった。世間知らずなわたしでも、それくらいはわかった。

「今夜は乗っていかないか、レオノーラ？」

　一歩前進――とうとう誘われた！

　でも、わたしにはその気はなかった。期待していたのは、そんなふうにぞくぞくする思いだけだったから。

　彼が来ただけで十分だった。ここから先へは行かない。このあとはもう会えなくてもいい。

（わたしは十六歳だったのだから）

　知らない人が夜にやってきて、なぜかわたしに心惹かれ、わたしもまた惹かれた。彼は車に乗るよう、わたしを誘った。

　どう答えたのかは覚えていない。思ったままを言ったのだろう。お誘いは嬉しいのですが、と断ったにちがいない。

　別れの挨拶に、彼は手袋をしたままの手を、帽子の鍔にかけた。

「レオノーラ、またいつか別の夜に。レオノーラ」
車は滑るように走りだし、去っていった。でも、彼の声は耳に残っていた。これまで聞いたことのない、誰の声とも違う——恋人の声としかたとえようのない、低い声が。自分の世間知らずはわかりきっていた。だから、もう彼に会いさえしなければそれで済むものか、と訝しんでいた。彼は急ぎはしないが、次の満月のときには必ず来るだろう。そのときには、彼はなんと言うだろうか。

一月は冬の嵐が激しく、夜空は厚い雲に切れ目なく覆われて、月を見ることはかなわなかった。

二月の満月は、澄み切った夜空に冷たい光を広げていた。その光を受けて、地面に積もった雪はきらきらと輝き、氷に覆われた木々の枝は白い炎をあげているようだった。それでもわたしは暖炉から離れず、早くベッドに入って頭から毛布をかぶっていた。秋と同じ恐怖を覚えて。ある種の恐怖症に捕らわれた人のようで、月光と外の空気を怖れる今の症状がそのときもう出ていたのだ、と言われた。

三月になった。

来月からは春になり、春がすぎれば夏になる。世界は怖ろしいもののない、おだやかで優しいものに戻るだろう。でも、わたしは十字路での出会いがまたあるのを心待ちにしていた。木々が芽吹く今に新しい命を感じるのではなく、あの厳しい冬の夜を思い浮かべて。わけもなく怖がることはもうなくなり、そのぶん冒険したい気持ちがより強くなっていた。

一月の嵐の夜も、わたしが一歩も外に出なかったあの白い夜も、彼はこの十字路にいたのだろうか。そして、この三月の満月の夜にも、彼は来るのだろうか。

その夜、まだ春の兆しはなかった。雪はもう白く輝くこともなく、雨に打たれて窪みに残るばかりだった。

夜風が荒々しく吹いていた——月は厚い雲に隠れたと思うと、切れ間からくっきりと光を落とした。湿った土と朽ちた葉のにおいがした。

わたしはマーガレットの家には行かないでいた。時計がのろのろと時を刻むなか、火が弱まっていく暖炉のかたわらに掛けて、うとうとと奇妙な夢を見ていた。十一時になると、父はあくびをして、自分の部屋に行った。十二時十五分前、わたしは重いコートをはおった。少しして、外に出た。

彼は今夜、きっと待っているだろう。疑いはかけらもなかった。わたしを駆り立てていたのは好奇心ではなく、心の奥底からの、名づけようのない衝動だった。危険な流れを泳ぐうちに引き波に捉えられてしまったかのようだった。

　あの車高の低い、黒い車が、十字路に駐まっていた。精巧をきわめた機械なのはまちがいないのに、どこかが違うように見えた。でも、雲が月を隠したとき、これは外車だから、とぼんやり浮かんできた考えに、その印象は消えた。

　そのとき、目の前で急に、見知らぬ人が車のドアを開いた。わたしは初めて、この車の空いている助手席に近づいた。

「レオノーラ、夜のドライヴをしよう。乗らないか。だから来てくれたんだろう」

　そのとおりだった。帰りがけでもなんでもなく彼に会ったのは、これが初めてだった。彼に会おうとして、出てきたのだから。

　わたしが乗るのを彼は期待しているようだった。脅したり、せっついたりはせず、ただ待っていた。

　出てきても、ほんの少し話しただけですぐ帰ってしまうよりは、付いていったほうがいいのではないか。世間知らずな田舎娘が、冒険を求めて風の強い三月の夜に外に出るなんて、わざわざ危ない目に遭いにいくようなものだけれど――でも、行くことにした。

　わたしは車に乗った。狭い道に車を走らせる彼の顔が月の光に照らされないか、隣から見ようとした。それでもよく見えなかった。今このとき、夢に見続けてきたその人がすぐ隣にいるのに、顔がはっきり見えないのが、不安でたまらなかった。すぐ隣からでも、道で見たときと同じで、よく見えなかった。彼がこちらを向いても、目深にかぶった帽子と立てたコートの襟のあいだに出ているはずの顔は、車の中で影になっていたので、その目がまっすぐこちらを見て、線の太いくっきりとした顔立ちに微笑みを浮かべているという、これまでのぼんやりとした印象を思い出すばかりだった――。

　車は速度を上げて見慣れない道を走った。わたしは彼に注意を向けていたので、どこに向かっているのか気にも止めなかった。だがそのうちに、いったいどれだけ走ったのか、心配になってきた。それを口にすると、彼はわたしを安心させるような口ぶりで答えたので、今は帰り道、彼の言うとおりもうすぐ家に着く、と信じた。彼の言った「家」はわたしの家で、他のどこかだとは夢にも思っていなかった！

　彼はほとんど口をきかなかった。わたしが何も言わないでいると、彼も黙ったままだった。自分がどれだけ未熟かはわかっていても、わたしはこの先に何が起きるか、警戒してはいなかった。彼が黙っているのは、わたしが話しかけることが子供っぽくてばかばかしく、答えるまでもないからだ。そう思って自分を責めたが、それでも彼の沈黙には、いつまでもそばにじっと座っていたくなるほど惹きつけられ、その顔をもっとはっきり見たいし、自分にもっと興味をもってもらいたい、という気持ちが強くなるばかりだった。

　彼が話しかけてきたのは一度だけだった。わたしの名前、レオノーラの由来だ。

　初めて彼に会ったとき「音楽のような響きだね」と言われたのは忘れもしないから、いい名前でしょう、と言ってみた。でも、今度は褒めてくれなかったから、わたしはがっかりした。

「星まわりのよくない名前だ、という人もいるみたい。でも、そんなことが信じられていたのは大昔のことよね」

「きみが幸運なら、星まわりが悪いなんて誰にも言えはしないさ」

　もっと話したかった。彼の気を惹きたかった。でも、彼はそれっきり答えなかった。

　書き続けられない。考えていたとおりに順序よく、最後まで書くなんて、できない。説明しなくてはならないこともあるし、誰かが言ったわたしのことの間違いを正さなくてはならないし。夜は更けていき、わたしを閉じ込めるだけで守ってはくれない鉄格子の、すきまから手を入れて窓を叩く音は、次第に大きくなっていく――きっと夜明けまで続くことだろう。すぐにおさまるだろうと先生が言った胸の痛みは、堪えられないほどになっている。私が書き終えたとき――もしできるなら、だけど――何か起きるかも、わからない。でも、本当に書かなくてはならないことは、あまりに怖ろしくて思い出すことさえできなかった。今書いている物語の、あまりにも怖ろしい結末を。

　夜が明ける前に書き終えなければ。かれらは夜明けまでには帰らなくてはならないから。そして、帰るときにはわたしを連れていこうとするから――彼が待っているところに。

　でも、これも書いておかなくては――わたしは正気をなくしている、と人は言う。これを読んだ人は納得するだろう。でも、そう思うのなら、教えてほしい。

　父親のもとからいなくなってから、医師が言う「正気をなくした」状態で、おまけに指の骨をしっかり握りしめて見つかるまで、わたしがどこにいたのかを。その指を、いったいどんな怖ろしい手から、どれほど怖ろしいまねをしてもぎ取ってきたのかを。そして、わたしという生きているひとりの女性が、死のもとに留まらず、その手から逃れてこられたのなら、なぜできたのか教えてほしい。

　わたしの体はどうして死んだようになってしまったのか。ハンセン病にかかる理由もないのに、医師が罹患を考えるほど、感覚を失い動かせなくなっているのか。いっそ病気であればいいのに！

　書き続けよう。

　静かなドライヴのあいだは、まるで空を飛んでいるかのようだった。時間が過ぎていくのをまったく意識していなかったが、一度だけその長さにぼんやりと不安を覚えたとき、彼が安心させてくれた。運転している彼が答えてくれなかったら、尋ねたわたしは怖さのあまり取り乱したことだろう。なだめるように響く彼の声を聞き、わたしは魔法にかけられたように思った。わたしを思いやり、落ち着かせようとしているのが伝わってきた。もうすぐ父のいる家に着くのだと、わたしは確信した。父が起きる前に部屋に帰れば、問い詰められはしないだろう。

　夜は深まり、暗さを増していった。高く昇った月の光に木々という木々、丘という丘が長い影をつくり、車の脇を絶え間なく行き過ぎた。風は弱まっていたものの、長い夜のあいだじゅう、わたしたちにつきまとって呻いたり泣いたりするような音を響かせていた。空に広がっていた雲、いくつもの暗く細長い筋に形を変え、風になびくぼろぼろな黒い旗のようだった。風が少し弱まると、湿った土や朽ちた落ち葉や、黴《かび》のにおいがひときわ強くなったようだった。わたしは急に、安心と慰めがほしくなった。淋しさと、理由もない失望に、胸が痛くなるほどだった。

　隣で黙ったままの彼に、わたしは目を向けた。彼は夜気に澱む腐朽の臭いを嗅いでいるように見えた——彼に寄り添うと、臭いが強まったから！

　わたしは彼を見つめた——これまでになく、まじまじと。こちらに向けたその顔、わたしが言うことを受け流し当惑させるばかりの顔でなく、すぐ目の前の、厚手の黒い外套の袖を。その上を何かが動いていた——それが何かに気づいて、わたしは恐怖に駆られた——のろのろと這っていたのは、一匹の蛆《うじ》だった。

　歯をぐっと噛みしめても、身震いは止められなかった。落ち着かなくては、と思うばかりだった。

　心の底から響く警戒の声が、次に起きることを予告したかのように、滑るように走っていた車が停まった。わたしは怖さのあまり黒い袖から離せなかった目を外に向けた。停まったところは墓地だった！

「ここじゃない！　こんなところに停めないで！」

叫ぼうとしても、悪夢の中のように、声が出せなかった。

「いや、ここでいいんだ」

彼の低い声はさらに低くなった。深い穴の底から聞こえてくるかのように。なだめるような響きはなくなっていた。

恐怖の最後のひと押しが、彼の素顔だった。それまで見えなかった顔を、間近に見てしまった。

飛び降りると同時に、意識が遠のいて車のそばに倒れた。車は黒く、車高は低く、車体は長い――お葬式にはこれまで一度しか出席したことがないが、それでもわかった。車は柩の形そのものだった！

もう何の望みもなかった。今そばにいる彼は、正気でないどころか――

身動きのとれないわたしを、彼は痛いほど――手袋ごしに指の固さがわかるほど強く摑み、墓石や大理石の彫像のあいだをひきずって、墓地の奥へと向かっていった。墓地のあちこちに見たのは――見えたと思っただけかもしれないが――奇怪な、としか言いようのないものたちで、その姿は今も見えている。

引きずられていく先には、古い、あまりに古くて誰も訪れずうち捨てられた墓碑が、傾いたまま立っていた。そのとき急に、悪夢を見ているようにぼんやりしていた感覚が、現実のものとしてはっきりと戻ってきた。わたしは暴れ、弱いなりにあらんかぎりの力で抵抗し、彼の右手から手袋を引きはがし、握りしめて指を一本へし折ると、そのひょうしに彼の手がゆるんだ！

夜明けの光の中を、墓地のぬかるむ古い土に足をとられながら、わたしは走った。日は昇り、目の前に赤く燃え上がるようだった。振り返ったとき、血のように赤い朝日に照らし出された彼の顔は――肉のない顎が嘲笑うように歯を剝き出し、眼窩には何もなく……

聖マーガレット精神科病院の院長による後記

この文書は、入院患者レオノーラ・――――の病室で発見された。担当医の所見によると、患者の死因は心不全と見られる。叫び声を聞いて病室に駆けつけ、死亡を確認した看護師は、この異様な手記を書くあいだの興奮が、患者の心臓に負担をかけたと考えたようだ。

この患者は自己催眠の特異な症例であると担当医は考えている。三月十八日の夜に自宅から姿を消し、二日後に三百マイル離れた古い墓地で発見された。発見当初の患者は取り乱して意味のとれない発言をしており、白骨化した指を手にしていた。どこでどのようにして手に入れたのか、推測は困難だ。

何者かに誘拐され、墓地にいたのは逃げ出して迷い込んだか、置き去りにされたかと思われる。患者は、自分と同じ名前の女性が恋人の亡霊に連れ去られる伝説を読み、その印象があとで病的なものに変わって、何らかの刺激を受けたさいに正気を失うきっかけになったのであろう。

墓地で発見されたとき、すでに患者の皮膚はハンセン病に似た、あるいは死後しばらく経過した状態を思わせる外観を呈しており、（手記には書かれていないが）独特の臭いもあった。これらの特異な症状は、担当医の見解によれば、自己催眠の影響下に起きたものである。催眠状態下にある人が熱に触れていないのに皮膚に火傷の症状を示すことがあるように、レオノーラは自分に「死」に触れて感染したという暗示をかけ、その強さゆえに身体に症状が出た、と担当医は考えている。

Monster, She Wrote

殺人スチーム・ショベル

The Murderous Steam Shovel

アリスン・V・ハーディング Allison V. Harding
高澤真弓 訳

『ウィアード・テールズ』一九四五年十一月号に掲載された本作は、建設作業員の妻が語る重機をめぐる奇談で、題材は怪作だがサスペンスフルな佳作だ。作者は四三年から五一年にかけてWTのみに三十六の短編を発表したが、詳細は不明。副編集長ラモント・ブキャナン（一九一九—二〇一五）の婚約者ジーン・ミリガン（一九一九—二〇〇四）か、あるいはブキャナン自身の筆名という説もある。作品では、怪人「ダンプマン」シリーズの第一話のみ邦訳されている。二〇二〇年にはSF短編一作がレトロ・ヒューゴー賞の候補に挙げられ、短編集も刊行された。

こんな不思議な話は、あなたも知っているでしょう？——きっと読んだことがあると思う——後々の記録のために書いたものなんかをね。でもわたしは、書いたりしない。頭の中に刻み込んでいるから。一つ一つ念入りに思い返していくと、すべてを思い出すことができる。思い出せるということは、わたしが狂っていない証拠だし、あれは決して夢なんかじゃないと自信を持てる。他の人には見えないものを見てしまったり、経験しないような目に遭った人のことを、世間は狂っていると判断する。そんなふうに片付けてしまうのが一番簡単だし——一番安心できるものね！

だからわたしは、あの件を何度も思い返してこう言うの。ねえ、ヴィルマ——わたしの名前よ——あれは、まぎれもなく、あなたの身に実際に起きたことよ。それに、何もかもこんなにはっきり覚えているんだから——あなたは狂ってなんかいない、って！

　すべての始まりは、ノースヴィル・ヴァレー地域のすぐ先で行われた建設工事だった。いや、もしかすると、事の発端は、エド・メグルンドと結婚したことにあったのかもしれない。

　エドは、ずっと建設現場で働いていた。そういう仕事に向いていたの。でかい手に、でかい体。頑丈な骨格に二百ポンドの隆々たる筋肉がついているけれど、耳と耳との間はすかすかしているという男。でも、歌にもあるでしょ。『いい男を見つけるのは難しい』って！　わたし、女房であるこのヴィルマだって、エドをいい男だと言った覚えはないわね。エドを雇ってくれていたのは、グリーン建設という土建会社で、エドはたいした教育も受けていなかったから、彼を一目見て、これならやれそうだと思える仕事があてがわれていた。砂利をトラックで運ぶとか、土を掘るとか、シャベルですくうとか、そういう彼の体力と体重を使う作業をね。

　エドは結構稼いでくれたから、わたしたちはノースヴィルでまずまずの暮らしをおくっていたわ。でもある晩、彼が帰ってきて言ったの。現場にショベルが来たんだ、でっかい新品のスチーム・ショベルなんだぜ、って。エドは、強面《こわもて》の青い目を輝かせていたから、すぐにわかった。女房なら、口に出さなくても亭主の考えていることぐらいわかるものよ。ああ、エド・メグルンドは、この世の何よりも、そのショベルを動かしたがっているんだって。むろんいい仕事よ。もっとお金をもらえるし、仕事仲間からも一目置かれるようになるしね。

　わたしは、エドにうるさく訊いたりはしなかったの。だって彼は、聞かれて嬉しいこと以外、答えようとしないから。だけど夜、帰って来た時の顔を見ればわかる。何日たっても、エドのスチーム・ショベルへの思いは叶えられないままだって。ある日曜日、ノースヴィル・ヴァレー地域までドライブに出かけた時、エドが作業現場まで連れて行ってくれて、指さして言ったの。

「ほら、あいつなんだ、ヴィルマ」

　そう言われても、わたしにはスチーム・ショベルはどれも同じに見えた。キャタピラがついていて、運転台があって、バケットが突き出ていて。男と女では見る目が違うから、共感するのは難しいわよね。とにかく、エドは上機嫌だった。

「あいつ、すげえだろ！」

屋根のそばの笠木に文字が見えた。グリーン建設会社と書いてあった。

「あいつのことを、みんなビッグ・マイクって呼んでるんだ」

「重機に名前なんてね」わたしは鼻で笑った。「どこで見つけてきたの？」

「さあな」エドが答えた。「でも、すげえだろ！」そう言って、ため息をついた。

「勝手にすれば」わたしは小さくつぶやいたの。

それからひと月もたっていなかったと思う。エドが、ノースヴィルの我が家に帰ってくるなり、いきなり宣言した。おれたちは谷の方へ引っ越すぞ、って。

「はあ？」わたしはそれしか言葉が出なかった。

作業現場からそう遠くない場所に貸家をみつけたんだ、と彼は言った。

「だけど、他の人たちは、たいがいみんなこのあたりに住んでるわよ」わたしは異を唱えた。森の中のどこかのあばら家に引っ込んだりしたら、昼下がりに、作業員の奥さん連中と噂話を楽しむなんてできなくなると思ったから。

　でも、何と言っても相手はエド。あの分厚い頭蓋骨の中で何かを思いついたら、脇目も振らずに突き進む男だから。「どうして？」わたしが訊いても、彼は答えなかった。もう一度訊いてみた。「なぜなの？」それ以上聞いても意味ないわ。エドは腹を決めたということだから。

　貸家は平屋で、広い居間兼食堂と寝室とポーチがあって、後で思いついて付け足したみたいに、ちっぽけな車庫が突き出ていた。森の中の一軒家という感じで、一番近いご近所さんまでどれくらいあるのか見当もつかなかったけれど、わたしは別にその点は気にならなかった。低地なので湿っぽく、土壌は肥えて柔らかだった。作業現場から一マイルほどしか離れていなかったから、通うのに便利だというのが、今回の引っ越しの大きな理由なんだろうと思ったの。

　だけどエドは、家移りして喜ぶどころか、ますますふさぎの虫に取りつかれたみたいだった。彼の不満の矛先は、スチーム・ショベルを動かすためにやって来た人物に向けられていたの。

「ロンスフォードって奴なんだ。どっかのご立派な大学を出てるとかで、あいつらは、ビッグ・マイクの操縦をおれじゃなくて、そいつにやらせてるんだぜ」

　どうやら夫を悩ませているのは、思うに任せぬ現状と、そのロンスフォードという男のようだと察しがついた。

　そのうちに、作業用道路の道幅が広がり、我が家に向かって延びてきたから、日中、わたしがポーチに坐って本を読んだり、ラジオを聞いていると、作業現場の声や音が聞こえてくるようになった。それで、ビッグ・マイクが立てる騒音がどういうものかも知ったの。トラクターでもトラックでもない。腹に響くような、太くて低い轟音をあたりに響かせるのは、あの巨大なスチーム・ショベル以外にはあり得なかった。日曜になると、わたしたちはよく、穴があいた建設現場の横を車で通りすぎた。「あいつはいつだって、ビッグ・マイクをピカピカにしてやがるんだ」エドが面白くなさそうに言ったわ。それが嘘でないことは、わたしが見てもわかった。赤いペンキが塗られた、左側にオペレーターが坐る真新しい運転台が、陽光の下できらめいていたから。

　あの頃、エドは、ひとりでぶつぶつ言っていることが多くて、わたしがもっぱら耳にしていたのは、〝ロンスフォード〟という言葉だった。エドはショベルのオペレーターに敵意を抱いているみたいで、あのオペレーターと重機はできてやがる、なんて言っていたのよ。

　六月の第一週頃だった。ロンスフォードが姿を消したの。大騒動になって、捜査も行われたけれど、解決に結びつく手掛かりは見つからなかった。彼についてわかっているのは、機械工学の学位を取得していることと、立派な推薦状があることぐらいで、誰もそれ以上は知らなかった。急に仕事に嫌気が差したんだろう、と現場監督は判断した。事件を疑わせるものは何もなかったから。それからほどなくして、帰宅したエドが、現場監督と交わした会話を教えてくれたの。

　大きい顔を輝かせていたわ。「でな、監督が言ったんだ、ヴィルマ、言ったんだぜ、『メグルンド、おまえ、もうずいぶん前から、あのスチーム・ショベルばっかり見てたし、気になってしょうがないみたいだったな。どうだ、今度はおまえが乗ってみるか？』ってな」

　エドったら、小さな子供みたいに手をたたいて喜んだ。

「なあ、ヴィルマ、たまげただろう？」

　とんでもない、思った通りだったわよ！　わたしの記憶では、エドがビッグ・マイクを操縦しだしてから、ほんとにすぐだったと思う。作業現場でおかしなことが起こるようになったの。おかしいと言っても、笑うようなことじゃないのよ！　エドは家に帰ってくると、こう言っていた。「ヴィルマ、あのショベルは悪魔だ。利かん気なでっけえ悪ガキで、言うことを聞いてくれねえんだ。今朝、おれがあいつの下にいたら、あのショベルがおれの頭の上に下りてきだしたんだぜ。あん時、監督が見上げなかったら、おれたちは二人ともこんなふうにぺちゃんこになっていたはずだ」そう言うなり、バタンと手のひらでテーブルを叩いたの。

「モーターをアイドリングさせてたけど、太綱はちゃんと固定していたんだ。なんであんなことになったのか、わからねえ」

　他にもいろいろあったの。大急ぎで工事を進めようとすると、ビッグ・マイクはつっかえだして、しまいには動かなくなった。一度なんか、作業員の一人に襲いかかって、肋骨二本と肩の骨を折ったこともあったわ。言うまでもなく、エドが責めを負った。あの喜びはどこかに消え、気落ちするエドに内心、同情していたの。ビッグ・マイクはこれまで問題なく動いていたのにね。だけど、こんなことが続くようなら、エドが仕事からはずされるのも時間の問題だろうと、わたしにはわかっていた。


　そう、あれは間違いなく厄日だった。ビッグ・マイクがひょっこり現れたのよ！　ロンスフォードがいなくなってから一カ月後のあの夜まで、そんな厄難がふりかかるなんて思いもしなかった。その夜、わたしたちは二人とも早めにベッドに入っていたの。わたしはベッドの中で夜の音、わかるでしょ、外から聞こえてくる、チュッチュッとかキーキーとかいう虫の音《ね》に耳を傾けていた。眠ることを知らぬかのようにいつまでも鳴いていたわ。息遣いから、エドもまだ眠っていないことがわかった。あとどれくらいショベルを操縦させてもらえるのか、心配で眠れないのだろうとわたしは思った。でも、もしかすると他にも心配事があったのかもしれない。

　どっちが先にあの音に気づいたのかはわからないけれど、そんなことどうでもいいわね。ずっと遠くの方から低い轟きが聞こえてきたの。夜中に、貨物列車が遠く離れた場所にかかる橋を渡っているような音だった。その時、エドが声をかけてきた――その言葉を正確に覚えているわ――「ヴィルマ、起きてるか？」

「ええ」わたしは返事した。

「妙な音だな」彼はそう続けて、二人してその音に耳をそばだてた。

　ゴロゴロいう音は途絶えることはなかった。しばらくすると、音が少し大きくなったような気がした。風向きが変わったのかもしれない。わたしたちは暗闇の中で、じっと横になったまま耳を澄まし続けた。それが何の音であれ、確かに大きくなっていたし、どこか聞き覚えのある音になってきた。それを口にしたのはエドだった。

「ヴィルマ、あれは重機の音だ。ビッグ・マイクだ！」

　心底驚いていた。信じられないことが起きた……まさにそんな感じだったわね。

わたしは訊いた。「あそこでいったい何やってるの？　夜勤かなんかで残っているとか？」

「違う、もしそうなら、何か聞いてるはずだ」

それから時をおかず、「なあ、ヴィルマ、音が大きくなってねえか？」

「そうね」と、わたし。

「誰かがくそったれショベルを動かしてるんだ」エドはベッドから身を起こした。音はこっちに向かっていた。

何なの、これ？　悪い冗談？

その時、あることがふっと頭をよぎった。わたしは迷信深い質《たち》じゃないわ。お化けや幽霊の類を信じたことはないし、そんなものは山奥の住人に任せておけばいい。だけど、夜更けに途方もないことを思いつくみたいに、突然、馬鹿げた考えが口をついて出たの。

「エド、あの機械を動かしているのは、ロンスフォードってことはない？　突然、戻って来たんじゃないの？」

わたしの夫は、それを聞いて笑った。何か意味がありそうで、聞いていて嫌な感じがしたわ。「ロンスフォードじゃねえよ」彼は言った。そして陽気ともとれる口調で続けた。「ロンスフォードは戻っちゃこねえんだ、ねえちゃん。たぶん誰かが悪ふざけしてるんだろう。けど、ロンスフォードじゃねえよ！」

低い轟きはさらに迫り、暗闇の空気を震わせだした。コオロギたちの鳴き声がかき消された。うちの寝室は南側にあり、工事現場は北だった。

「ちょっと様子を見てくる」エドはオーバーシューズを履いて、ロングコートをひっかけた。

戸棚から懐中電灯を取ると、足音を響かせながら居間に踏み込んでいく。一方わたしは、激しい振動に悩まされていたの。そこには何とも言いようのない重みがあり、近づくにつれて、殴られているかのように、こめかみがずきずき痛みだした。ポーチの網戸がバタンと閉まる音が聞こえた。なぜだか、このまま寝ているわけにはいかない気がして、急いで服を身に着けるとポーチに出た。外の方でちらちらする光が見える。きっとエドだ。そしてその向こうから、大気を震わす、あの轟きが夜の闇を突き抜けてきたの。それは、ぞっとする恐ろしい響きだった。暖かい夜だったのに、気がつくと、わたしはがたがた震えていたの。

家の前に原野が広がっていて、そこを縁取るようにまばらに木が生えていた。低い轟きの直後に、木が裂ける音が聞こえてきた。エドの懐中電灯が前方を照らす。予想はしていたけれど、原野のはずれの木々の間から、大昔の怪獣のようにスチーム・ショベルの巨大な輪郭がぬっと姿を現すのを見てぎょっとした。ずいぶん遠目だったし、あたりは真っ暗だったから、ぼんやりとした全体像しか見てとれなかったけれど、間違いなくビッグ・マイクだと思った。あの赤い運転台を見てわかったの。

　スチーム・ショベルは前進を続け、エドの懐中電灯がその姿を照らしだした。我が家と森との中間地点まで達すると、ビッグ・マイクは動きを止めた。驚いたことに、ショベル・アームが下りてきたかと思うと、ぎざぎざした歯がものすごい勢いで地面を掘り返しだした。モーターのひどい騒音の中でも、夫がわめきちらす声が聞こえたわ。土をたっぷりすくい取ったバケットが現れた。底ぶたが開き、勢いよく土が落ちる。でもそれだけじゃなかった。土くれの中に一瞬姿をさらして落ちていったのは、細長い袋のようなもの……いや、死体のようなものだったの！

　またしても夫の悲鳴があがった。だけどその声にさっきの怒りはなかった。それは怯え、慄《おのの》く動物のあげる叫びだった。懐中電灯の光がスチーム・ショベルから逸れ、上下運動に変わる。エドは大急ぎで家に戻ろうとしていたの。ビッグ・マイクもモーター音を響かせながら前進しだした。ばかでかい黒い塊は、信じられないほどの速さでこっちに向かってきたの。

　恐怖に喉を絞めつけられ、足を竦《すく》ませていたわたしは、わが身を奮い立たせてポーチから屋内に駆け込むと、裏口に向かった。その途中、何かに足を取られて、激しく床に倒れこんだ。うっかり置きっぱなしにしていた熊手を脇に放り投げて、身を起こす。足首を痛めていたわ。表の網戸が勢いよく開き、夫の悲鳴が聞こえた。すでに立ち上がっていたわたしは、痛む足をひきずりながら、死に物狂いで家から逃げ出したの。背後で夫の怯えた悲鳴があがり続ける中、突然、木材が裂ける音が響いた。まるで、家全体が根こそぎ引き裂かれるような衝撃音だった。ゴロゴロいう機械音と、木材を引き裂き、木っ端微塵にする音が一つになっていた。その騒音に、夫の悲痛な叫び声が加わる。でもその声は一瞬で途絶え、我が家で暴れ狂っている機械が生み出す、恐ろしく激しい音だけが残った。

　足首のあまりの痛みに気が遠くなりかけた。ありがたいことに、冷たい雨が降りだしていたわ。もう一度、後ろを振り返る。金属の化け物によるすさまじい破壊行為は、火事まで起こしていた。ゆらめく赤い光を背景に、動きを止めたビッグ・マイクの巨体が見えた。ペンキが塗られた木材や軽量合板《ビーバーボード》の破片が、車体の両側に飾りのようにぶら下がり、バケットの縁からはみ出していた。家の残骸が一気に燃え上がると、燃えさかる炎が、その姿をよりはっきりと浮かび上がらせたわ。

ショベルは息を吹き返すと、家の周囲を一回りして、元来た道を戻っていった。その間、炎を背景にして、運転台がくっきりと際立って見えていた。そしてその運転台には――誓ってもいい、絶対に目の錯覚なんかじゃない――誰もいなかった！　誰の姿もなかったって言っているの。運転台は空っぽだったのよ！

そのあと、気を失ったんだと思う。意識が戻った時、わたしは近所の家にいた。消火活動に駆り出された消防団員が運び込んでくれていたの。それから何時間もたったけれど、わたしの話を聞いてくれた人は一人もいなかった。医者には、鎮静剤を飲むよう何度も言われた。その時は、誰も教えてくれなかったの。でもあとになって、夫の体は何一つ残っていなかったことを知った。安普請の木造の家は全焼していたわ。ただ、火が出た直後に運よく激しい雨に見舞われたため、周囲の木々や森への延焼は免れたの。

わたしはビッグ・マイクの話を聞いてもらおうとしたけれど、相手はみんな、うさんくさそうに眉をひそめた。必死になればなるほど、たくさん薬を飲まされたわ。

とうとうわたしは、ノースヴィル病院に入れられてしまった。誰もわたしの話を信じてくれないことが、だんだんわかってきた。現場監督がわざわざ面会に来てくれた時、わたしの話を信じて欲しいと涙ながらに訴えたけれど、彼は首を振って、顔をそむけた。

「そんなことありっこないさ、ヴィルマ。あんたはただ恐ろしい目に遭っただけだ。次の朝、ビッグ・マイクはいつもの場所にあったし、それがほんとなら、あんたの家のまわりに間違いなくキャタピラの跡が残っていたはずだ」

もちろん、そのはずだ、とわたしは思った。

「残っていたでしょ？」わたしは訊いてみた。

「なかったよ」現場監督はきっぱりと否定した。

すぐにその理由を思いついた。あの柔らかな地面に尋常ではない雨が降った。それが轍を消し去ってしまったんだ。だけど彼は、かたく口を結んで首を振ると、ただこう言っただけ。「帰った方がよさそうだな」

病院まで押しかけてくる警官もいたけれど、嬉しいことに、病院側はほんの数分しか面会を認めなかった。警察は、夫やロンスフォードについてしつこく訊いてきたわ。行方不明だったスチーム・ショベルのオペレーターの死体が発見されたらしいの。雨でぬかるんだ原野に投げ出されていたみたい。遺体の状態から、少なくとも死後一カ月はたっていて、何者かに殺害されたのは明らかだったわ。もちろんわたしは、夫がロンスフォードを殺したとわかったけれど、それほど驚かなかった。ビッグ・マイクという真の脅威に比べれば、とるに足らないことに思えたから。

　しばらくたって、一人の医者がわたしと話をしにやって来た。精神分析医だとか言っていたわね。わたしは今度もまた、あの夜に起きたことを教えようとした。信じさせようと必死で話した。だけど、話せば話すほど、彼の表情が険しくなっていくのを目にして、初めて、ある恐ろしい可能性に気づいたの。それなら、狂っていると勝手に思わせておけばいいわ。わたしはどう思われようとかまわなかった。でも、ノースヴィルからは出て行こうと思った。さもないと、ビッグ・マイクはきっとここまでわたしを追ってくる。この病院だって安心できない。作業現場からほんの九マイルしか離れていなかったから。どこかに、どこでもいいから、とにかくここを出て行かなくちゃ。

　だから数日後、この病院の医者とあの精神分析医に、〝療養所〟への転院に関する同意書に署名を求められて、喜んで応じたの。そこが――まあ、はっきり言えば――精神病院だと知っていたけれど、でもわたしは自分が狂っていないこともわかっている。それにここにいたら、地鳴りのような音を響かせる、あの金属の化け物がわたしをきっと捕まえにくるわ。

　わたしが転院を決めた先は、国立じゃなかった。夫婦でつくったささやかな蓄えを自由に使える身になったから、少々贅沢をしたの。ありがたいことに、ここから数百マイル離れた半官半民の精神病院に入ることになったの。

　ノースヴィルを去った日のことを覚えている。暑い日で、空には靄がかかっていた。通りに出て、駅に向かうタクシーに乗り込もうとした時、空模様が怪しいと気づいたの。夏の嵐を予感させる雲が近づいていたから。移動には、男性看護師――いえ、付添人と呼ぶべきかもしれないわね――が同伴してくれた。タクシーが走り出し、病院から遠ざかるにつれて、いつしか恐怖心が徐々に薄れていったわ。にわかに通りが暗くなり、遠くでゴロゴロという音が響いてきた。身の毛もよだつあの夜のように、最初は音の正体がつかめなかったけど、ふいに喉を絞めつけられるような恐怖に襲われたの。ビッグ・マイクだ、後を追ってきているんだ、わたしを絶対にノースヴィルから出すまいとしているんだ。

たぶんわたしは、いくぶん前に身を乗り出していたんだと思う。稲光がして、大粒の雨がタクシーのフロントグラスを叩きつけるように降り出した。ほっとして背もたれに身を預けた時、付添人はわたしをじっと見ていたの。あのゴロゴロいう音は、もちろん雷鳴だった。ビッグ・マイクは、ずっと向こうの町はずれで土すくいに忙しくて、わたしのことなんかきれいさっぱり忘れているわよ。

それでも、急行に乗ったことも、はるか遠くの目的地に向かって、列車が線路上を着実に一マイルずつ進んでいくのも、ぞくぞくするほど嬉しかった。男性看護師――シンプソンという名前らしいわ――は、親切だったわよ。でもね何か妙なことでもやりかねないと思っているみたいに、わたしから片時も目を離さなかった。それこそ妙なのにね。だってわたしは、メグルンド家に恨みがある何かか、誰かから逃げているだけだから。それがロンスフォードの幽霊かどうかなんて知らないし、知りたくもない。だけど、あのノースヴィルには、とてつもなく危険なものがいるの、それだけはわかっている。それはエドに取り憑いていた。でもわたしはそんなものに取り憑かれたくない。それに、こういう精神状態だということで、詮索好きな警察からうるさく尋問されずにすんだけれど、わたしは一点の曇りなき心で言えるのよ。ロンスフォードの死に直接関わるようなことは一切やっていない、って。

まあ、全く予想していなかったわけでもなかったけれど。わたしの夫は、いったんこうと思い込んだら突っ走る男だったし、あのくそったれショベルを操縦したくてたまらなかったから。夜更けに森に出て行って、ちっぽけな貸家と作業現場の間で何かこそこそやっていることが何回かあった。だけど誓ってもいい、わたしは本当に何も知らなかったの。エドは、打ち明けてくれる前に死んじゃったしね。ええ、確かにある晩、彼がひとり森の中で柔らかな地面を掘っている音を聞いたし、ロンスフォードの姿がふっつり消えてしまったのは、その翌日だったわよ。でもヴィルマは、他人《ひと》のやることにとやかく言わない主義だから。あのスチーム・ショベルのお陰で給料も上がったことだし、わたしはそれで良かったの。早くお婆さんになりたいし、素敵なものに見向きもしない、女ってそういう生き物だと思う？　冗談じゃないわよ。エドを偉くならせて、スチーム・ショベルを操縦させればいい、そう思ったの。それで、その割り増し分をわたしが頂戴しようって。彼が口をつぐんだままでいるなら、わたしも黙っているつもりだった。だからわたしは、人殺しみたいなぞっとすることに、これっぽっちも関りがあるはずはないの、そうでしょ?

　国土を横断すること五時間。はるばるベルファストに到着した。ノースヴィルよりずいぶん小さい、活気のない村だったわ。わたしたちは客車からプラットホームに降り立ち、汽車がポッポッといいながら、心地よい夏の夕暮れの中に走り去るのを見送った。あとには、黄土色の煙の柱が残り、やがて湿気を含んだ大気の中にゆっくりと消散していった。シンプソンはタクシーを頼んでいて、わたしたちは、わたしの荷物と一緒に中に乗り込んだの。

　そのドライブのことははっきり覚えている。この地域は、他と比べて土地が平坦だったけれど、それでも美しかった。わたしは目を輝かせて周囲に目を向けた。これほど心を動かされたのは数週間ぶりで、美しい木々や花についてわたしがあれこれ口にするのを、シンプソンは喜んでいるみたいだったわ。

　バイアリーズ・ホームは、駅から車で十五分足らずのところだった。土の車道を回り込んでいる時、ふと思ったの。あのおぞましい夜以来、生活が一変しちゃったけど、よく考えてみると、これはこれで悪くないかも、って。責任はないし、面倒な判断を迫られることもない、あれこれ思い悩む必要もない。ただ決まった日程に従い、世話を受け、ゆったりと過ごせばいいだけ。

　わたしの密かな思いを酌んでくれたかのように、本館の白い建物の前で車が止まると、一組の男女がわたしたちを出迎えてくれた。女性の方は通常の格好だったけれど、男性は、上着のポケットから聴診器の端が覗いている以外、医療関係者だと思わせるものはなかった。

　先にシンプソンがわたしの荷物を持って降り、それから、ミス・メドウズと自己紹介した女性が、それは優しくわたしの腕を引いて建物の中へ連れて行ってくれたの。

「お疲れになったでしょう」心が落ち着くような声だったわ。

　わたしの部屋は二階の一番端で、木造の建物をぐるりと囲んだ道の、幅四分の三まで大きく張り出したポーチの上だった。

　バイアリーズ・ホームでの最初の夜のことを覚えている。一階の大食堂で夕食をとったの。わたしの見る限り、田舎にある宿屋とかホテルの食堂と変わりなかった。まあでも、隅っこのテーブルで泣き出した女の人がいて、しゃくりあげる声を聞いているのは、気持ちのいいものじゃなかったわね。ミス・メドウズともう一人の女性が彼女のところまで行って、出て行くのに手を貸していたけれど、誰も気にしていないみたいだった。

　その夜、わたしの心を占めていたものが何だったのかも覚えている。ここにいれば、もう何も心配しなくてもいいという安堵感だった。他の人たちは、どうやったら出ていけるだろうって心配しているかもしれないけれど。わたしは自分に言い聞かせた。もう大丈夫、あなたは誰一人、何一つ――煩わしい警察だろうと何だろうと――入ってこられない場所にいるのよ、って。

　わたしはブレイク先生と何度か面談をした。ノースヴィルであの夜、起きたことを先生に話した。夜更けにビッグ・マイクがわたしたちを襲ってきて、エドを殺し、わたしも捕まりかけたことを話した。だけどブレイクの顔が、不信という薄いベールで覆われるのがわかった。同じだったの、あのノースヴィルの精神分析医が見せた表情とね。

　患者同士の交流はあまりなかった。でも、ミス・メドウズと一緒に周囲の田舎を長い時間歩き回ったり、くだらない編み物のようなことをする。作業療法クラスと呼ばれるものにも参加したのよ。

　ブレイクとの三度目の面談のことを覚えている。わたしはどうしてもビッグ・マイクのことを話したかったの。なのにあの夜のこととは無関係に思える質問ばかりされて。医者は、わたしのこれまでの人生について尋ねてきたわ。子供の頃のことや、学生時代のこと、エドとの生活なんかについて。わたしに言わせれば、的外れもいいところよ。わたしはビッグ・マイクのことを話したいと頑固に言い張ったの。ブレイクが、馬鹿にしたように口をゆがめるのを見て、一瞬でわかった。こういう人たちの大半は、患者を軽蔑しているんだって。

　もちろんわたしは、自分が狂っていないことを十分承知している。だからその時、本当に心を病んでいる他の患者たちのことが、少し気の毒になったわ。まあ――気の毒とは言っても、ヴィルマ以外の人に対してこれまで感じてきたのと同じ程度だけれど。

　いつまでもスチーム・ショベルの話ばかりするわたしを、ブレイクが腹立しく思っているのは間違いなさそうだった。二階の自室からわたしを送り出しながら、こんな捨て台詞を吐かれたのよ。「いいですか、メグルンドさん、もっと我々に協力してください――直す気がおありならね！」

その夜、長い時間、考え込んだ。あなたはまだ若いのよ、ヴィルマ、わたしはそう自分に語りかけたの。所詮、ここは精神病院じゃない。死ぬまでいたいなんて思わないでしょ、ねえ、かわいこちゃん？　わたしは、バイアリーズ・ホームがある目的を持っていることに思い至ったの。ここに来たのは正しい選択だったけれど、これからは、ビッグ・マイクの話はやめた方がいい。どうせ誰も信じてはくれないから。でも笑っちゃうんだけど――その方が都合が良いからってわけじゃないのよ――わたし自身、なんだか確信がなくなってきたの。

　ついこのあいだのあの体験は、あまりにも恐ろしかったから、わたしの頭は――エドの死とロンスフォード事件による衝撃もあって――まあ、実際にはないことをいろいろと思いついてしまったのかもしれない。あの夜に関する公式見解の記憶を呼び覚ましてみた。ノースヴィル病院で意識を取り戻した時、気遣わしげな医者から聞かされたものよ。エドは火事で命を落とした。わたしはなんとか逃げ出した。そういう話だったわ。

　わたしは、自分の立てた行動計画に従った。ビッグ・マイクの話はやめて、いつもの自分らしく振舞ったの。看護師や医者相手におしゃべりをするという芝居までやったわ。彼らは騙されていることに気づいていなかったと思う。ブレイクがわたしを呼び出してこう告げたあの日、計画がうまく運んでいることを知ったの。

「メグルンドさん、病状が好転したようですね。あなたは極めて大きなショックをお受けになった。それも、こんなことを言っては何ですが、一時的に頭がおかしくなるような激しいショックをね。しかしながら、その嵐をどうにか乗り切ったと我々はみています。遠からず、社会生活に復帰できると思いますよ。

　まあ、ひょっとしたらぶり返すこともあり得ます。恐怖や不安に悩まされるかもしれません。ですから私としては、あなたの困難な事情を理解しているどなたかと、たまには連絡を取り合うことを強くお勧めします。ですが、全体的に見て、今後の見通しはかなり明るい、私はそう考えています、メグルンドさん」

　すべて私の手腕によるものですよと言わんばかりに、彼は晴れやかにほほ笑んだわ。わたしは部屋を出た。彼に言いたかった言葉を考えてみたの。あんたもほんとに間抜けね、そう彼に言ってやりたかった。わたしはね、あんたたちみんなをまんまとだましたのよ、ほら見て、みんなわたしのことを、病気が治って元に戻ったと思っているわ、わたしの望み通りになったでしょ。そう言ってやりたかった。それで気づいたら、外の世界に恐いものがなくなっていたの。あのビッグ・マイクでさえ、わたしはもう怖くなかったのよ。

　ブレイクは散々いろんな説明をしていたけれど、その点だけは当たっていたのかもしれない。怪物話はわたしがでっちあげたものなの。そんなこと、あるわけないじゃない。どう考えても馬鹿げている！　わたしは、この上なく満ち足りた気分で自分の部屋に坐っていた。窓台を指でトントン叩きながら外を眺める。秋の気配が漂い始めていて、木々や生け垣はみずみずしい色合いを失いつつあった。わたしが出たがっているようにはブレイクに思われたくなかったの。「ねえ、先生、このいかがわしい場所からいつ出られる？　早ければ早いほどいいの！」とは、言いたくなかった。

　このまま彼に有能な医師役を演じさせて、自分がわたしを正しく導いていると思わせ続ければ、見通しはもっと明るくなるはずだわ。

　それから三日後の午前中に、ブレイクの部屋に呼ばれた。

「メグルンドさん」開口一番、彼は言った。「もういつでも退院できる状態だと思いますよ。今後についてどうお考えですか？　きっとノースヴィルに戻られるんでしょうね」

　わたしは彼に言った。いいえ、そうするつもりはありません。夫の保険金がまだいくらか残っているので――正直にその話をしたの――ちょっと旅行でもしようかと思っているんです、と。

「いいですね」いかにも思慮深そうに彼は頷いた。「いつ出て行かれますか？」

　わたしは唇をかみ、「今日にでも、それもできるだけ早く」と言いたい気持ちを我慢した。

「では、明日の午後にでも」出たいなんて全然思っていないかのように、優雅に手を振って提案したの。

　ヴィルマって賢いでしょ？

「明日の午後？　結構ですね！」ブレイクは賛同したわ。

彼はそれからさらに話を続けた。まあ、優に一時間は超えていたわね。だからわたしは、退屈しているのが顔に出ないようにするのに苦労したの。彼はわたしの手を握りしめて、大きく振った。

「必要な手はずをすべて整えておきますね」

　面談の終了だと察し、部屋を出た。彼に背中を向けた時、してやったりという顔つきをしているのが自分でもわかったわ。

翼棟に続く通路を歩きながら、前途に広がる自分の人生について思いめぐらす。これこそまさに歓喜だと思えるような感情が胸に溢れたの。おまけに、足かせになるエドがいないことは、マイナス面よりもプラス面の方が大きい。わたしは一人でなんとかやっていける、いえ、もっとうまくやれるはずよ！

わたしは階段を上って自分の部屋に向かった。荷物をまとめ始めたほうがいいと思ったけれど、もうすぐ昼食。取り掛かるのはそのあとにしたの。窓辺に行って、何気なく外に目をやる――その途端、言い知れぬ恐怖に襲われたの。わたしの目とほぼ同じ高さに上部構造のてっぺんをさらしていたのは、ビッグ・マイクだった！　忘れたくても忘れられない姿がそこにあったの！　左側に操縦席のついた、あの赤い運転台、それ以外はくすんだ茶色の車体、大きなバケット・ショベル――不意に、すべてが蘇った。

あの記憶、あの狂乱状態を引き起こした恐怖、あの認識、そうよ、わたしは嫌というほど知っている、あれは鉄や鋼でできたただの機械なんかじゃない、生命を吹き込まれ、知能を備えた殺人重機だ！

「ミス・メドウズ！」切羽詰まった悲鳴に聞こえないよう声を抑えようとしたの。「ミス・メドウズ！」

部屋の外から、階段を上がる看護師の重い足音が聞こえてきた。わたしは爪が手のひらに食い込むほどこぶしを固く握りしめながら、取り乱しそうになるのをこらえた。ミス・メドウズが部屋に入ってきた。

「どうなさったんです？」

わたしは窓を指さした。「あそこで何をやってるの？」声が震えないようにしたわ。

看護師は窓に目をやった。「ああ、ご存知なかったのね？　建設用の掘削をしているんです。あれはどこにでもあるスチーム・ショベルですよ」

真っ青な顔に気づいているのがわかった。わたしは両手を後ろに回して、震えを隠そうとしたの。でもどんなに頑張っても、恐怖には到底太刀打ちできなかった。急に膝の力が抜け、わたしはベッドに坐りこんだ。

「ミス・メドウズ」喘ぎながら言ったわ。「ここから急いで出て行かなきゃならないの、それもできるだけ早く。ブレイク先生から退院の許可がでて、先生と相談して明日にしたんだけれど今日にしたい。今すぐ、ここを出て行きたいの！　お願い、ねえ、お願いだから！」

ミス・メドウズはいつものように答えた。わたしの肩を軽く叩いて、同じ台詞を口にしたの。「さあ、そんなに興奮しないで。ここにいてくださいね、ブレイク先生とお話してきますから」

わたしはじっと坐っていた。時間だけが過ぎて行った。立ち上がって、もう一度見ようとは思わなかった。ビッグ・マイクと顔を合わせたくなかったの、絶対に。もう二度と目にすることはないと思っていたのに、あいつはここにいた。しかも、喉を絞めつけるような恐怖を引き連れて。ようやく、翼棟の階段を上がってくる二組の足音が聞こえてきた。ブレイクが、ミス・メドウズを従えて部屋に入ってきた。

「どういうことなんです、メグルンドさん？」

わたしは必死で訴えた。

「先生、わ……わたし、決めたんです。今日、出て行きます」

ミス・メドウズのつぶやきが聞こえてきて、自分の立場が危うくなっていることに気づいた。「あそこのスチーム・ショベルを見て、動揺したみたいなんですよ」

ブレイクは窓の外に目を向けた。いかにもおかしそうに笑って見せたわ。

「本当ですか、メグルンドさん？　あそこにある、あの目障りな金属の塊に悩まされているって？」彼はその質問に自分で答えた。「もちろん、そんなことありませんよね。恐らく、不愉快な記憶と結びついているからでしょう。ですがそれは、あなた自身でうまく制御していかねばならないことなんですよ」

わたしはベッドの端をきつく握りしめた。

「今日、退院してもいいですか、先生？」

彼はやや苛立たし気に顔をしかめた。

「明日ということで、すべて手配をすませたところなんです、メグルンドさん。一緒に何週間も過ごしてこられたじゃありませんか。あともう一日ぐらい、きっと我慢できるはずですよ」

「駄目なの、今日じゃなきゃ駄目なんです！」

二人に険しい目で見つめられて、わたしは顔を伏せた。涙がとめどなく頬を流れ落ちるのを感じたわ。医者がベッドまできて、わたしの肩をがっしりとつかんだ。

「いいですか、こんなこと馬鹿げている」厳しい声だった。「冷静になってください。回復途上にあると認定したばかりなんですよ。また一からやり直したくはないでしょう？　さあ立って、お願いですから」

わたしは立ち上がった。彼はわたしを窓辺へ連れて行った。

「逃げずに向き合って、相手が何者かを理解するんです」

わたしは見た。一つ一つ目を移していった。太綱、可動部、巨大なバケット。残忍な歯がついた口をだらりと開けて、作業開始を待つ姿を——わたしの横では、ブレイクの声がだらだらと続いていた——「わかるでしょう、すべて関連していて……あの恐ろしい夜……ご主人の死……ショック……」

　怪物ビッグ・マイクには顔があった。にやにやしながらわたしを見つめていた。ショベルが口で、運転台が目。復讐心に燃えた赤い目が、わたしの窓をじっと見つめていた。わたしは悲鳴をあげた。ぐるりと向きを変えるとドアへと走った。逃げろ。頭にはそれしかなかった。逃げろ！　今すぐここから逃げるんだ！

　ドアにたどり着く直前、ミス・メドウズが前に立ちふさがり、力強い両腕でみごとにわたしの体を抱きとめた。どっしりとした体に突然、抱きすくめられた衝撃で、わたしははっと我に返った。その時、この人たち、いや誰だろうと、ビッグ・マイクの正体について信じさせることなど絶対に無理だと気づいた。その話を信じさせようとすれば、わたしには精神異常という烙印が押されてしまう。ビッグ・マイクの話は本当だけれど、わたしは狂ってなんかいない。それを知っているのはわたしだけだ。今すぐ、ここから逃げ出さなきゃ。

　わたしは看護師の腕から逃れようともがいた。目の前にある、角ばった無表情な顔を引っ掻いた。メドウズは痛みにうめき、一瞬、体を離した。でもレイクがわたしの腕をつかんでいて、階段の下に大声で応援を頼んだの。わたしは死に物狂いで体をよじり、その腕を振りほどいた。二人の看護師と付添人の男一人が階段を上がってきた。わたしはその時、頭がどうかしていたんだと思う。だって、彼らに向かって身を投げたんだから。わたしの下敷きになった二人の看護師から、驚愕と苦痛の混じった甲高い悲鳴があがった。だけど、すぐさま付添人がわたしを捕まえた。子供でも扱うように、わたしの腕を両脇にぴったりと押し付けて動かせないようにしたの。足をばたつかせてみたけれど、無駄な抵抗だったわ。

　わたしは部屋に連れ戻され、ブレイクはみんなの背後でそっとドアを閉めた。それからベッドに寝かされ、拘束シーツでくるまれたの。どんなものか知ってる？　他の患者に使われているのを見たことはあったけれど、想像したこともなかった——いったん、拘束されたら、ほとんど身動きできないなんて。罠に嵌《はま》ったも同然で逃げ出すなんて無理。身をよじったり、もがいたり、転がったり、暴れたりはできても、まるでずだ袋に入れられているみたい。頭は出ているから、動かすことはできる。

だけど腕と脚はしっかりと押さえつけられていたの。

　そのあと、ブレイクに無理やり鎮静剤を飲まされたわ。しばらくしてから、付添人、ブレイク、三人の看護師たちが、一人ずつ部屋から出て行った。

　わたしはじきに眠ってしまうみたい。そう言っているのが聞こえたの。

　最後に部屋を出たのはミス・メドウズだった。鈍重で表情のない顔が、戸口でわたしを振り返った。鎮静剤が効いてきて、眠気に襲われながらも、その頬に爪痕が残っているのを見て嬉しかった。それからすぐに、無意識の真っ黒い穴が開き、薬がもたらす深い眠りに落ちていったの。

　どのくらい眠っていたんだろう。目が覚めた時、あたりはすっかり暗くなっていたから、きっと何時間も眠り続けていたんだと思う。かなり夜も更けているらしいとどうにか見当がついた。宵の口なら、療養所の様々な生活音がかすかに響いてくるけれど、今は何の物音もしなかったから。しばらくもがいてみたけど拘束シーツはいまだにわたしを完全に支配していた。喉が渇いていたし、閉じ込められていたし、たまらなく不快だった。この厄介なものから逃れたかったの。わたしは大声で呼んだ。声を限りに叫んだ。永遠とも感じられる長い時間が過ぎたあと、階段を上がる足音が聞こえてきた。ドアが開き、誰かがベッド脇の灯りをつけた。ミス・メドウズだったわ。わたしは彼女をののしった。声をあげて泣いた。懇願した。だけど彼女は、何も言わずにじっとわたしを見つめるだけだった。私情を排した看護師としての目だったわ。確認しようとしていたの。わたしが相変わらず、安心して——安心？　よく言うわよ——ぬくぬくと拘束シーツにおさまっているかどうかをね。

　問題ないことを確認すると、彼女は灯りを消し、ベッドから起き上がらせてほしいというわたしの訴えには一言も耳を貸さずにドアから出て行った。長い階段を下りていく足音が聞こえ、それから、夜更けの深い静寂に包まれたの。

　だからわたしは、自分の力で何とかしようとしたの。ブレイクが与えてくれた武器を使って。一度は、笑い飛ばしたものだったけれど、あのスチーム・ショベルの恐怖に立ち向かうにはそれしかなかった。はるかかなたからビッグ・マイクがやって来たのは、ここの仕事をやるためだとしたら？　そうするだけの理由、たぶん真っ当な理由があるはず。わたしともビッグ・マイクとも関係のない理由が。グリーン建設は大きな会社だし、バイアリーズ・ホームでの特殊な仕事ができるのは、ビッグ・マイクだけだったのかもしれない。だけどそこには、ある不吉な意味合いがあった。**こんなことができるスチーム・ショベルは、ビッグ・マイクだけだ！**

その時、わたしの耳が何かを捉えた。ずっと待ち構えていたもの、こうなることを予期していたもの、ノースヴィルで初めて耳にしたあの夜から、いつかまた聞くことになると心の奥底でずっと思っていたものだった。モーターが始動し、命を吹き込まれたビッグ・マイクの立てる、空気を震わせ、腹の底に響く、あの律動的な機械音が聞こえてきたの！　キャタピラが回る最初の音がしたかと思うと、地面をえぐり、押しつぶしながらわたしの窓へ近づいてきた。そのおそろしい音を聞くまいと耳を塞ぎ、大声をあげてかき消そうとしたけれど、どうすることもできなかったわ。今や鼓膜が破れんばかりの轟音になっていた。しかも地鳴りのようなエンジン音は、わたしの部屋の床でもある、ポーチの天井に響き渡っていたの。

そこに新たな音が加わった。太綱をピンと張る音。鋼と鋼がこすれ合う、ウインチの軋《きし》み。アームを巧みに伸ばして、暗闇の中でお目当ての物を探っていたの。

いっそ気絶して、何もわからない状態になりたかった。その祈りが聞き届けられたのかもしれないし、身体の自由を奪う拘束シーツから逃れようと、半狂乱で暴れたせいかもしれない。ふいにめまいがして意識が薄れた。全身から力が抜け、目の前も頭の中も、瞬く間に夜よりもさらに深い闇に支配された。だけどまだ意識のかけら、命の最後の断片が残っていて、ビッグ・マイクによるすさまじい音をはっきりと認識していた。ベッドの下の木材をショベルの歯がずたずたに切り裂き、引きちぎっている震動も。すぐそばで、不死身の怪物が雷のようなうなり声を発しているのも。突如、激しく体が叩きつけられる衝撃を感じ……次の瞬間、ものすごい勢いで体が持ち上げられ……それから……消えたの、すべて！

廃屋

クリステル・ヘイスティングズ

月の光のもと　そは黙《もく》し佇《たたず》む
曲り畝《くね》る小道　人の影も絶え
扉を覆い塞ぐ　蜘蛛《くも》の巣の帳《とばり》
仄《ほの》白く揺らぎ　宛《さな》ら屍衣の如《ごと》
窓を震わすは　風の噎《むせ》び泣き
沼から靡《たなび》くは　重く深き夜霧

明かりもなく　物音も聞かず
動くものなく　人の声もせず
——いや、何かいる！
軋《きし》む扉の中に　足音が谺《こだま》する
中に蠢《うごめ》くは誰《たれ》　横切る影一つ
潜む野良猫か　夜風の悪戯《いたずら》か
窓に映る月に　集《つど》う蛾の羽《はね》か

家に隠《かく》る者ら　憑きて早幾年《いくとせ》
共に生き過す　遠き日を思う
——そう、涙も流した

破れ屋根の下　黴《かび》も年を重ね
蔓《つた》は壁を這い　窓を覆い隠す

月の光のもと　静寂《しじま》統《す》べる中
耳を傾ければ　語り合う声か
そは夜風の音　赦《ゆ》れる枝の音
我ひとり歩み　廃屋より離る
罅《ひび》走る窓には　蝙蝠《こうもり》の羽搏《はばた》き
沼風に轢《きし》るは　錆《さび》つきし鎧戸《よろいど》
そは霊の嘆き　淋しき叫び声
来《きた》る例《ためし》もなき　朋《とも》を求むる声

"An Old House" by Crystel Hastings（訳：植草昌実）

クリステル・ヘイスティングズ：詳細不明。一九二六年から三八年のあいだに『ウィアード・テールズ』に十八編の怪奇詩を発表している。本作は一九二七年十二月号に掲載された。

Monster, She Wrote

魔の潜む館

Parasite Mansion

メアリー・エリザベス・カウンセルマン
Mary Elizabeth Counselman
岩田佳代子訳

メアリー・エリザベス・カウンセルマン（一九一一―九五）の創作活動は一九三一年から九四年まで続き、発表した短編小説は五十編を超える。『ウィアード・テールズ』には三〇年代はじめから終刊の頃まで寄稿しているが、中でも三四年八月号に発表した「三つの銅貨」（邦訳は『たべるのがおそい』Vol.6所収など）は傑作として名高い。奇妙な味の短編と、アメリカン・ゴシックの双方から、あらためて光を当てるべき作家だろう。このサザン・ゴシックの秀作はWT四二年一月号に発表され、六一年にはボリス・カーロフ司会のTVドラマ・シリーズ *Thriller* の一エピソードとなった。

アラバマの短い直線道路には、彼女に災難をもたらしそうなものなどなにもなかった。時速四十マイルで慎重に運転をしていたのは、愛車の古ぼけたロードスターのハンドルを泥の轍《わだち》に思い切りとられるからで、マーシャ・トレントは前方の松林に災厄が潜んでいようなどとは夢にも思わなかった。マーシャは若く、因習にとらわれず、赤い髪をしていて、烈火のごとく怒っていた。青い目に怒りを燃やしながらひとりで運転していくブルーリッジの丘は、冬の兆しに震えていた。

バーミングハムへ四百マイルの道を猛然と飛ばしていくのは――それも皆が、マーシャはカロライナの女子大学でつつがなく暮らしていると信じているときに――愚かで危険だとわかっていたので、ときおり心が痛んだ。けれどそれは怒りに任せて押しのけた。寮の自室にこもり、瞬きをして必死に涙をこらえていたが、列車もバスもすでに最終便が出てしまったころになって、マーシャはついに意を決したのだった。

　そして今は——青い目がきらりと光った——実家まで残り三分の一というところを走行していた……左手におさまってウィンクをしてくる婚約指輪をよこした男と、実の妹との結婚を阻止するために！

　マーシャは唇を噛みしめ、ギアを入れ替えると、泥をかきわけるようにしながら急なカーブを曲がっていった。

　その瞬間、逆上したスズメバチのようなものがフロントガラスを突き破った。それは、マーシャの肩からわずか二インチのところで革の背もたれにめりこみ、フロントガラスに放射状の亀裂を伴った穴をあけた。

　マーシャは悲鳴をあげ、身をかがめた。今度はくぐもった大きな音がはっきりときこえた——ライフルの発射音だった。フロントガラスにあいた二つ目の穴は偶然ではなかった。

　左手に広がる暗い林から、狙撃されていた！

　マーシャは座席の下へ身を潜めると、ダッシュボードごしに様子をうかがいながらハンドルを握った。恐怖が、手のように喉を締めつけた。アクセルペダルを力いっぱい踏みこみ、車を横滑りさせながらカーブを曲がり切った。

　とたんに、それまで目の前に伸びていた道が消えた。ぽっかりとあいた空間めがけて、車は横滑りしながら一気に落ちていった。そして、凄まじい音を立てて低い土手に激突、横転した。マーシャはドアをつかみ、弾みをつけて外へ出ようとしたが、痛みに足首をひねりあげられた。次の瞬間、なにかかたいもので頭を強打され、黒いビロードのカーテンのような闇が押しよせてきた。

　マーシャは意識を失うまいと必死に抗った。ゆがんだ光景が目の前をたゆたった。不機嫌そうな髭面がのぞきこんできて、コーンウイスキーのむっとするにおいに息がつまった。声がきこえてきたが、かすかでとぎれとぎれだった。

　男性の声は酒灼けし、少し呂律《ろれつ》も回っていなかった。

「馬鹿野郎！……あのライフルにはもう触るなって……なにもかも奪われるんだぞ、お前がそんな——」

　子どもの声が、おびえながら食ってかかった。「知るもんか！　かまやしないよ！　絶対にロリーをあんなとこへ連れてかせるもんか——ぶっ殺してやる！……ここへくるやつは、片っ端から殺してやる——」

再び男性の声がした。「……死んだらお前のせいだぞ！……いや、軽い脳震盪をおこしてるだけだ。くそっ！　仕方ない——」

　不意に車のドアが開けられた。マーシャがぐったりして吐き気に見舞われていると、汚れた手が伸びてきて力任せにつかまれ、ひっぱりだされた。一度うっすらと目を開けると、がっしりした腕に赤ん坊のように抱えられていた。つめたい霧雨が顔をぬらし、泥のなかを進んでいく重いブーツのガボッ、ガボッというくぐもった音に合わせて、抱きかかえる腕が揺れた。マーシャは大声をあげて、その腕から逃れようとした。しかし再び黒いカーテンがおりてきて、子どものすすり泣くかすかな声を耳にしながら、深い闇へひきずりこまれていった。


　再度目を開けたとき、マーシャは自分がおかしくなったにちがいないと思った。

　壊れた車もなければ、荒涼とした赤土の丘もなく、人けのない山の一本道を抱きかかえる鬱蒼とした松林もなかった。巨大な四柱式ベッドにゆったりと身を横たえ、古美術商なら胸を躍らせるだろう天井の高いコロニアル様式の部屋にいた。目の前に掲げられたオイルランプの明かりが、痛む頭を突き刺した。苦痛に耐えながら、明かりのむこうを見ようと目を凝らした。

　が、すぐに目を閉じた。なにも見なかったことにしたかったから。

　三つの顔がのぞきこんでいた。亜麻色の髪をした少年の小さな顔——涙の跡が残り、神経質で殺伐としていた。男性の顔——顎髭を蓄え、苦悩に縁どられ、親しみのかけらもない陰鬱な目をしていた。だが三人目は……まるでミイラだとマーシャは思った。皺だらけで鉤鼻、地肌が透けて見えるほどまばらな白髪。人形を思わせる無表情な目がぎらつき、見おろしていた。鉤爪のような手が伸びてきて、髪をくしゃくしゃにした。

「きれいじゃないか！　べっぴんさんだよ、こりゃ！　だろ？　え、ヴィクター？」ひきつった甲高い声には、あざけりがこもっていた。「だから車に置き去りにして見殺しにできなかったんだろ？　え？　はっきりいったらどうだい、ヴィクター！　人恋しくて、こんなとこにこもってんのにうんざりしてるからだろうが。ええ？　で、どうすんだい、このべっぴんさんに飽きたら？　帰すなんざできないんだよ」

　マーシャはぎゅっと目を閉じた。体をかたくし、じっとしていた。どうか瞼が震えませんように。

「ふざけるな、ばあさん」男性は酔いの回った声で応じた。「レニーがライフルを撃ったせいで、この女の車は壊れたんだ。メイソン家は」苦々しげな口調だった。「償《つぐな》いをしなけりゃならない。それに」淡々といい添えた。「背もたれには銃弾であいた穴がある。その女をみつけたやつが穴に気づいたら、まちがいなくこの辺りを嗅ぎ回られるんだ……ああ、くそっ、レニー！」不意にうんざりした声をあげた。「なんだってあんな馬鹿な真似をしたんだ？　いっただろ、あのライフルには触るなって」

「けど、にいちゃん、こ、こいつはスピードを落としてたんだぞ！」少年は涙声で訴えた。「あいつらが、ロリーを捕まえるためにこいつを寄こしたんだ。そうに決まってる！　ロリーはわたすもんか……こいつを殺してやる！　殺してやるんだ！」極度の興奮から、声が異様に高くなった。

　マーシャが恐怖のあまりぱっと目を開けたとき、二本の小さな手ががっしりと喉を締めつけてきた。

　力なく抗《あらが》いながら、マーシャは少年のゆがんだ白い顔を見つめた。せいぜい十一、二歳だろう——そんな子どもに二度も殺されそうになるなんて！

　だが、髭を生やした男性の行動は素早かった。さっと少年の頭を押さえると、そのまま落ち着いてドアへ押しやった。少年は泣きわめきながら走りでていった。裸足で長い階段を駆けおりていく音に続いて、遠くのほうからドアを勢いよく閉める音がきこえてきた。

　もはや残るふたりの顔を見あげるほかなく、マーシャは精一杯虚勢を張った。

「ここは……どこなんですか？」こわばった笑みを無理やり浮かべながら、体をおこした。けれどすぐさまベッドに倒れこんだ。足首が刺されたように痛んだからだった。「ううっ……折れてるわ！」

　髭を生やした男性が、同情のかけらもない陰鬱な目で見おろした。「大丈夫だ」男性はきっぱりといった。「ひどくくじいただけだ。固定したし、頭も何針か縫っておいた」

　マーシャは彼を呆然と見つめた。「あなたが……縫った——？」

　次第に頭がはっきりしてきた。埃《ほこり》と蜘蛛の巣が鬱陶《うっとう》しいとはいえ、古色を帯びた豪華な部屋にマーシャは目を見張った。自分が横たわっているベッドは、柱にパイナップルの頂部装飾が施された立派なもので、由緒ありそうだった。ただし寝具は、今掛けられている擦り切れた上掛けしかなかった。時代物の家具は、お金には換えられない。けれど割れた窓ガラスからは雨が容赦なく吹きこみ、部屋の奥にある、使いこまれた見事な彫刻の高脚《ハイボーイ》だんすはずぶぬれだった。風に煽《あお》られ、家を叩く錆びた日よけ。年輪を刻んだこの場所は、絹の服はぼろぼろになり、王冠は薄汚れてなお傲慢にふるまう、哀れな君主のようだった。

　でも、今自分を見おろしている男性はもっと矛盾している、とマーシャは思った。不機嫌で生酔い、顎髭は伸ばしっぱなしで身なりもだらしないが、ものいいや振る舞いは紳士然としていた。それに自分でいっていたように、あの手――もうきれいに洗ってある、器用そうな手が、マーシャのくじいた足を固定し、頭の切り傷もきちんと縫ってくれたのだ。

「じゃあ……あの……お医者さん……なんですか？」

　男性がフッと笑った。かたわらの老婆は、甲高い声で笑いながら、凶鳥よろしく首を傾げて男性をちらりと見あげた。

「医者とはね！　ヒッヒッヒッ！　医者か、だってさ、ヴィクター！」老婆は無表情な目でマーシャにウインクをすると、痩せこけた親指で男性をぐいと指した。「こいつが医者かって？　今じゃちがうよ、お嬢ちゃん！　病気の馬だって診れやしないさ――人でも殺しちまったみたいに、こんな山んなかにこもって飲んだくれてんのさ。腹んなかにどす黒い不安を抱えてるせいでね！」

「いい加減にしろ」男性が疲れた声で怒鳴った。

　老婆の言葉に、男性のくぼんだ目が影を帯びた。彼は震えだしていた両手をかたく組み、老婆をちらっと睨みつけた。それから顔をしかめてマーシャを見おろしたが、その目は冷たく、刺々しかった。

「いいか」男性は一気にまくし立てた。「信じちゃもらえないだろうが、あんたの車に撃ちこまれた銃弾は事故だったんだ。あれは……ちょっと気を病んでる子どもがしたことだ。弟のレンフィールドが。あいつは……悪くないんだ、もちろん、とんでもないことだ。けどよく考えてみろ、軽い脳震盪をおこして、足首をくじいたあんたを、あそこに放りだしておくことだってできたんだ。あんたは幹線道路を迂回してた。あんなところ、うちの車以外は週に一台だってとおりゃしない。つまりあんたは、となりの農場まで延々這ってかなきゃならなかったわけだ。なのにここまで運んでやって、治療もしてやったんだ、しかもタダでな」

　男性はいったん黙し、マーシャを、彼を見あげる怯えた青い目を睨みつけた。が、彼女の下唇がかすかに震えているのに気づいたのだろう、きつかった口調をやわらげた。

「すまん。そりゃあ不安だよな。だが心配しなくていい。ここは安全だから。車はちゃんと走れるようにしてやるし、明日は朝早く出ていけばいい。今夜は我慢してくれ――」男性の口もとがゆがんだ――「たいしたことはできないがな。明日になったら……なにもきかずに帰ってほしい……この家で見たりきいたりするかもしれないことについては、なにもだ。俺たちのことは、いなかったものとして忘れてくれ。治療費がわりに、せめてそれくらいはいいだろう？」

「は、はい。わかりました。いうとおりにします」マーシャは怖気づきながら頷いた。きっとこの人は、からかおうとしてるだけなのよ、わたしが怯えてるから、落ち着かせようとしてるだけ……彼女は唇を噛み、こんな、敵意をむきだしにしたふたりが見おろす前で決して泣くものか、と思った。「ありがとうございます……助けてくれて」明るい声でいった。「もちろん、撃たれたのは……事故だったんです。親切にもしていただいたし、なにもいいません！　た、ただ、実家や大学で、わたしがい、いないって騒ぎになる前に、バーミングハムに、れ、連絡だけしたいんですけど」

　ヴィクターと呼ばれた男性がぐっと身を乗りだし、軽蔑した唸り声をあげた。

「大学生なのか、おい？」彼は鼻で笑った。「なにを考えてるんだ、ひとりで車を走らせてくるなんて――それもナンバープレートから察するにカロライナからアラバマまで？」

　マーシャは必死に歯をくいしばった。「女子大生じゃありません」毅然として告げた。「二十六歳で――異常心理学の準教授をしてます。その……勉強中の身です、精神科医になるための」

　男性は大声で笑い、顎髭を撫でた。

「いやいや、参ったな！」ぞんざいな口ぶりだった。「あんたみたいに、ろくにものも知らない小娘が？　驚いたね！」話しながら、彼の陰鬱な目は険しくなっていった。その目が、となりでにやつく老婆をちらりと見てから、マーシャをじっと見つめた。「つまり」口調がきつくなった。「精神医学の学者先生ってわけだ。いいか……いっとくがな、ここでは、あんたがやってるその科学とやらは一切ひけらかすな！……なにが科学だ！」苦悩に満ちたくぼんだ目に再び影が差し、口もとがひきつった。「論理だと！　結構じゃないか、完璧だよ、壁にぶち当たるまではな。だがぶち当たるとたんに、どいつもこいつも、壁なんぞありもしないふりをする。幻想だ！　迷信だってな！　科学なんてもんはそういう言葉の陰に隠れてばかりで、説明のつかないことがあると――」

　マーシャにじっと見つめられているのに気づき、ヴィクターは口を閉ざした。再度、冷たく威嚇するような目になり、不意に長い人差し指を突きだした。

「ここにいるあいだは、余計な口だしは一切するな。そうしたら、あんたの身にはなにもおこらない。ずっとこの部屋にいるんだ。うろうろするな――その足じゃまともに歩けないだろうがな。それと、理屈にあわないことをきいたり見たりしても……忘れるんだ！　わかったな？」

　ろくに息もできないまま、マーシャはとにかく頷いた。ヴィクターはなにやらつぶやくと、大股でドアへむかった。だが部屋を出る直前足を止め、振り返って老婆を睨みつけた。

「ばあさん」声を荒げた。「余計な話は一切するな、いいな？　さもないと、その細首をへし折るぞ！」

　ミイラのような老婆は、ヴィクターにむかってうるさそうに片手を振りつつ鼻で笑い、鳥のような目でマーシャに目配せをした。「馬鹿いうんじゃないよ、ヴィクター！　さっさといきな！　またコーンウイスキーをひと瓶空にして、へべれけんなって帰ってくりゃいいさ、いつもみたいにね！　ヒッヒッヒッ！　赤の他人にメイソン家の秘密を話すもんかね、だろう？　しかも今かい？」

　ヴィクターは声高に悪態をつき、力任せにドアを閉めていった。

　マーシャは安堵のため息をつき、緊張を解いた。とりあえず、この、いつお迎えがきてもおかしくないようなおばあさんなら丸めこめそうだから、今のうちにここから抜けだして……視線を窓にむけると、先刻とは別の割れた窓ガラスには、黄ばんだ新聞紙が貼られていた。もうすぐ日が暮れる。空に広がる黒雲は、魔女が煤けた箒で掃いたあとのようだ。横殴りの雨が窓ガラスを叩き、かすかにみぞれの音も混じる。強まってきた風がひさしの下で、ハンセン病の物乞いのような哀れな声をあげていた。こんな天気のなかを寒さに震えながら、捻挫した足首で延々となりの農場まで歩くと思うと、心が折れた。

　だがここで――こんな得体の知れない古めかしい館で、髭面の荒くれ男に、薄笑いを浮かべたミイラさながらの老婆、殺意を隠そうともしない少年がいるところで――夜が明けるのを待つなど絶対にできなかった。マーシャは勇気をかき集めて、魔女のような老婆に晴れやかな笑みをむけた。

「あの」声を落とし、気をひくように話しかけた。「実は、壊れた車のグローブ・ボックスに財布が入ってるんですけど、そのなかに五十ドルあるんです。あの人が……さっきの男性が戻ってくるまでに、ここを離れられるように手を貸してくれませんか、そうしたら、そのお金は全部差しあげます」

「くれるってかい？　ヒッヒヒッ！　もうもらっちまったよ！」老婆は邪悪な喜びに満ちた声で笑った。「レニーが持ってきたのさ、あんたが怪我したってヴィクターが騒いでるあいだに。ありゃ、いい子だねえ」歌うような口調だった。それから、ずる賢そうな目を細めた。

「ヴィクターに告げ口すりゃ、また坊主をけしかけるよ！　次は失敗しないさ。素早いし、力もあるからねえ、あの子は――銃は下手だがね。ナイフをわたしてやりゃあ、そうさねえ――」

　老婆はいたぶるようにマーシャをちらりと見ると、骨ばった両手を擦りあわせた。けれどベッドから身をおこしたマーシャは、露骨な脅し文句に怯えるどころか、異様なほど落ち着き払っていた。

「あの子は、わたしを傷つけたいわけじゃないわ」冷静に告げた。「ただ、守りたいだけよ……ロリーを。妹かしら？　このとんでもない状況が少し飲みこめてきたわ。だれかが、ロリーを連れ去りにくるって不安でたまらないんでしょう？　あの子が銃を撃ったのは、わたしがそのだれか……警察の人間だとでも思ったからじゃない？　馬鹿馬鹿しい。それとも、郡の病院関係者とか？　ロリーは結核かなにかなの？」

　干からびた老婆はまた耳障りな笑い声をあげた。しかもまるまる一分、体を揺すり、痩せこけた両腕をせわしなく動かしながら、甲高い大声で笑い続けた。それから、一言も発さずに、埃まみれの広い廊下へ続くドアを少し開けたまま、そそくさと出ていった。

　眉をひそめたマーシャは、かつて南部の旧家が誇りにしたはずの、この古い館の壮麗さがなおざりにされていることに改めて驚きを覚えた。この手の館が深南部では珍しくないことは知っていた。南北戦争後の経済的困窮を経てなお、数多の没落した上流階級の一族が、こういった昔ながらの館に暮らしている。彼らはかたくななまでに、過ぎ去りし時代の調度品や伝統を手放そうとしなかったが、貧しさはすでに我が物顔で振る舞っていた。希望も気力も、とっくの昔に枯れ果てていた。かつては音楽と笑い声と黒人奴隷たちの話し声で満ちていた、時代がかった朽ちゆく館で、彼らはすさんだ心と不満を抱えたまま、なに思うことなく、ただ漠然と生きているにすぎないのだった。

だが……マーシャは首を横に振った。この館の人間が覇気を失っているとは思えなかった。レニーという少年の目には、激しい怒りと必死さがあり、ヴィクター・メイソンの苦悩に満ちた顔には、なんとしても抗ってやるという意気が見えた。彼らは貧しさや無気力から異様な行動をしているわけではないと彼女は思った。頭の包帯にそっと触れ、固定された足首に意識をむけた。酔いどれの怠け者にはできない、手慣れた処置だった。なにかが、このメイソン家の人たちを抑えつけていた。暗い影のようなものが。言葉にできない、人を寄せつけないものがこの古い館を覆っていて、そこに運命は雨の午後、マーシャを放りだしていった。魔女のような老婆が、出ていくヴィクターにあざけるように投げつけた「メイソン家の秘密」という言葉。どんな秘密なのか？

ひとつはっきりしているのは、もと医師のヴィクター・メイソンがなにかを恐れていて、それはあの神経過敏ですぐに激昂する弟のレニーも同じ、ということだった。恐怖がいとわしいカビのように、この古い館の壁という壁にはびこっていた。マーシャはぞっとし、大きなベッドに潜りこんで縮こまった——そして暗闇のなか、手を震わせながら、答えを求めて必死に考えを巡らせ……

かすかな物音にマーシャは顔をあげた。鼓動が激しくなった。

半開きだったドアの隙間がじわじわと広がっていく。マーシャは息ができなかった。けれどやがて、安堵のため息をもらした。

十六歳くらいの少女が戸口に立っていた。裸足は汚れ、華奢《きゃしゃ》な体を覆っているのは、安っぽい木綿のすとんとした袖なしのワンピース一枚だが、まとっている雰囲気は純粋無垢な妖精のようで、マーシャの心臓は跳ねあがった。櫛を入れていないブロンドの髪が肩まで伸びて、ほっそりとした繊細な顔を縁取り、子鹿のような目には驚きの色がおぼろに浮かんでいた。いつでも逃げだせるよう身構えている野生動物さながらに緊張しつつも、少女は一歩、部屋に足を踏み入れた——それからさらに一歩ずつ近づいてきて、ついにはベッドのすぐ手前までやってきた。幼い子どもよろしく不思議そうに口を開け、両手を胸もとで握りしめて、少女はマーシャをじっと見つめた。

「あなた、きれい！」少女はおずおずとつぶやいた。

「やっぱり、あたしを連れにきたんじゃなかったのね。

でしょう？　あたしを部屋から出すなってみんなにいったの？」

　マーシャは少女の繊細な美しさに心を奪われて、見つめ返した。「いいえ」小声でやさしく話しかけた。「そんなことないわ。ロリーね？　レニーのお姉ちゃんで、ヴィクターの妹さんでしょう？　もっとこっちへきて。なにもしないわ。あなたを傷つけようなんて、だれが思うもんですか」

　子鹿のような目が、不安そうにドアのほうをちらりと見てから戻ってきたが、すでにそこには無条件の信頼が満ちていた。少女は不意におずおずと、マーシャの首もとできらめくブローチを指差した。

「それ、なあに？」気になって仕方がないといった口調だった。「すごくすてきな宝石ね！　お姫さまなの？　絵本に出てくるみたいな？」やさしい眼差しで、うっとりとマーシャを見つめた。「きっと変装してるお姫さまね！　だと思った！　あなたは、あたしをあんなところへ連れていきっこないわ！」自分の言葉に気をよくして、ちらりと微笑んだ。「レニーはね、あなたが意地悪だっていったの。でもあの子、まちがってる。あなたは、物語のなかのお姫さまみたい――『美しくて、やさしい』って書いてあるとおりだもの」ブロンドの頭がしかつめらしく頷いた。「わかるわ、目を見て、話し方をきけば……その宝石、本当にきれい！」手を叩いた。「赤に青に緑に黄色、虹みたい！」

　マーシャは唇を噛みしめ、瞬きをして涙をこらえた。こんなに愛らしい少女の心が体に追いついていないのがかわいそうだった。思わず両手をさっと首もとに伸ばし、ブローチを外した。だが差しだしはしなかった。むきだしのマットレスの端に置いただけだ。

「さあ、どうぞ」小声でいった。「気に入ったんでしょう？　あげるわ。でも、だれにもいっちゃダメよ――ふたりだけの秘密！」

　子鹿のような目が嬉しそうに見開かれた。「わあ！　くれるの？　やっぱりお姫さまだわ！　こんなことするのは、本当に本物のお姫さまだけ……もらっていいの？　ずっと持っててていいの？」

　そっと伸ばされる繊細な手。その手がブローチに触れようとしたときだった。信じられないことがおこった。

　生き物さながらブローチがさっと動き、ベッドから三フィートほど飛びあがった。だがそれはほんの一瞬で、ブローチはそのまま滑るように部屋を横切って飛んでいくと、奥の壁に勢いよくぶつかった。

ロリーが痛そうな叫び声をあげた。伸ばした腕をすぐに引っこめ、右の手首を押さえながらあとずさった。マーシャは言葉もなく見つめるばかりだった。

マーシャ自身はベッドから動いていなかった。影に包まれたこの部屋には、ふたり以外だれも、なにもいなかった。それにロリーの左手の爪はどれも、折れたか噛むかして、深爪みたいに短くなっていた。

にもかかわらず、ロリーの手首には四本もの深いひっかき傷ができ、ゆっくりと、炎症をおこしたように赤く腫れあがっていく。やがてマーシャが見ている前で、血がにじみでてきた。そして細い手首を伝い、埃をかぶった絨毯の上にしたたった。

ロリーの口からすすり泣きがもれた。ものいいたげな目でマーシャをちらりと見た。なにかしゃべろう、説明しようと口を動かすが、声が出ない。華奢な体からまたすすり泣きがもれた。やがて部屋の奥、片隅に落ちたまきらめいているブローチを名残惜しそうに見つめると、ロリーはぱっと背中をむけて、部屋から走りでていった。

マーシャは目を見開いたまま、大きなベッドの上でかたまっていた。声もなく見つめていたのは、ロリーが消えていったなにもない戸口……そこに一瞬、まばらな白髪頭が見えた。老婆がドアのわき柱の陰からじっと様子をうかがっていたのだ。老婆は気づかれたと知るや、突然またあの干からびた甲高い笑い声をあげ、骨ばった両手で太ももを叩きながら、ひょっこり姿を現した。

「ヒッヒッヒッ！　腰が抜けて、寿命が縮まったんじゃないかい、え？　みんなそうさ、あれを見た連中は！」

老婆は足早に部屋の奥までいくと、さっとブローチを拾いあげ、すでにほのかな外光にかざした。ブローチに増して、ガラス玉のような目がぎらりと光った。がさがさした皺だらけの手のなかにあるブローチは毒々しく見えた。

「こりゃ手のこんだもんじゃないかい！　子どもにはもったいないね——それも、あんなイカれた子にはね！」

老婆はへらへら笑うと、灰色のショールのポケットにブローチを押しこんだ。「ヴィクターにしゃべるんじゃないよ！」睨みながらいい足した。「いいね！　あんたがしゃべりゃ、いいつけを破って会いにきたってんで、あいつはロリーをぶっ叩く。あの子を痛い目にあわせたかないだろ、え、お嬢ちゃん？　それに、あの子に会ったって知られりゃ、こっから出してもらえないかもしれないしねぇ……ま、黙ってるこったね、いいかい？」陰険な口調だった。

マーシャは感情を抑え、殴られてぼうっとした人のように頭を左右に振った。この数分で立て続けにおこった異様な出来事に混乱していた。だが、論理と常識がさっと救いの手を差し伸べてきた。この常軌を逸した人たちのなかで正気を失うなと、四方八方にきらめきを投げかけてくれたのだ。

　左手の指輪にちらりと視線を落とし、思わず口もとが震えた。ああ、ジム、わたしのジムは今ごろ、〈ローエングリン〉の結婚行進曲に合わせて、アリスと教会の通路を歩いているんだわ。それに大学じゃ、月曜の授業がはじまらないと、わたしがいないことに気づいてももらえない。しかも、この山あいの古い館にこのままずっと閉じこめられて、わたしや愛車の古ぼけたロードスターがどうなったのか、だれにもわからないままっていう可能性だってあるんだわ。ロリーがくる前だったら、生きて逃げだせる機会もあったかもしれない。だけどもう、どう考えたって知りすぎてしまったもの。ヴィクター・メイソンが帰ってきたら！　だれかがしゃべって、あの人がなにもかも知ったら……

　彼女はみじめな気持ちになりながら、逃げだせないか必死に考えた。彼らはなぜマーシャをここに閉じこめておきたいのか？　もちろん、余計なことをしゃべられたら困るから――この古い館が抱える秘密を外へもらさないためだ。少女の腕にできた傷、彼らの目に浮かぶ恐怖、ブローチが飛んでいく不可解な現象。どれも超自然的の一言で片づけられないほど奇妙で、理解できないのは確かだった。ここにいるなにか、形のない影のようななにかが、腕のいい若い医師を飲んだくれの世捨て人に、心身ともに健やかだった少年を神経過敏な殺人者に変え、立派な古い館を荒れ果てた幽霊屋敷にしてしまった。そしてこの怪しい事象の中心にいるのが、あのロリーという可憐な少女なのはまちがいなかった。この怪しい事象が続くかぎり、外へ出てなにをいうかわからないマーシャのような他人が、この館から生きて帰れる可能性はない。

　マーシャは不意に自分のすべきことを悟り、青い目をきらめかせながらベッドで居ずまいを正した。

　目の前の怪しい事象――それをきちんと解き明かせば、自由になれるかもしれない。若い女性の身であえて精神医学を勉強しているのに、これしきのことで怖気づいて手をこまねいていたら、二度と自分の顔もまともに見られない！

　マーシャは老婆の様子をうかがった。またしても、こちらに目を凝らしている。ダイヤの指輪に気づいたのだろう、物欲しそうに見つめていた。

「そいつも頂戴したいもんだね！」老婆は耳障りな声でいいながら、指輪にむけて骨張った指を突きだした。「さっさとわたしな――さもないと、この家から生きて出られやしないよ。レニーをよこすからね！　ナイフを持たせて」

　マーシャはっと身をかたくした。全神経を研ぎ澄まし、どうすればいいのか必死に考えた。あの妖精のような少女ロリーも絶対に助けたい――好奇心の棘《とげ》も刺さったままだ――そう思うと腹が据わり、頭も回った。

　そこで老婆の機嫌をとろうと、いわれるままに指輪をひっぱった。が、「抜けないみたい」と嘘をついた。「あとで石鹸と水か、ヤスリを持ってきてもらわないとダメだわ。ねえ、ロリーのことを教えてもらえない……えっと……おばあさん、って呼んでもいいかしら？　あの人たちもそう呼んでるんでしょう？　みんな孫なの？」

　老婆は驚くほど憎しみのこもった言葉を吐きだした。

「ヴィクターたちが？　ハンッ！　あいつらは腑抜けのメイソン一族だよ！　出来損ないの集まりさ。どいつもこいつも……血の繋がりなんぞあるもんかね、あたしの亭主が一族の人間だったってだけさ。亭主のオーブリー・メイソンはあいつらの大おじで、一族一の大間抜けだった。頭のいい女なら簡単に手玉にとれた。ちょろいもんさ！」甲高い声で笑った。「思いどおりにしてやったんだよ！　一族のとりすました女たちが、頭から湯気を立てて息巻いたってのに、あの男はあたしと結婚したんだ――モービルの町外れで！　連中は、あたしが一族にふさわしくないと抜かした。それが今じゃ」悪意に満ちた喜びをおさえきれない様子で、薄笑いを浮かべた。

「今じゃあいつらのほうがあたしにふさわしくないんだ！　すっかり落ちぶれちまったのさ、あのお高くとまってたメイソンの連中がね……怖気づいて、見る影もなくなったのさ！　腰抜けどもが！」

　老婆は不意に口をつぐみ、しゃべりすぎたと思ったのか、疑わしそうな目でマーシャを睨んだ。皺だらけの唇がゆがみ、歯のない歯茎がむきだしになった。

「お前さんにゃ関係ないこった！」老婆はわめいた。

「なに探りを入れてんだい？　その指輪を外すんだよ！　とっととよこしな、そろそろ――」

　老婆は再び言葉を切り、首を傾げ、耳を澄ました。やがてなにやらつぶやくと、慌てて出ていった。

　入れ替わるように廊下を足早に歩いて入ってきたのは、長身のむっつりとした男性で、髭はきれいに剃ってあり、安物の黒っぽいスーツを着ていた。マーシャの顔つきを見て苦笑いを浮かべると、顎を擦った。

「どうも、ミス……トレント、免許証を見せてもらったからな」ヴィクター・メイソンはゆっくりとした口調でいった。「髭がないとだいぶ人間らしく見えると思ってるんだろう？　まったくな。まともな格好をして髭を剃ったのは半年ぶりだ。ありがたく思えよ！」

　マーシャは彼を見あげ、陰鬱な目に皮肉っぽいユーモアを見てとり、笑みを浮かべた。親しみをこめた朗らかな笑顔だった。多くの男性が、その笑顔には逆らえないよ、といってくれた。だがヴィクターは鼻を鳴らした。

「色仕掛けでもするつもりか？」彼はそっけなく笑い飛ばした。「丸めこんで、ここから逃がしてもらおうとでも？　おあいにくだな！」冷たくいい放った。「俺としては、ミス・トレント、あんたをもうこれ以上ここに引き止めておくつもりはない。車もさほど壊れちゃいなかった。パンクが一箇所、車軸が曲がったのとフェンダーが潰れたくらいだ。今、修理してもらってる――弾痕は見て見ぬふりをしてくれるやつに」

「よかった！　ありがとう！　わたし――」ほっとして早口になった。

「だが、さしあたっての心配は」メイソンは冷ややかに続けた。「レニーだ。やりかけたことは最後までやりとおすつもりみたいだからな、機会さえあればすぐにでも。今もこの家のどこかに隠れている。見つけて薪小屋に閉じこめるまでは、あんたのボディガードをしなけりゃならなそうだ。まったく、よけいな世話かけさせやがって！」

　マーシャは肩をすくめ、不安を見せまいとかわらず笑みを浮かべ続けた。髪を撫でつけ、襟を整えた。ロリーがここにきたことだけは気づかれないといいんだけど！

「ねえ」マーシャは素知らぬ顔で話しかけた。「あなたみたいに憎まれ口をきく人って初めてよ、メイソン先生。最初はあなたたちが怖かったの。だけど今は気づいたから……あなたたちもなにかにひどく怯えているって……だからもう怖くないわ。弟さんは神経症ね？　それでわたしを撃とうとして――」

　マーシャは不意に言葉を失った。彼女の顔を離れていたヴィクター・メイソンの視線が突然、埃をかぶった絨毯を食い入るように見つめた。そこには、まだ乾いていないてらてらした血痕が二滴残っていた。ヴィクターはぱっと顔をあげ、目を細めてマーシャを睨みつけた。

「ロリーだな！」彼は凄まじい大声をあげた。「ここにいたんだな？　あいつ、ダメだっていったのに！　俺が――」

「叩くの？」マーシャはかっとなって叫んだ。「かわいそうに、あの子は病気なのよ、なのに手荒く扱うの？」

　ヴィクターは顔をしかめた。「ロリーを叩く？　なにをどうするとそうなるんだ？　真っぷたつに引き裂いてやるさ」低いかすれ声でいった。「あの子を傷つけようとするやつはな！　ためらったりしない……あんただって容赦なく殺す。わざとだろうがなかろうが、ミス・トレント、あんたがあの子に嫌な思いをさせると判断したら」ヴィクターは肩をすくめ、疲れた声で笑った。「そういうことだ。俺もレニーに負けず劣らずあの子を大事に思ってる。あの子をなんとかしてやりたい、そのためだけに生きてきたんだ――うまくいかなくてやりきれないけどな。あの出来損ないの科学者は、なにもできないと抜かしやがった、あんなこと――」


　ヴィクターは急に口を閉ざし、深くくぼんだ目に怯えた影が浮かんだ。口もとがひきつり、外科医の繊細な両手は激しい苦悩にきつく握られた。彼はマーシャにむきなおった。

「なにを見た？」耳障りな声だった。「どこまで知ってる？　ええい、くそっ！　わかってたんだ、あんたをここへ運んだらどうなるか……が、こうなった以上」きっぱりといった。「絶対にここから出すわけにはいかない。仕方がない。しゃべらないって約束だけじゃ心もとなくてな。約束を破らないって保証はないんだ――ロリーのためにそんな危険は冒せない」

　マーシャは静かに頷いた。「そうよね。このことを専門家が知れば、あの子はきっと……精神病院に入れられる。そういう事例はいくつも読んだわ」恐ろしさに声が小さくなった。「あの状態は……悪魔憑き？　ロリーは……あの子が発作のたびに見舞われてるのは……メイソン先生、わたし、出血斑のことは知ってはいたけど、こんなに顕著な症例を目の当たりにするとは思わなかったわ。発症するのはほとんどの場合、異常なほど信仰にのめりこんでる人だって本に書いてあったし。つい先週も、バイエルンで一例報告されている。戦況報告に動揺した女性の体に、磔刑のキリストと同じような傷ができたの。その手の症例記録は数えきれない。

「大きな猫にやられたみたいな『噛み傷』と『ひっかき傷』ができたルーマニアの女の子もいた。医学用語でいう皮膚描記症。充血を伴う場合、こういった傷からは実際に出血が見られる。過度の興奮状態に陥ると、実際に傷つけられたわけじゃないのに、皮膚が想像上の衝撃に反応して、本当に傷つけられたみたいに切り傷やみみず腫れが現れるの。

「妹さん……ロリーにも腕にそういう傷ができて、出血するのを見たわ。発作には一時的な失声症も伴ってた――過度な興奮による言語障害。かわいそうに！　なんとかしてあげられたらいいんだけど！」

　ヴィクターの顔から殺気が消えた。彼はしばし、心を決めかねているような目でまじまじとマーシャを見つめた。やがて、こみあげてくる絶望の波に突き動かされるかのようにぐっと一歩踏みだして、大きなベッドの端にどさりと腰をおろした。

「誤解していたよ」彼は出し抜けにいった。「君は寛容だし……若いのにとても冷静な判断力を持っているようだ。その……つまり……精神医学を勉強しているんだろう。はっきりいってくれ、ロリーは精神を患っているように見えるか？」

　マーシャはヴィクターの目を見つめ、首を横に振った。

「いいえ、メイソン先生。心がまだじゅうぶんに成長していないだけで、とても聡明な子だと思うわ。これだけ世間から隔絶されてたら無理もないけど。きっと出血班に悩んで神経過敏になってるのよ。だけど……あの子の精神に異常があるなんて考えられない。ただひどく怯えているだけ――あなたたちと同じね！　なにを恐れているの？　この家になにがあるの？」

　ヴィクターの目が曇った。口もとがひきつる。必死に落ち着こうとしていた。

「恐ろしいものが……いる」力なく告げた。「そいつが……あの子を傷をつけてる。ああ、そうさ、ミス・トレント」つらそうな仕草をした。「顔色が変わるくらい出血斑についてしゃべればいい。俺だって調べたさ。君が知らない昔の症例だって知ってる。あの子だけじゃない、少なくとももう二代前からあるんだ」ヴィクターはつぶやいた。「俺の叔母のシルヴィアと、大叔母のアンがそうだ。いいか、俺たちメイソン一族は、三世代にわたって得体の知れないものに取り憑かれてるんだ。しかも痛ましいことに、決まって一番年若い、一番繊細な娘が苦しめられる。ひどいもんさ。昨日今日の話じゃない。ずっと昔からだ……なのにいまだにそいつを追い払うこともできなければ……滅ぼすこともできないんだ」

　ヴィクターの声は次第に小さくなっていった。マーシャは口を開いたが、すぐに閉じた。

「メイソン先生」だが突然大きな声をあげた。「よもや本気で信じてなんかいないわよね……得体の知れないものがロリーをひっかいてるなんて！　馬鹿馬鹿しい迷信じゃない！　あなたみたいに医療に携わる頭のいい人がどうして――」

　ヴィクター・メイソンは鼻を鳴らした。「迷信か！」棘のある笑い声をあげた。「耳にたこができるほどきかされてきたよ！　出血斑も、解離性障害も！　いいか、ミス・トレント、こんな信じがたいことを俺が信じてるのは、ロリーの体にできる傷のせいだけじゃないんだ。ほかの現象もおきてる。ロリーのいる部屋で、動くはずのないものが動いて、宙を舞うんだ。小さいもの……猿がつかんで投げそうな大きさのものが」

　マーシャは体をこわばらせた。飛んでいくブローチを思い出していた。だが論理的に考えて、マットレスに入っているばねの反動力があれば、ブローチくらい簡単に部屋のむこうまで飛ばせるだろう。やけに動きがゆっくりで、しばらく宙に浮いていたように見えたのは、動揺していたからだ。ブローチが自力で部屋を横切って飛んでいきはしないし、幽霊がつかんで投げるわけもない。馬鹿げた考えだ。

　だがヴィクターの苦悩に苛まれた目を見て、マーシャの背筋に悪寒が走った。

「長いあいだ必死にやってきたんだ」ヴィクターは力なくいった。「ニューヨークの病院での研修を諦めて戻ってきたのは……ロリーに現象がおきたころで……俺は二十二だった。ロリーは九歳だ。以来七年、ここであの子のために精一杯のことをしてきた、調べもしたし、ありとあらゆることを試した。除霊の専門家を雇ってそいつを追い払ってもらおうとしたことさえある。役には立たなかったが」

「ならどうして、評判のいい民間の精神病院に連れていかないの?」マーシャはきつい口調できいた。「そのほうが絶対――」言葉を呑みこんだ。

　ヴィクター・メイソンはいきなり立ちあがり、マーシャを睨みつけた。「やっぱりな！」彼は唸った。「いうと思ったさ！　いわなかったやつなんかいない。そんなところにやれば、なにもない小部屋に閉じこめられて、頭のイカれた精神科医どもに四六時中観察されるんだ！　ミス・トレント、俺の大叔母のアンは、精神病院で亡くなったよ。叔母のシルヴィアは、あんなところに戻されるくらいならって自ら死を選んだ。かわいそうにロリーはずっと怯えながら暮らしてるんだ、いつか自分も俺たちから引き離されて、動物みたいに閉じこめられるんじゃないかって……あの子がなにをしたっていうんだ！　無能な科学者連中にはあの子を助けられやしない。叔母や大叔母にもなにひとつしてくれなかった！　わかってるだろう、あれは不安からくる幻覚なんかじゃない。あれは本当にいるんだ」

　マーシャは業を煮やし、首を横に振った。「本気で信じてるの？」

　メイソンは頷いた。「本気さ。やつは……あの悪魔は、まだ年若い大叔母に取り憑き、大叔母が亡くなると叔母に取り憑いた。ロリーにこんなに早く取り憑いたのは、あいつが小さいころから神経質だったからだ。まるで目に見えない寄生虫だ！　やつはきっと、ロリーが死ぬまで離れない――叔母たちのときと同じように。

「君がいったルーマニアの事例では、女の子は『使い魔』みたいなものに取り憑かれた。ポルターガイストとも呼ばれてる――たちの悪いいたずらものの霊で、癪《しゃく》に触ったり、いらいらさせられるぐらいでさして危険でもない、へそ曲がりの猿みたいなもんさ」ヴィクターは歌うように続けた。「俺たちメイソン一族は、延々三世代にわたってそいつにつきまとわれてるんだ。取り憑かれてるか、自分たちが狂ってると思うしかない――周りからは、そんなものなんかいるわけがないっていわれるばかりだったしな。だから世間づきあいをしなくなった」メイソンはゆっくりした口調で苦しげにしゃべった。「ごく普通の生活をしようとしたって、家には狂人がいる。そんな毎日に気力も体力も奪われて、とうとう――」口もとがゆがんだ。「このザマだ、ミス・トレント。貧乏白人になりさがったってわけだ。人づきあいもないし……正直な話、収入といったら密造コーンウイスキーで得る金しかない。俺たちは、世間との関係を絶ってるんだ。こんな状況でも、ロリーができるだけ辛い思いをしないで暮らせるようにってことだけを願って。もうわかっただろう」淡々といい足した。「君を出ていかせて、ここで見たことを明かされるような危険を冒せないわけが。ロリーのことが公になれば、すぐさま野次馬が押しよせてくるだろう。すると次は詮索好きなお節介野郎どもが、ちゃんとした『医療』を受けるために精神病院に入院させろと抜かすだろう……ロリーは自殺するか、恐怖のあまり死んでしまう」

　もと医師は片手で血走った目をこすった。マーシャは沈んだ気分でヴィクターを見つめた。彼の顔は冷たくこわばっていた。

「どうしたらいいのかわからないんだ」ヴィクターはゆっくりと話した。「この手で、君の命を奪いたいなんて思っちゃいない。だが、今君がここを出ていこうとするなら、残念だが俺はそうするしかないんだ、ミス・トレント」

マーシャはおののきながらも、必死に心を落ち着けた。

「秘密は絶対に守るわ。でも、信じてもらえないわよね。わかったわ、メイソン先生。わたしにできることはひとつだけ……ずっとあなたたちを苦しめてるその幻を断ち切ることよね。わたしはそんなお化けなんか信じないもの。見えないものがあのかわいそうな子に取り憑いて、ひっかいたり、ものを投げたりするなんて真に受けられない。出血斑だってちゃんと科学的に説明できるじゃない。あなただってそれはわかってるでしょう。だから——ものが宙を飛ぶことも説明がつくはずよ。

「確かに信じがたいことだわ。だけどテレビだって、シエイクスピアの時代の人たちが見ればそうじゃない。十二世紀の田舎の村に、パラシュートをつけた人が飛行機から飛び降りれば、まちがいなく火あぶりの刑にされてた。でも、今日の魔法は明日の科学よ、メイソン先生。ねえ、今夜ロリーのそばにいさせてもらえない？　あの子はわたしのことが好きだし、慕ってもくれてる。そう思うだけの理由がある。それに、わたしならあの子を助けられるかも。やらせてみてくれない？　もちろんわたしだって」誠心誠意訴えた。「ここから出たいけど、それだけじゃなくて、このまま黙ってロリーを、あなたたちを見てはいられない、だから力になりたいの——信じてくれないかもしれないけど！」

ヴィクターは影を帯びた目に戸惑いと不安を浮かべて、じっとマーシャの顔を見つめた。だがマーシャは青い目をそらさなかった。やがてヴィクターのこわばった口もとがかすかな笑みにゆがんだ。そして片手を差しだした。

「たいしたもんだ」ヴィクターはため息をついた。「もっとも、なにもできないだろうがな。願わくは……君の約束を信じたい。だがレニーと俺にとってはロリーがすべてなんだ。あの子を守るのに背くようなことは考えられない」

マーシャは頷いた。「わかったわ。でもロリーをここへよこしてくれたら、わたし——？」

もと医師はなにやら考えこんでいた。そして突然上掛けをさっとどかすと、マーシャの足を床におろした。

「もっといいやり方がある」ヴィクターは肩をすくめた。「君はこれからここで暮らすんだ。早く慣れたほうがいいだろう。あがってくるときにのぞいたら、夕飯の支度はほとんどできていた。君の分は運んでくるつもりだったが……レニーもどこにいるかわからないし、いっしょに食べたほうがいい。なんとか階下《した》までおりられそうか？」

　マーシャは差しだされた腕につかまり、やっとの思いで立ちあがった。「いけると思うわ」痛みに顔をしかめた。「だけど——あなたたちのおばあさん——本人は大おばっていってたと思うんだけど——あの人は、家族だけで食事をしたいんじゃないかしら。わたしのことが」慎重に言葉をついだ。「あんまり気に入らないみたいだから」

「えっ、ばあさんが？」ヴィクターは声をあげて笑い、また肩をすくめた。「ばあさんはだれのことも気に入らないのさ。一族の鼻つまみ者だ。気弱な大おじのオーブリーと結婚するために相当ひどい手を使ったせいで爪弾きにされたんだ。ずっとこの家に住んじゃいるが、俺たちを心底嫌ってるよ。大おじと結婚すれば自《おの》ずと上流階級の奥方になれると思ってた当てが外れてね！　だが……俺たち一族が落ちぶれていく様をつぶさに見てた。そしてそれをしつこくいい立てるのが好きなんだ。この家の人間で気力をなくしてないのは、あのばあさんだけだろうな。悪霊は悪霊だろっていうだけで、気にもしないんだ！」

「でしょうね」マーシャはつぶやいた。「確かに、かなり変わった人だもの」

　彼女はかたわらの、皮肉な笑みを浮かべる疲れた横顔をちらりと見あげた。ヴィクターの腕にすがり、足をひきずりながらおりた長い階段は大きく曲がっていて、この広大な館のほかのところと同じように埃がつもり、蜘蛛の巣が張っていた。長い廊下から朽ちかけた柵で囲んだポーチをとおり、一番奥まった場所にあるキッチンにたどり着いた。

「俺たちはこのキッチンで暮らしていて、ほかの部屋は全部締め切っているんだ」ヴィクターは主人役よろしく、説明しながらドアを押し開けた。

　マーシャは足を引きずりながら入っていった。とても広く、雑然とはしていたがかなり清潔だった。大きな薪ストーブのむかい側に設えられた、なんの塗装も施されていないテーブルには、すでに食器が並べられていた——それも五人分。自分がくることを老婆は見越していたのだ、とマーシャは思った。

　だがふたりが入っていくと、老婆は薪ストーブから振り返り、マーシャを驚きの目でじっと見つめた。そしてヴィクターを横目で見た。

「へえ、ヴィクター」老婆は震え声でいった。「気は確かかい？　なにもかも見せたいってか？　ロリーのことを州じゅうに広めさせるつもりかい？　え、どうなんだい？」

ヴィクター・メイソンは老婆をひと睨みで黙らせた。「ミス・トレントは出ていかない」ぴしゃりといい切った。「俺たちと暮らすんだ……これからずっとな。それよりばあさんだろ、ロリーをこの人のところへやったのは。さあ、もう一揃い食器を用意しろ――怪我はもう大丈夫だが、この人にはこのままいてもらう」

ヴィクターは、上座の自席右側にある、背もたれのまっすぐな椅子にマーシャを座らせた。塗装を施していない板を継いだだけのテーブルには、かつてはすばらしいダマスク織りだったであろう、擦り切れたみすぼらしい布がかけられていた。最高級の陶器の皿と、安売りの雑貨店にあるような皿がいっしょに並んでいるのに、マーシャは気づいた。ナイフとフォークはステンレスの安物だったが、スプーンは――「M」のモノグラムがあしらわれた薄手の銀製で――過ぎし日々の失われた輝きをうかがわせた。

五人目の食器がすでに用意されていたにもかかわらず、老婆はマーシャの目の前に新たな食器をぞんざいに並べた。それからゆっくりドアへ歩いていき、錆びた蝶番《ちょうつがい》さながらの声を張りあげた。

「レニー！　ロリー！　食べにきなっ！」

裸足のような足音が駆けてきた。マーシャが身をかたくしていると、レニーが飛びこんできて彼女に気づき、一瞬足を止めて睨みつけた。が、今は敵意よりも空腹がまさったらしく、黙ってヴィクターの左側にある椅子にその身を滑りこませた。老婆は下座に着いた……

一同は待った。ほどなくして、子鹿のようにためらいながらロリーがそっと入ってきた。むかい側にはだれもいない自分の席に身を滑らせるようにして座ると、目を見開いて、小さい子どもさながら無遠慮にマーシャに見入った。

「この人ね、意地悪な人じゃないの――金色の髪のお姫さまなの、ね、お兄ちゃん？」ロリーは嬉しそうにはしゃいだが、やがてマーシャを切なそうに見つめた。「あの宝石、どうなったの？　すっごくほしかったの！　いろんな色があって、虹みたいで、とってもきれいだったわ。あれって……ううっ！」

ロリーは大きな声をあげて、片手で顔をおさえた。頬に真っ赤なみみず腫れが現れていた――どうしてできたのか、マーシャには見えなかった。

大きな茶色い目に涙があふれた。ロリーはそのまま黙って、椅子で小さくなっている。座ったまま、しばし泣くのをこらえていた。やがて悲しげな顔で、トウモロコシパンをひと切れとスウェーデンカブのスープを一すくい取り、落ち着かない様子で急いで口に運びだした。

テーブルの中央には、盛り皿がぽつんと置かれ、桃のブランデー漬けがのっていた。そっと様子をうかがっていると、少女はどうしてもその桃が食べたいのだろう、手を伸ばしながら、兄のほうをむいた。

「あれ……食べてもいい？」声を発さず、口だけ動かした。

ヴィクターは頷くと、やさしく微笑み、盛り皿を妹のほうへ押しやった。ロリーが再び無邪気な笑顔を見せ、桃を取って自分の皿に置いた。見つめるマーシャの前で、少女はその桃の端をほんの少しだけ切った。少女がおいしそうに口に入れたのは、その小さなかけらだけだった。

それから少女は手を伸ばして、目の前の空席に並んだ空の皿に残りの桃をのせた。つかの間その桃を見つめる少女の茶色い目は、食べたくてたまらなそうだった。けれどかすかにため息をつくと、自分の皿に残ったカブのスープとトウモロコシパンをまた口に入れていった。

マーシャははつきりとした問いかけの視線をヴィクターにむけた。だがヴィクターは苦々しげな笑みを返し、肩をすくめただけだった。

「ねえ」マーシャはささやいた。「よもや本気じゃないわよね、あの空席に並べたお皿って……まさか――？」

そのとき、とてつもない騒乱が巻き起こり、マーシャは言葉を呑んだ。

テーブルに並んだ塩と胡椒の入れ物が凄まじい勢いで踊りだした。それが出し抜けに二フィートも舞いあがると、しばし宙で揺れた。と、すぐにロリーの頭めがけて猛然と飛んでいった。

少女は慣れている様子でさっとかわした。だがたちまち、集中砲火よろしく銀器が次々に飛びかかった。カップや皿がテーブルの端から端へと目まぐるしく飛び回る。盛り皿はひっくり返り、こぼれたブランデーがテーブルクロスに大きな染みをつくった。やがて、かたわらの食器棚からなにやら音がし、新たな銀器が続々と、身を屈めているロリーめがけて飛びだしてきた。

マーシャは身動きもできず呆然と見ているばかりだった。ヴィクターとレニーは石像さながらで、ロリーは椅子の上で泣きながら身をすくませ、この異様な攻撃から頭を守るのに精一杯だった。老婆だけが体を揺らしながら笑い転げていた。まるでこの怪現象が、自分のためだけに上演されている人形芝居でもあるかのようだった。

「あいつは腹を立ててる！　お前がまた怒らせたんだよ、ロリー――あいつは桃が全部ほしかったんだ！」老婆はげらげら笑いながら、先刻ロリーが空の皿に載せた桃を指差した。「お前のあのポルターガイストは小狡《こずる》いんだ。あいつのいいようにさせてやらなきゃダメじゃないか！」

少女は言葉もなく、すすり泣きながら椅子から滑りおりると、雨の降る夜の闇のなかへ走りでていった。すぐさま、マーシャの前に置かれた銀のスプーンが一本、空気のように見えない力で投げられたかのごとくあとを追って飛んでいき、網戸に激突した。

厳しい表情のヴィクター・メイソンが椅子を引いて立ちあがった。苦悩に満ちた目で、血の気の失せたマーシャの顔をきっと見据えた。

「どうだ？」にべもないいい方だった。「見ただろう、ミス・トレント。あれが我が家につきまとってるやつだ。三世代にわたってこうやって暮らしてきた、ずっと苦しめられてきたんだ……科学がきっぱりと存在を否定してるものに。一族の女が三人も、こうやって毎日辛い目にあってるのに、俺たちは見てるほかない、助けてやれないんだ。俺が結婚すれば、ロリーが死んだあとは、俺の娘が取り憑かれるだろう。次はレニーの娘が。だから……俺たちは普通の生活なんて望むべくもないんだ。わかるだろう。

俺たちはこうやってだれともかかわらずに、妹のために生きていくしかないんだ。やつの怒りや気まぐれを前になす術もなく苦しむ妹を見ながら……くそっ！」ヴィクターは歯を食いしばり、呻《うめ》いた。「これでも君はあの子を助けられると思うのか？ 俺がかかりっきりでやってもできないのに？」

レニーはふたりをじっと見つめた。マーシャは少年の強い視線を感じた。老婆は残った桃をさっさと拾って食べながら、ひたすら忍び笑いをしていた。外では風が吹いていたが、その嘲笑うような音はまるで、今しがた目の当たりにした謎めいたやつが突然発した声のようだった。

マーシャは手にしていたトウモロシパンを皿に置いた。食欲はなくなっていた。彼女は椅子の背に体を預け、ヴィクターを見あげた。

「最初が大叔母で次が叔母、そして今はロリーだ！」ヴィクターはぼそぼそといった。「叔母たちは地獄の苦しみを味わってきた、精神病院に閉じこめられて、大勢の馬鹿な医者たちに延々小突き回されて！ 連中は抜かすんだ、いずれ『回復する』と。あの出来損ないどもが！ 揃いも揃ってわめくんだ、出血斑だの幻覚だのってな！ わかるか、一族以外で、今夜みたいなポルターガイストをまともに見た人間はほとんどいないんだ、ミス・トレント。だから精神科医たちはただの幻覚――それも、出血斑を伴った神経障害によるただの幻覚だといいはった。出血斑だけじゃないんだっていくら説明しても、信じてはもらえなかった。そして叔母たちは家に帰された――『治った』といわれて！　するとまたポルターガイストがはじまるんだ。だから」ヴィクターは疲れ果てたように身を動かした。「ロリーには、独房に閉じこめられて悲惨な人生を終えるか、ここでの暮らしに甘んずるか、二つに一つしかないんだ。俺たちや……やつとの暮らしに、な。治りゃしないんだ……病気じゃないんだよ、ミス・トレント。取り憑かれてるんだ……魔物みたいなやつに」

　みぞれが窓ガラスを怒ったように叩いた。マーシャは寒さに震えながらも、目を細めて考えていた。が、不意にヴィクターをまっすぐに見つめた。

「ねえ」マーシャは強い口調でたずねた。「一族で、大叔母さんより前にポルターガイストに取り憑かれた女性はいた?」

　ヴィクター・メイソンは首を横に振った。「いや、大叔母が最初だ――祖父と大おじオーブリーの妹。次が父の妹のシルヴィア。そして今はロリー。メイソンの血を引く若い娘がいるかぎり、俺たち一族は呪われ続けるんだ」

　マーシャはやっとの思いで椅子を後ろに押しやり、立ちあがった。青い目には心持ち冷ややかな笑みが浮かんでいた。しかも、決意を秘めてきらめいていた。

「わたしたちが滅ぼさないかぎりはね」マーシャはゆっくりといい放った。「メイソン先生、メイソン家のポルターガイストは、今夜にはいなくなって……もう二度と戻ってこないと思うわ」淡々と言葉を続けた。「大丈夫、なにがそれを操っているのか、わたしにはわかった。そうね……今は無理だけど、明日の朝、ここを失礼する前には話せるわ」そしておだやかな口調でいい添えた。「そのときには、わたしがこの家の秘密を口外しないって信じてもらえるんじゃないかしら、だってもう秘密なんてなくなってるんだから」

　マーシャはゆっくりと、自分を睨みつけてくるレニー、薄ら笑いを浮かべている老婆、そしてもと医師の顔に視線をむけていった。

　ヴィクター・メイソンはじっとマーシャを見つめた。やがて苦々しげに鼻でせせら笑った。「大したもんだな」ぴしゃりといった。「まあ、だからって自由にしてやれるわけでもないが。いっておくが、となりの農場までは十二マイルもあるし……そこにいるのは俺の知り合いだ！　やっぱり最初に思ったとおりだった！」彼は怒りもあらわに吐き捨てた。「身勝手で浅知恵の馬鹿な女だ！　自分さえ無事にここを出られれば、俺たちも妹もどうなろうが知ったこっちゃないんだろう！　だが、諦めるんだな、ミス・トレント。ここからは出られないんだ」

　マーシャの勇ましい心は揺れた。しかし顔をあげ、青い目でまっすぐにヴィクターを見つめた。「部屋へ連れていっていただきたいんですけど」冷静にいった。「はったりじゃありません。あなたたちの悪霊は追いつめました――むこうも観念しているわ！」

　だが、埃まみれの階段をのぼるマーシャの心は沈んでいた。この古い館は、なんと広大で静かなのか！　不意に蜘蛛が天井からすーっと糸を伸ばして目の前におりてきた。二階の廊下にたどり着くと、痩せこけた灰色の鼠が一匹暗がりに逃げこんだ。息を呑み、ヴィクター・メイソンの腕にしがみつくと、からかうような笑いが返ってきた。

「じきに慣れるさ」ヴィクターはものうげにいった。「俺たちみたいに、気にもとめなくなる」

　ヴィクターは部屋のドアを開け、手を貸してマーシャを大きなベッドに乗せた。室内はすっかり闇に包まれていたので、彼は高脚《ハイボーイ》だんすの上の煤《すす》けた石油ランプに火を入れた。マーシャは寒さに震えながらベッドで身をすくめ、皮肉な笑みを浮かべたメイソンを見あげた。ヴィクターはマーシャが怯えていると誤解し、鼻を鳴らした。

「俺が、その……手を出すんじゃないかって心配してるのか？」彼はぼそぼそといった。「よせよ。だれにもどうにもできないで、ここにいるほかない今、あんたは俺の新しい妹みたいなもんだ。俺は――」

　マーシャは大声でぎこちなく笑った。「やだ、あなたが気がかりなんじゃないわ、メイソン先生。あなたはわたしをただの厄介者、不運な事故としか見てないでしょう」

　長身の男性は苦笑した。ほんの一瞬、その苦悩に満ちた目になにかいいたげな表情が浮かんだ。「本当にそう思うのか？」彼はつぶやいた。だがすぐにきっぱり「そうだな」といった。「なら、いったいなにを気にしているんだ？」

　マーシャは大きく息を吸った。「わたしの命」思い切っていった。「ほら、さっきよ……階下《した》でポルターガイストの秘密がわかったっていったのは、わざと自分を囮にしたの。もちろん、なにがどうなっているのかは本当にわかってる……でも、証拠が必要でしょう。だから……メイソン先生、むかい側の部屋に隠れていて……わたしが叫んだらすぐに助けにきてくれないかしら？　今夜、命を狙われる気がするの！」

ヴィクター・メイソンはマーシャをまじまじと見つめると一笑した。「レニーのことか？　あいつなら夕飯のとき、あんたへのロリーの態度を見て考えを変えたと思うが……しかし、まあ」彼は馬鹿にした。「坊主が気がかりなら、見張りを務めさせていただきましょう」そして冷ややかに笑った。「寝なければな。見張り役がコーンウイスキーで酔っ払っちゃまずいだろうが、俺はこの七年間、夜な夜な飲んでるもんでね！」

ヴィクターは皮肉な笑みを浮かべたまま大股で部屋を出て、後ろ手にドアを閉めた。マーシャは一枚きりの上掛けにくるまり、大きなベッドで体を丸めたまま、長いあいだ神経を張りつめ、じっと耳をそばだてていた。激しい風雨はおさまっていたものの、ひさしから落ちる雨音は、まるで忍ばせた足音のようだった。古い壁が軋み、屋根裏を鼠が勢いよく走っていくたびに、神経がひりついた。

が、次第に疲労がのしかかってきた。目が閉じていき……はっと気づいて開け、また閉じて……

目覚めると、一瞬自分がどこにいるのかわからず、不安に襲われた。広い部屋は暗く、一陣の風がランプを揺らすと、いたるところで影がのたうち、踊った。マーシャは瞬きをし、目をこすって……息を呑んだ。耳にして起きたあのかすかな音がまた、きこえたのだ。

ドアノブがゆっくりと回った。マーシャがじっと見ていると、ドアがそっと開いた。レニー・メイソンが幼い顔をこわばらせて、こっそりと入ってきた。小さな手に握られたものが、ランプの明かりを受けてきらりと光った……サトウキビを刈る鉈《なた》だ。

マーシャは仰むけのまま、体を動かさないように気をつけつつ、薄目で様子をうかがった。レニーがそろそろとベッドに近づいてくるあいだ、いつでも飛びのけられるよう全身に力を入れた。レニーがかたわらに立ち、睨むように見おろした。鉈をかまえ……

だが、おぞましい武器は襲いかかってこなかった。不意にレニーは顎を震わせ、腕をさげた。抗うようにしゃくりあげながら、ドアのほうをむいた。廊下で影が動き、切羽つまった声がなにか囁いた。

「できないよ！　無理だってば！」レニーが涙ながらに訴えた。「こ、この人、悪い人に見えないもん！　この人――」

ドアが大きく開いた。老婆が駆けこんでくるのを見て、マーシャは悲鳴をあげそうになった。その皺深い顔は、残忍な憎しみの仮面のようだった。

「殺すんだよ！　喉を掻っ切っちまいな、この臆病者が！」老婆はしゃがれた声をあげた。「あれこれいいふらされて、連中にロリーを連れてかれちまってもいいのかい？　ええ？　そうなったら、暗くて狭い部屋に閉じこめられて、もう二度と太陽なんざ見られなくなっちまうよ？　さんざっぱら傷めつけられて、食いもんだってまともにもらえなくなるんだよ？　その女は連中の手先で、お前を騙してるんだ。その邪魔者をさっさと殺せば、もうなにもいえない！　殺すんだよ、坊主！」

レニーはためらいながらもベッドにむきなおり、鉈を振りあげた。やがて、今度は涙を流さずにしゃくりあげると、鉈を絨毯に投げ捨て、ベッドの脇にうずくまった。

「やだ！　殺さない！」泣くのをこらえ、体を震わせた。「この人はロリーを傷つけない！　ぼく……この人が好きだ。ロリーにすてきな宝石をくれたんだもん。それをポルターガイストのやつが横取りして、あんたにわたしただけで……殺すもんか！　撃ったのは、ぼくが悪かったんだ！」

マーシャは恐怖のあまり動けないまま、老婆を見つめた。ミイラさながらの顔は今や恐ろしい形相と化し、凄まじい怒りに震えていた。

「逆らおうってのかい？」老婆がわめいた。「ご立派なお坊っちゃまじゃないか！　後悔するがいいさ！」

悪意をたたえた目が、熾火《おきび》さながら燃え立ったかのように、マーシャには見えた。老婆が視線をむけていたのは――レニーではなく、床に落ちた鉈だ……

老婆の凝視を受けた鉈は前触れもなく、突風に舞いあげられたかのように宙に浮いた。そのまま高々とあがり、天井に達すると、ベッドの上で無防備に横たわるマーシャの真上へ移動し、そこでいったん止まった。

鉈が落ちてきた――重力を無視した凄まじい速さで。だが、その瞬間マーシャは叫び声をあげて避けた。くじいた足の痛みは激しかったが、まだ生きているのが確かめられた。

マットレスの、マーシャのみぞおちがあったあたりには、かわりに鉈があった。

ヴィクター・メイソンが血走った目を瞬かせながら、ふらふらと入ってきた。

「な、なにがあった？」眠そうな声でつぶやいたが、鉈を見たとたん、一気に目を見開いた。「レニー！　お前、まさか……そんな！」

　マーシャは痛みに顔をしかめながらやっとの思いで上体をおこし、床に足をついた。「ちがうわ、メイソン先生」声を絞りだした。「レニー……じゃない。鉈は見えない手で、天井から落とされたの。これもポルターガイストの仕業。でも……妹さんは？　どこ？」

「決まってるだろ」メイソンはとっさに答えた。「階下のあの子の部屋だ。夜はいつも鍵をかけておく。そのほうがあの子も安心するだろうからな。だが……ポルターガイストなのか？　あいつは、ロリーがいないときにものを投げたことなんか一度もなかったぞ」

　マーシャはまだ落ち着いていなかったが、きっぱりと首を横に振った。ヴィクターから、すすり泣いているレニーへと視線を移した。それから、ドアのそばにうずくまって悪態をついている老婆を、ちらりと見た。

「だったら……ロリーのせいじゃないでしょう」声を低めた。「あなたでもないわ、メイソン先生――レニーでもない。となると……ひとりしかいない……こんなことができるのは――」

　マーシャは続く言葉を呑みこんだ。老婆がなにかの発作に見舞われたかのような姿であとずさっていた。皺だらけの唇が苦しげにゆがむ。干からびた両手をあげると、鉤爪のような指を催眠術師よろしくマーシャにむけた。

　するといきなり、「もの」が大挙して飛んできた――鏡台の櫛や、テーブルの一輪挿しや、マーシャのコンパクトが。

　部屋のいたるところから、肌に感じない風を受けたように、飛ぶはずもないものがマーシャの頭めがけて飛んできた。せめて顔だけは守ろうとうずくまった。『ゴーディーズ・レディース・ブック』(十九世紀の女性誌)の挿絵を入れた額が壁から飛んできて額に命中し、マーシャは悲鳴をあげた。老婆は甲高い声で大笑いした。

「思い知るがいい、このお節介な馬鹿女め！」老婆は叫んだ。「見たかい？　どうだ、わかったか？」

落ちていたものがまた、マーシャめがけて飛んできた。だが、突然すべてが床に落ちた。老婆が目を見開き、喘いでいた。そのままドアにもたれかかり、胸をかきむしった。やがて最後の憎悪を振り絞り、呆然と見つめる三人に嘲りの言葉を投げつけてきた。

「そうさ！」老婆は喘ぎながらいった。「あたしだよ！　いつも、ほかのだれでもない、あたしだったのさ！『ポルターガイスト』かい！　ヒッヒッヒッ！　ずうっと前から、そう信じさせるように仕向けてきたんだよ、このあたしが。それがいて、取り憑かれてるって思いこませたんだよ――アンもシルヴィアもロリーも、揃いも揃ってあたしを見くびってたからさ！　馬鹿どもが――」

　マーシャは呆然と老婆を見つめていたが、その顔に浮かんだ残忍さに激しい嫌悪を覚えた。

「そういうことね！」小声で返した。「これでわかったわ！　本当にひどい人よね、メイソン先生！　この人はあなたの大おじさんと結婚するためには手段を選ばなかったんでしょう。そんなにまでして結婚したのに、一族の女性から鼻であしらわれて、ひどく怨んでいたのよね。この人は、自分がなりたくても決してなれなかったメイソン一族を憎んだ。そして、憎しみは血管に入りこみ、毒のように全身を巡った。だから、あなたたちを破滅させようと、少しずつ追いつめていったのよ。

　大叔母さんのアンは若いころ、ひときわ繊細で神経質だったにちがいないわ。だから自分の理解を超えたものを前にすると、すぐさま居たたまれなくなり、怯えた。そしてこの人は、そんな大叔母さんを怯えさせる特異な才能を持っていた！　ごくかぎられた人が、生まれながらに持つ力を。この人が今やったみたいなことは、昔の魔術師はかなりできたみたいだし、今も数は少ないけれど、霊媒ならできる。『物体浮揚』といわれる力よ。被験者の体内には電波みたいなものがあって、その力を小さなものにむけると、手を触れずにその対象物を少しだけ動かしたり持ちあげたり、投げたりできるの。わたしはたまたま心霊研究会が認めたこの物体浮揚にかんする論文を読んでいた。この現象について科学で解明できていることは、今のところほとんどないわ。テレパシーや催眠術についてだって、研究すべきことはまだたくさんある。今世紀に無線通信のことがこれだけいろいろわかってきたんだもの、次の世紀には、人体を流れる電気の力について、もっとわかるかもしれないでしょう」

　ヴィクター・メイソンは唖然としてマーシャを見つめた。しばらくしてその視線を、顔をしかめた老婆にむけた。「よくわからないな」ぼそりといった。「つまりポルターガイストなんか――？」

「そう、昔も今も、一度たりともなかったの」マーシャは頷いた。「だけどこの悪どいおばあさんは、あるように仕立てあげて、あなたたちみんなを信じこませた。きっと大叔母さんのアンのまわりで、ちょっとしたものを浮揚させてたにちがいないわ。何度も何度も繰り返して、まだ若かった大叔母さんをすっかり怯えさせ、悪魔に取り憑かれていると信じこませたのよ。それから、悪魔がひっかくかもしれないってほのめかして、大叔母さんを不安定な精神状態に追いこんだ。だから出血斑ができたの。メイソン先生、あなたは、一族以外の人の前では、ポルターガイストがものを投げたりすることはまずないっていったけど、それをきいて妙だなって思ったのよ。しかも、この人がメイソンの一族に加わるまでは、取り憑かれた人がひとりもいなかった、とも話してくれたでしょう。それで、犯人の見当がついたの。本物の心霊現象なら、だれの前でだっておこりうるもの。

　だけどこの人は、からくりを見抜かれないよう巧妙に立ち回った。怯えきってたあなたたち一族か、ろくに考えずに見たままを信じるだろうごくかぎられた人たちの前でしか、この力を見せなかった。精神病院でポルターガイストが一度もなかったのも当然だわ――この人がいなかったんだから。そうなると医者だって、ポルターガイストにかんしては、大叔母さんたちの不安定な精神状態がひきおこした幻覚にすぎないって診断をくだすほかない。

　でも、出血斑は物体浮揚がないときでも現れ続けた。病院で治療を受けても大叔母さんたちの精神状態は不安定なままだった。それでも病院では、飛んでくるものに怯えることがないから、精神状態だって多少は安定してくるから、『回復した』と診断されて退院できた。ところが精神科医たちが知るよしもなく、家に戻ればポルターガイストが――つまりはこの人が待ちかまえていて、また恐怖で支配しはじめた、というわけ」

　もと医師はベッドにぐったりとよりかかり、弟の肩に腕を回していた。ふたりは言葉もなく、呆然とマーシャから老婆へと視線を移した。

「人間のすることじゃないわ」マーシャは体を震わせた。「とても信じられない！　なんの罪もない、ひときわ神経質なだけの若い女性たちが、悪魔に取り憑かれていると思いこまされていたのよ……実際は、残酷で意地の悪い人にひたすら苦しめられてきただけなのに――それも、小さなものを浮揚させる超自然的な力を使ってね。

　おそらくいつの日か、だれもがその力を理解して操れるようになるでしょう。

「この人はその力を弄んだ！　メイソン家の人たちを震えあがらせ、精神的に痛めつけてきた。ポルターガイストを利用して、自分勝手な気まぐれを楽しんでたってわけ……今夜ロリーが食べたがったあの桃のブランデー漬けみたいに。宝石をはめこんだブローチだって、わたしはあの子にあげようとしてたのに、この人が盗んだのよ。ロリーにものを投げつけていじめてたのだって、あの子を守れない苦しみをあなたやレニーに味わわせるため……ひどいわ！　なんて狡猾で腹黒いのかしら！　三人もの無力な若い女性が――」

　マーシャは激しい憤りにかられて老婆へむきなおった。


　老婆はしゃがんでドアに体を預けたまま、薄笑いを浮かべていた。ぎらつく目をマーシャからレニー、ヴィクターの呆然とした顔へむけていった。そして突然、狂気じみた大声で笑った。

「ああ、そうとも！」耳障りな声で叫んだ。「お前たちみんな馬鹿じゃないか！　あたしゃこの家で好きなようにやってきた、それもこれもお前たちに蔑まれてきたからさ！　ポルターガイスト！　悪魔！　ヒッヒッヒッ！……」

　突然、その目が飛びださんばかりにかっと見開かれ、老婆は喘ぎながら喉をかきむしった。そして息がつまるような音を発すると、怖しい顔をしてずるずると床にくずおれた。そのさまに引きよせられるかのように、ヴィクターは大股で近づくと、かたわらに膝をつき、脈をとった。だが、すぐに立ちあがり、首を横に振った。

「死んでる」ヴィクターは小さな声でいった。「心臓発作だ。それにしても……信じられない！」困惑した顔でマーシャを見た。「この間抜けな婆さんが！　何年もずっと？」

　それからいかにも憎々しげに、老婆のショールをその鬼のような死に顔にかけると、それきり視線をやることはなかった。

　マーシャは肩をすくめた。「この人は間抜けなんかじゃなかった。恐ろしく頭が切れたのよ。ああ、大叔母さんと叔母さんが本当に気の毒だわ！　それにロリーも！　もしだれかが気づいてさえいれば！」

　けれどそこで口をつぐんだ。いつの間にか部屋を抜けだしていたレニーが戻ってきたからだ。あの子鹿のような目をした姉の手を引いて。もう一方の手にはマーシャの財布を持っていた。それをレニーは、幼い顔をくしゃくしゃにして、必死に涙をこらえながら突きだした。マーシャはやさしく微笑み、そこから老婆が隠していたブローチを取りだして、そっとロリーの手に握らせた。

　ロリーは喜びのあまり息を呑んだ。「あたしに？　ほんとにもらっていいの？　わあ、ねえ、見て、お兄ちゃん！　ほら、レニーも！　きれいな宝石がたくさん――これ全部、あたしの……うっ！」

　一瞬痛みに顔がゆがみ、ロリーはさっと手を引っこめた。前腕に沿ってまた、四本の真っ赤なみみず腫れができている。レニーとヴィクターは恐る恐る見つめた。けれどマーシャは首を横に振りながら笑みを浮かべ、少女を包みこむように腕を回した。

「怖がらなくて大丈夫よ」マーシャはおだやかに声をかけた。「ポルターガイストは死んだの。もうあなたを傷つけたりしないわ……これはただの出血斑よ」それからヴィクターに小声で告げた。「単なる神経性の反射にすぎないわ。かわいそうに。

「この子を年齢に見あった精神状態に戻すには相当時間がかかるでしょう。だけど……それはあなたがしてあげないと、メイソン先生。あなたも、これを機に人生をやりなおして。お酒はやめて、田舎で開業してもいいんじゃない。レニーは学校へいかなくちゃね。ロリーも、体調がよくなったらね。この古いすてきな館から暗い影は消え去ったの。もう隠れて暮らす必要はないのよ」

　ヴィクター・メイソンが顔をあげた。絶望に淀んでいた目は、今は澄んで生気に満ち、あふれんばかりの希望と深い感謝の念を浮かべ……なにかを告げようとしていた。それに気づいたマーシャは慌てて、自分を見あげるロリーの顔へと視線をむけた。やがてきこえてきたのは、長身の医師のやさしい笑い声だった。それはまさに、前むきに生きようとする人の――陽光降り注ぐ部屋で、長く恐ろしい悪夢から目覚めたひとりの男の声だった。

怪奇な話再び

藤元直樹

■大泉《おおいずみ》黒石《こくせき》／山宮《さんぐう》允《まこと》

まず、〈大阪朝日新聞〉一九二八年一〇月二一日に掲載された「近ごろ興味をもつて読んだ本・その感想」というアンケートに大泉黒石[※1]が寄せた回答を紹介しよう。

「近ごろ読みました舶来本のなかから、とくに平生から道楽とするところの怪談物ばかりを三つほど列挙いたしますと“Not At Night”（夜読むべからず）“More Not At Night”（夜読むべからず続巻）“You Need Night Light”（燈火が要るぞ）僅かの間に五万部だか十万部だかを売りつくしたといふので、一体どんなものかといふ好奇心から求めました…」

黒石が挙げたのは、《ノット・アット・ナイト》シリーズとして知られる〈ウィアード・テールズ〉掲載作を中心に編まれたアンソロジーの最初の三冊である。このアンソロジーは、日本でも同時代的に広く読まれ、ここから、幾篇もの翻訳、翻案が生れている。

それら、今日の規範からすれば奔放すぎるとも見える創意が加えられた物を含め、当時の日本で読まれた怪奇な話《ウィアード・テールズ》を集めたのが、筆者も名を連ねさせていただいた会津信吾編纂のアンソロジー『怪樹の腕』（東京創元社　二〇一三年）である。

同書で、戦前における〈ウィアード・テールズ〉受容の広がりを出来得る限り辿ったつもりであったが、勿論、完璧は求むべくもない。

昭和初期に〈英語と英文学〉という語学雑誌があった。その一九二九年七月号に編集部から識者に宛てられた「暑中休暇中の英書英雑誌の御推薦を」というアンケートがあり、そこに当時、新設された府立高等学校の教員であった山宮允[※2]は「C.C. Thomson: Not at NightやA.Machenの怪奇小説等夏の読物として面白かるべし…」という回答を寄せていた。

夏といえば怪談という、単純な連想からの推薦で、入手可能性については深く考えられていなかったとも考えられるが、本国まで注文しなければならなかったとすると到底、夏の読書には間に合わない訳で、東京であれば探せば見つからなくはない程度には流通していたことが示唆されているようにも思われる。

同じ時期に斎藤昌三[※3]の発行していた書物趣味雑誌の〈愛書趣味〉には広谷市蔵の「書名つれづれ」なる一文が寄せられており、次の様に、その題名が賞賛されている。

「澤山ありさうでないものは、気のきいた書名である。短篇集の命名は、その創作の中で最も作者の得意とし、特徴ありと自信する創作の標題を書名とすること、普通に行はれる方法であるが、その作物を貫流する一種の気分を採つて、書名とする場合も少くない。C.C.Thomson の編撰になるNot at night は後者に属する秀抜な命名法であるこれは陰惨、怪奇、凄涼な説話を十五篇集めた舶来怪談集である。Not at night（夜、読むべからず）とは何んと素破らしく魅力のある書名ではないか。元来、この本は今から四年前（一九二五年）に刊行されたのだが、この気のきいた書名が大いに当つたらしく編者はその翌年の二六年には More not at night を出し、昨年は少し目先きを変へて You'll need a night light を続刊してゐる。この叢書はうす気味の悪い包紙（Elizabeth Pyke筆）にくるまつてゐて、この包紙の嶄新な絵が、これをかくまで有名にした効の幾分かを持つてゐるだらうとも思ふ。がともかくも怪談集に「夜、読むべからす」はピリリツと来る命名である。」（第四年第二号・一九二九年三月）

この広谷についてはよくわかっていないが、〈書物展望〉一九三二年五月号に「カールツアイズに勤務されて居るが、大の装釘研究家」と紹介されており、当時の熱心に書物を蒐集していた愛書家の一人のようだ。

黒石の回答の後半も紹介しておこう。

「体裁は今はやりのアメリカ式赤本です、「最も興味をもつて読んだ」と申すわけではありません、「海外における怪談の新傾向」を知りたいと思つたからですが、大したものではありません、やはり「科学的怪談」と「動物怪談」に二大別され得るものです。しかし日本のそれよりは面白い。」

このように黒石は作品については、あまり高く評価していない。黒石にも幾つか翻案作があるが、《ノット・アット・ナイト》経由のものが見えないのはそのためであろうか。ただ一九二九年の『趣怪綺談　灯を

Not at Night（1925）

消すな』（大阪屋号書店）の題名は、その影響下に成ったものと見て良さそうだ。

（編集部注）

1　大泉黒石　一八九三?九四?―一九五七　小説家、ロシア文学者。主著に『老子』『人間開業』『露西亜文学史』。「黄夫人の手」など怪奇小説も手がけている。

2　山宮允　一八九〇―一九六七　詩人、英文学者。主著に『詩文研究』。日本詩人クラブ発起人の一人。イェイツ、ブレイクの翻訳で知られる。

3　斎藤昌三　一八八七―一九六一　古書研究家。発禁本の蒐集で知られる。主著に『少雨荘書物随筆』。伝記に川村伸秀『斎藤昌三　書痴の肖像』がある。

■〈グロテスク〉

このように《ノット・アット・ナイト》が日本で広く受容されていたことから、『怪樹の腕』に収録あるいは、そこで言及した以外にも多くの翻訳・翻案が存在する可能性が想起されよう。

今日、容易く手に取ることが困難な諸作を集めたことで、オリジナルな作品と目されていた作品の祖型が〈ウィアード・テールズ〉にあったことに気付いたという報告が寄せられることを期待していたのであるが、寡聞にしてそのような声は伝わって来ていない。現状は会津信吾氏との間で内ゲバならぬ、内マウント合戦状態である。

当方が見出したのは〈グロテスク〉一九二九年四月号に掲載されたフランクリン・ミラー作・田山石馬訳「彼の一家」"His Family"で、これは一冊目の*Not at Night*収録作でコンゴの奥地に隠れ住む男の狂気を描く一篇。大関花子訳「国境監視兵」と妹尾アキ夫訳「黒いカーテン」が知られ、『怪樹の腕』には後者を採っている。

梅原北明の文芸市場社から刊行されていた〈グロテスク〉は古書肆の店頭でもしばしば見かける著名な雑誌であり、既に先人が目を通し盡したものと思い込んで通覧の努力を怠り、『怪樹の腕』刊行後、古書展で何気なく開いたその目次にミラーの名前を見つけ、不明を恥じることとなった。

〈グロテスク〉は、押収により一般には出回らなかった号を含め、ゆまに書房から復刻版が刊行され、その全体を俯瞰できるようになっている。

訳者の田山石馬は、一九二九年二月号に「英国著聞大兇列伝」"Lives of the most remarkable criminals"を訳載している他、幻の号となっていた同年六月号にアムブロオズ・ビアス作品を二点（「豹の目」"The Eyes of the Panther"「畜生奴」"The Damned Thing"）訳している。また、未見だが〈デカメロン〉に「古代建築贅澤物語」（一九三一年一二月号）「古代珍像オン・パレード」（一九三二年一月号）を掲載しているという。

なお、「彼の一家」は、〈読売新聞〉に打たれた広告では訳者名が山田久伍となっており、これが本名であろうか（一九二九年一月号には同名義訳の「いんごるずびい伝説」“The Ingoldsby Legends”が存在し、復刻版に資料として拾われている当時の案内リーフには「新進篤学の英文学研究家」と記されている）。

読売の広告に見える「彼の一家」の惹句を引いておく。

「人跡絶へたアラビヤの森林地帯の怪しの一家。そこに住む軍人上りの白人と、彼の犯してきた罪悪と、そして彼の吐く呪咀とはそこにどんな関係があつたか！　怪気充満せる短篇小説。」

You'll Need a Night - Light（1927）

新たに見出された翻訳ということだけで、取り立てて付け加える挿話はない。

■甲賀三郎

一方、会津信吾氏が見出されたのは甲賀三郎による翻案が、『怪樹の腕』に収録した「離魂術」に留まっていなかったということであった。本来ならば会津氏御本人から詳細な分析とともにこの発見を語っていただくべきところではあるが、折角の機会ということで、更なる探究への呼び水となることを祈念し、ここでそのあらましを記させていただく。

〈現代〉一九二九年八月号に掲載された甲賀三郎の「怪露人」は大関花子が「奇怪な殺人」として訳したホワイトヒルの“The Case Of The Russian Stevedore”であった。〈読売新聞〉掲載の広告に「満天下を驚嘆させた博士惨殺事件！一読！手に汗にぎる。」とあるこの作品は、『怪樹の腕』には舞台を日本に移した辺見素雄による翻案「河岸の怪人」を採っている。甲賀版もまた博士の名を又木雄貞とし八王子に隠棲させた翻案であるが、「離魂術」とは異なり、特段の創意は加えられていない。

そして、もう一点。〈雄弁〉一九三〇年八月号に出た「毒蛇」。これは、ノット・アット・ナイト・シリーズの三冊目 *You'll Need A Night Light* に収録されたポンダーの“His Wife”であった。同作は、イヴニング・スター社から終戦直後の一九四七年に出た薄風之介の怪奇小説集『木乃伊の妻』に表題作として翻案されていることが知られていたもの。

例外的に〈ウィアード・テールズ〉外から同シリーズに採られた作品の一つだが、物語に「離魂術」とはまた別種の補完がなされている。

昨今の異世界転移小説では、旧来の物とは異なり、現実世界への帰還が重視されているものは多くない。従来であれば、こちらに戻った人物が語ったという形式が採用できたわけだが、行ったきりの異界の物語は我々にどうやって伝達されるのか。大抵の場合、そうした点が説明されることはない。今日の読者は、その点に疑問を抱く事なく物語を楽しめるまで馴化されてしまったともいえる。

ところが甲賀は「離魂」によって世界から切り離された男の言葉を此岸につなぐ回路として原作にない霊媒師を登場させるというアクロバティックな手段でその問題を解決してみせる。

そして、偶々主人公が、財貨を抱えた謎の老人の元に誘い込まれて危難に遭う「毒蛇」では、普通の物語＝原作では無視される、「偶々」と「財貨を抱え」ている点に、因縁を物語に組み込むという処置を施す。偶然性や無名性という一般的に近代都市生活の表象として読解される諸要素に補綴を加えてしまう心性に、甲賀の保守性を見るべきであろうか。

ともかく、こうしたロジカルな手当てという営為の積み重ねは、小説という表現形式自体に及んでメタフィクション的な構想に繋がっていきそうなものである。甲賀に、そうした実作の存在が聞かれないことは、時代的な制約によるものか、あるいは早世が可能性を奪ったということか。

毒蛇を操って攻撃する、現地人の信仰する像に秘められた財宝を盗み出し、その復讐者に追われるといった本来の原作に無く付加された要素にも典拠となる別のパルプ小説が存在していそうだ。

二〇二〇年、新青年研究会がその会誌〈新青年趣味〉で甲賀三郎を特集しているが、甲賀のこうした海外作品の翻案行為についてはほとんど目が向けられていない。

会津信吾氏に教えられた口なので、偉そうなことは言えないのであるが、同特集で甲賀の創作として紹介されている「妖怪博士」（〈講談倶楽部〉一九三八年七月増刊号。単行本収録時「音と幻想」と改題）は近年『骨董屋探偵の事件簿』（創元推理文庫）での新訳があった「ギリシャの間の悲劇」（戦前訳に緑川勝の「博物館殺人事件」〈ぷろふいる〉一九三四年一月号がある）、「多気博士」〈雄弁〉一九四〇年七月号は同じ創元推理文庫の『怪奇小説傑作集』に収録されている「チェリアピン」（戦前訳として〈新青年〉一九四〇年新春増刊号の志摩達夫「黒い彌撒」が知られる）と、どちらも筋立て自体は、ほぼ原作通りのサックス・ローマー作品の翻案である。

筆者も寺田鼎についての小伝（〈映画論叢〉三四号、二〇一三年一一月）を記した際に、明治以来のローマー受容史を紛れ込ませたものの（そう、ローマーの筆名が使用される以前の明治期から日本に紹介されているのである）、甲賀については全くのノーマークで、後者についてのみ会津氏の指摘が辛うじて間に合って言及しているのだが、甲賀三郎読者にまで伝わることはなかったようだ。

先頃、北原尚彦氏により甲賀の『池水荘綺譚』が、フレッド・M・ホワイトの *The Scales of Justice; or, Secret of the Moat House* (1908)の翻案であることが指摘されており、典拠作の存在可能性を念頭に、個々のテクストを再検証することが今後の甲賀三郎研究には求められよう。

■モーリス・ルヴェル

さて『怪樹の腕』編集時には、〈ウィアード・テールズ〉経由で英米以外の作品が入って来ている可能性を検討することが出来ていなかったが、会津氏は、フランス作家モーリス・ルヴェルの戦前日本で紹介の模様を検討していく中で、同誌経由と見るべき事例があることに気付かされたという。以下、会津氏の示唆に従ってその模様を見てみたい。

ルヴェル邦訳の第一人者たる田中早苗は、勿論フランス語からの翻訳も行っているが、最初にその作品世界に触れたのは英訳短編集 *Crises* であったとしており、日本に紹介されたその作品の多くは英訳に拠ったものである。

田中が一九二八年、春陽堂から作品集『夜鳥』を刊行したことで一段落した後、散発的なものとなったルヴェル紹介の中に、西田政治による、〈ぷろふいる〉一九三三年八月号の「医師の場合」、〈新青年〉一九三七年一一月増刊号の「旅行鞄」がある。後者は *Mystery* 一九三四年九月号掲載の"Thirty Hours with a Corpse"に拠ったものとみて間違いない。これは同じ号に掲載されたエラリー・クイーンの"Four Men Loved a Woman"が〈ぷろふいる〉一九三五年一月号に西田訳「恋愛四人男」として載り、「旅行鞄」も元々〈ぷろふいる〉での掲載が予告されていたことによる。

そして、「医師の場合」“Le Regard”は、英訳として確認できるものが〈ウィアード・テールズ〉一九三三年三月号に掲載された“The Look”に限られていることから、西田が当該号を手に入れていたという見立ては極めて確度が高いだろう。

また、〈探偵小説〉一九三二年六月号に訳者名無しで掲載されている「老いたる不具者」は田中早苗が既に訳している“La nuit et le silence”だが、英訳に基づくものと見られることからすれば、〈ウィアード・テールズ〉同年二月号の“Night and Silence”がその元になっていると考えられるのである。

Weird Tales 1933年3月号

＊

戦前作品、特にジャンル・フィクションと目されるミステリー、ＳＦ、幻想といった分野については、欧米作品を受容した上での、あるいは換骨奪胎した形の創作が少なくないだろう。

近年、アカデミズムでこうしたジャンル・フィクションが取り上げられる機会も増えているが、典拠作の存在に辿り着けず、砂上に楼閣を築いた論考を出現させてしまいがちではないかと危惧することは杞憂であろうか。

Life finds a way. そして、様々なミームと呼ばれる文化的情報も、意外な形で伝播し影響を与え合っている。

『怪樹の腕』は欧米作品受容の広がりとヴァリエーションをウィアード・テールズに絞って追う試みでもあった。

こうした取り組みがより多くの対象について積み重ねられ、文化交流のダイナミズムが明らかにされていくことを期待して、この小文を終えさせていただく。

『怪樹の腕〈ウィアード・テールズ〉戦前邦訳傑作選』　会津信吾・藤元直樹編　東京創元社　二〇一三

〈目次〉

はじめに

「深夜の自動車」アーチー・ビンズ　妹尾韶夫訳

「第三の拇《ぼ》指紋」モーティマー・リヴィタン　延原謙訳

「寄生手《きせいしゅ》——バーンストラム博士の日記——」R・アンソニー　栄訳

「蝙蝠鐘楼《こうもりしょうろう》」オーガスト・ダーレス　妹尾アキ夫訳

「漂流者の手記」フランク・ベルナップ・ロング　訳者不明

「白手《しろて》の黒奴《くろんぼ》」エリ・コルター　訳者不明

「離魂術《りこんじゅつ》」ポール・S・パワーズ　甲賀三郎翻案

「納骨堂に」ヴィクター・ローワン　大関花子訳

「悪魔の床《とこ》」ジェラルド・ディーン　大関花子訳

「片手片足の無い骸骨」H・トムソン・リッチ　大関花子訳

「死霊」ラウル・ルノアール　安田専一訳

「河岸《かし》の怪人」ヘンリー・W・ホワイトヒル　辺見素雄翻案

「足枷の花嫁」スチュワート・ヴァン・ダー・ヴィア　内海雄翻案

「蟹人《かにおとこ》」ロメオ・プール　大川清一郎翻案

「死人の唇」W・J・スタンパー　訳者不明

「博士《はくし》を拾ふ」シーウェル・ピースリー・ライト　大川清一郎翻案

「アフリカの恐怖」W・チズウェル・コリンズ　小幡昌甫翻案

「洞窟の妖魔」パウル・S・パワーズ　小幡昌甫翻案

「怪樹《かいじゅ》の腕」R・G・マクレディ　小幡昌甫翻案

「執念」H・トンプソン・リッチ　妹尾アキ夫訳

「黒いカーテン」C・フランクリン・ミラー　妹尾アキ夫訳

「成層圏の秘密」ラルフ・ミルン・ファーリー　妹尾アキ夫訳

パルプマガジンと日本人　会津信吾

怪奇な話——ウィアード・テールズ　藤元直樹

Short Short Stories

25セントのホラー・ショウ

井上雅彦

「不気味《ウィアード》なものを見たくないかい？」

そいつの誘いっぷりは、実に慣れたものだった。

「……正真正銘の悪夢をね」

お目にかかるのははじめてだったが、アーヴのことは、学校中の噂になっていた。ホラーショウを見せる転校生。その存在自体が、ただの噂話、都市伝説の類だろうと、僕は思っていたほどだ。たとえば、旧校舎二階の奥から二番目のトイレ個室に出るというびしょ濡れの少女のように。あるいは、出遭ってその顔を見てしまったら最後、自分の生死に関わるというドッペルゲンガーのように……。そんな奴にこうして自分に直接声がかかるというのも、なにかの〈兆し〉ではないだろうか、などと勘ぐりたくなるほどだ。

「今日の放課後、裏門の天使像の前で……」

声の潜め方まで堂に入っている。

まるで本職だ。前に父親と一緒に隣町で深夜を明かしたとき、声をかけてきた白タク《ジプシー・キャブ》の運転手の喋り方さえ彷彿とさせる。見た目はそれほどラフな感じはしないし、むしろ執事のような身のこなし方さえ感じさせるほどなのに、アーヴにはなにかそういう背景——非合法なしがらみでも持っているのだろうか。

とはいえ、放課後の「ホラーショウ」じたいは、うちの学校ではそんなに珍しいものでもない。たいていは、できの悪いガキ大将が入場料を取って、できの悪い子分

UNITED STATES OF AMERICA
LIBERTY
IN GOD WE TRUST
QUARTER DOLLAR

画：藤原ヨウコウ

にゲジゲジやミミズを食べさせるのを見物させたり、野生動物の腐乱した死骸のある場所へ案内したりと実にくだらないものが多い。しかし――あくまでも噂によると――夏の初めに転校してきたアーヴの見せる「ショウ」というのは、そんなものとは一線を画すものらしい。それは、なにやら、想像を絶するものだという。興味津々でそれを見に行った女子（興味の対象は小綺麗な顔をしたアーヴ本人にあったのかもしれないが）が恐怖にかられ、夜になってから自宅で痙攣発作を起こしたとか、注意を促すためついていった新人教師がその場で失神してまだ休職中なのだとか――後者はいくらなんでも尾鰭の類いだろうが――すでに伝説となっている。

　でも、それだけ有名な「伝説」になっているのなら、その「ショウ」が、いったい何を観せてくれるのかという情報がもう少し漏れ聞こえてもよさそうなものだ。しかし、具体的な内容となると、なんのハナシも入ってこない。だから、都市伝説の類なのかもしれないし、よほど、強い「箝口令」が敷かれているのかもしれない。意外と、口にするのもばかばかしいものかもしれないが、あるいは……本当に、観たことを脳が記憶領域から消去するほどの怖ろしいものなのかもしれなかった。

　確かにアーヴの誘い文句を聞いただけで、できの悪いガキ大将のものとは雲泥の差が感じられた。あれは巡回カーニヴァルの呼び込みだ。蒸気オルガンの音色とともに、刺青男や鵞鳥女や内臓の繋がった双生児の小屋の前で客を呼び込む、あの誘い文句だ。

　そして、その効果は確かにあったようだ。

　裏門の天使像の前には、ちょっとした列ができていた。その雰囲気もいつぞやの「白タク」の風景に似ていた。

「お代は先払い。クウォーター一枚だ」

　料金の呈示も、アーヴは堂に入っていた。「25セントだよ」

「高けえだろ。今どき、コミックスだって、10セントだ」

　列の先頭でアイスクリームの食い過ぎのようなデブが甲高い声をあげた。「大人向きの〈血まみれ《ブラッディ》パルプ〉でもな」

　いる、いる。こういう客は、白タクでも。プロ相手に価格交渉を切り出す愚か者だ。たいてい凄まれ、運が悪ければプライドのみならず、肉体的な痛みまで伴って、有り金すべてはたくことになるような奴だ。しかし、アーヴはそんな相手にも酷いやり方はしなかった。

「まあ、10セントのパルプ雑誌で怖がってるようなお子様には、これから先、ボクが案内して見せてあげようってものには、耐えられないかもな。25セントというのは、この時代に最も怪奇に飢えた作家たちが書き継いできたパルプ雑誌一冊分と同じ値段なのさ。これからお目にかけるのは、大人の鑑賞に堪えるような代物だからね」

その雑誌なら僕も知っている、と言いたくなったが、我慢した。

「少しだけ負けてくれない？」

その後ろから、図体のでかい一人が、大きなズタ袋を見せながら、「餌をもってきたんだけれど」

アーヴの目がきらりと光った。

「ああ、君は二度目だったね」

いささか驚いた。馴染み客《リピーター》もいるのか。

「餌の状態は？」

「元気なものだぜ。ほら」

袋は内部からふがふが動きながら、柔らかな声でニャーニャーと啼いていた。

「ふうむ。なら、15セントだけ貰っておこうかな」

アーヴは言った。「……もっとも今日は……わざわざ餌を用意する必要はないかもしれないんだけどね」

よくわからないやりとりだったが、少しだけ首筋がうそ寒くなった。

他の客達は――僕を含めて――そして最初のデブも――素直に見料を支払った。

合計1ドル40セントになったのだろう。

客は全部で六人。

他の客といえば、舞踏会《プロム》と間違えて参加したのかと思うような男女ひと組。

あとのひとりは、女。かなり美人ではないかという気がしたが、なんの根拠も無かった。帽子が目元を隠しているだけではなく、大きなマスクをかけているからだ。

「それでは、出発」

アーヴが言った。「ボクの天幕へようこそ」

天幕というのは、笑えない洒落だ。僕らが潜らされたのは、ねじ曲げられた鉄条網の隙間で、中は鬱蒼とした森である。学校の裏門から遠くないところに、こういう場所があることは知っていた。どこぞの私有地なのか、破産にした工場の跡地なのか、打ち捨てられた州立公園の一角なのかすら、よくわからない。

草食恐竜の昼飯になりそうな羊歯《しだ》植物の合間を縫って、曲がりくねった道無き道を、七人は進んだ。命知らずの秘境探検に行く気分だ。怖いわ。はぐれたら、もう帰れないわね。甘やかな声を出しながらパートナーのたくましい腕に捕まるプロム・クイーンの言うことももっともだと思った。目的地になにがあるのか知らないが、馴染み客からアーヴが何度も金が取れるのは、こみいった迷路の道案内ができるからだろう。

足下がぬかるんでるね。——思わず声に出したことを、実は僕自身が信じられなかった。気をつけて。帽子の女に向けて、話しかけていたのだ。

ありがとう。マスク越しの小さな声で女が答えた。でも、ここを抜ければ、歩きやすくなるから。そう応えが返ってきたので、いささか驚いた。この娘も馴染み客だったのか。

「なにがあるんだい？」

僕は訊いた。「いったい、この先には、なにが？」

その解答が、特に聞きたかったわけじゃない。先のことがわかっていたら、ゾクゾクしながら〈天幕〉の前で待つ意味がない。たぶん、僕は、この女と話したかったんだろう。とはいっても、目の前でいちゃついてる男女二人に刺激されたからってわけではない。わざわざ女一人でこんなところまで来る彼女に、僕は強い興味を惹かれたからに違いない。

「君は、前にも見てるんだろう？」

「ええ……」

彼女は答えようとした。「それは——」

肝心なところで、邪魔が入った。

「うえー。この臭《にお》い」

列の前を歩いているデブが甲高い声をあげた。「知ってるぞ。これ、嗅いだことある」

確かに、そうだ。理科室で嗅いだことのあるような臭い。鼻を突くような化学薬品の臭気に似ている。

「これ、苛性ソーダの臭いだ！」

「それは違うだろう」

目の前で女連れの二枚目が言った。「苛性ソーダとは、水酸化ナトリウムのことだ。固形でも水溶液でも、無色無臭の筈だ」

まあ、あなたったら頭が良いのね、と腕を絡める恋人を見やりながら二枚目は、

「でも、確かに……水溶液がなにかを溶解する時には……ものによっては、こんな臭気が」

先頭の足取りが止まった。

と同時に歓声があがった。僕は合点が行かず、思わず帽子の彼女のほうを見た。

彼女は背筋を伸ばして、前方を見ていた。僕は、その時、はじめて帽子の下の彼女の顔を——マスクと帽子の合間の僅かな隙間に覗く、彼女の目鼻立ちを見た。

白く肌理《きめ》の細やかな肌と黒目がちな瞳は、僕に奇妙な感動を抱かせた。だが、彼女の視線——どこかうっとりとしたような表情で眺める彼女の視線の先が気になった。

その先を辿って、緑の繁みの彼方に目を馳せて、見えてきたものに、僕は衝撃を受けた。

オーロラだ。七色に変化する極彩色の光をぎらぎらと放ちながら、波打つオーロラ。

いや――オーロラは空に見えるものの筈だ。

あれは、大地を這っている。極彩色の波となり、視界を横切り、森を浸蝕しながら。

湖……なのか……。

僕は呆然とした。あれは巨大な湖だ。湖面全体がオーロラめいた輝きを放ち、ぎらぎら色を変えているのだ。底のほうからごぼごぼと泡を吐いているところを見ると、湖というよりも、沼というべきだろうか。

「餌をやろうよ」

ずた袋を持った男子が言った。袋の中からニャーニャー啼く声が大きくなる。

「これを喰うところを見よう」

沼だか湖だかに喰わせるという意味か。あの蠢いている液体は、それ自身が生物だとでもいうのか？　それとも、このなかになにかがいるというのか？

「待て！」

アーヴが鋭い声で命じた。「やはり、餌は必要ない！　それより、隠れろ！」

「え？」

「黙って、隠れろ！　特別なショウが見られるぞ！」

僕らは従った。叢《くさむら》に身を投じるとすぐに、足音がした。葬式のように黒い服に身を包んだいかつい男たちが三人やってきたのだ。先頭のひとりは手ぶらだったが、あとの二人はひとつの大きなズタ袋を協力して運んでいた。男子の持ったズタ袋より何倍も大きい。人間一人ぶんは充分入るだろう。

「今日は、やけに、泡を吹いてやがるな」

一人が言った。「ぎらつく光も強いじゃねえか」

「しばらく来なかったからな。腹を減らしているのかな」

「ご馳走とは言えねえがな。なにしろ、食えねえ野郎だったから――おっと気をつけろ」

瞬間――ズタ袋が破れて、袋から中身がまろび出た。地面に落ちたそれは、顔の腫れ上がった大男だ。

「ツラは見たくなかったが、しかたがねえ」

先頭の男が口髭をゆがめて、言った。「チャチャッと済ましちまおうぜ」

二人がかりで持ちあげた死体を、ひのふのみ、で湖に投げ込んだ。

叢の中から息をつめて見ていた僕らは全員、歯の根までがたがたと震えていたと思う。

　オーロラ色に輝く湖面に落とされた死体は、じゅうじゅうと熱した油の中のベーコンみたいな音を立て、細かい泡の中で溶け始めた。七色の光が強くなった。まるで、光が死体を溶かしているかのようだ。男の顔の肉は物凄い色に爆ぜながら四散し、蠟細工のような頭蓋骨が剥き出しになった。まるで生きてるかのように、顎がパクパクと動いた。

「あれに溶かせないものはないの」

　隣で帽子の娘が呟いたので、僕は仰天した。

「形あるものを完全に溶解する。生命は本来の姿にまで還元され……」

　やめろ。僕は彼女の口を手で塞いだ。あいつらに気づかれたら。だが、遅かった。

「誰だ！　そこに隠れているのは」

　黒衣の男が鋭く叫んでいた。素速い動きで胸元から出した銃を構えている。他の二人もだ。犯罪のプロが目撃者を許す筈はない。「出てきやがれ。俺たちの仕事を見た者は——」

　その先を続けることが出来なかった。

　絹を裂くような悲鳴というやつが、男の喉から漏れたのだ。振り返った先頭の男も、それを見て同じような声をあげた。全身を溶かされ骸骨になりかけた屍体が、いつのまにかぎらつく湖水から抜け出して、噛み破ったばかりの男の喉から肉を啜《すす》っていた。残りの二人が銃を撃ったが、生ける屍体の軀からは極彩色の粘液が飛び散るばかり。近寄る屍体の前でひとりが足を滑らせた。いや、オーロラ色の波に掬われたのだ。波に触れた男の半身がどろどろと溶け、いや、溶けながらアメーバのように変形していく。触手だらけの化け物のような姿と化した自分の半身に浸蝕されていく人間の残骸。

　うわああ！　叢からは、我慢しきれなくなった者たちの絶叫が聞こえた。不気味《ウィアード》どころじゃない。ドン引き《ウィアード・アウト》だ。

　一斉に飛び出した。もちろん、僕らもだ。帽子の少女の手を取って、逃げ出した。オーロラ色の波から、さまざまな奇妙なものたちが飛び出して、追ってくる。ぬめぬめとした、蛇とナメクジを合わせたようなもの。バタバタと翼をはためかせる両棲類のようなもの。無数の脚とでかい鋏を持つ毒虫のようなもの……。

　足がなにかを蹴飛ばした。口髭を生やした三人目の男の食いちぎられた首だった。

「あれは……なんなんだ？」

　彼女に答を期待していたわけじゃない。「あのオーロラみたいな液体は？」

「パルプの墓場」

少女は答えた。「いいえ、パルプの揺りかごかも知れない」

「パルプって？」

僕は聞きかえした。「そうか、木材パルプか。紙を作るには、木材を薬品に漬けるんだよね。そうだ、確か、苛性ソーダ……」

聞きかじったことを口走りながら、さっきの惨劇とはまるで無関係な知識に思えた。

「父は、完全な溶解液を作るつもりだったの」

少女は話し始めた。「自分のパルプ工場で使う溶液だけでは飽き足らずに……。ありえない筈のものだった。形あるものを完全に溶解する液体。しかも、生命は、本来の姿にまで還元され、溶け合い、永遠に……そんなものができた理由はひとつだけ。ある出来事をきっかけに、溶液《あれ》は、物語を得てしまったから」

「なんだって？」

「確得してしまったのよ。とてつもない魔法を」

彼女はうわごとのように話し続けた。

「幼い頃の私は、父に溺愛されて、なんでも買って貰っていた。だから――うちには大量の本があったの……。本……それも、一冊25セントのパルプ・マガジンが」

「え？」

「父の一番の間違いは、私の本棚にあったあのパルプ・マガジンを、のこらず、あの液体に与えてしまったこと。……一九二三年三月の創刊号から、一九五四年九月の終刊号まで」

「え？　え？」

頭を殴られたような気がした。知ってる。一冊25セントのパルプ・マガジン。それを大量に集めていた女の子。大金持ちのお屋敷に住んでいた幼馴染み。身体が弱くて、物語《フィクション》の中で体験する旅がすべてだったような女の子。作り話《フィクション》が大好きだった少女。その名前は――。

呆然として、彼女を見据えた。

「君は――リリイだね？」

「思い出してくれたのね」

その声に、その仕草に、その瞳に、僕は感動していた。目深に帽子を被り、マスクまでして顔を隠していても、なぜか気になっていたのは、それがリリイだったからなのだ。

「まさか――こんなところで会えるとは」

あたりは静かになっていた。

遠くで時折、オーロラの光が稲妻のように輝いた。

「……逃げ切れるだろうか……」

彼女の手が、僕の手の中で震えた。

僕は彼女を抱き寄せた。震える身体を抱きしめた。

「もう、離さない」

なにもかも思い出した。幼馴染みの記憶。

大きなお屋敷の本棚一杯のパルプ・マガジン。そして、執事。あの老人の名前はなんだったか……確か……。

「……あなたを……探していたの……だから、アーヴに頼んで」

　そうだ。なぜ、彼女のことを忘れていたのだろう。家が遠くなった幼馴染み。噂が彼を遠ざけたのだ。彼女は病気になった。もう、治らない。そして……。

「悪い冗談ばかりだ……君が死んだなんて……」

　彼女の身体を抱きしめる。その感触が妙に感じた。どろどろとしたパルプのような、奇妙な手触り……。

「私は、ここにいるわ」

　彼女の唇が、僕の唇に重ねられた。

　溶岩のように熱いワインのようなものが僕の胸の中に流れ込み、もうこれで、僕はひとりじゃないんだという満ち足りた想いがこみあげる。同時に、無数の物語《フィクション》が頭の中を去来する。

　脳裏に浮かぶ風景。原始の海のように静かな液体。そこに投げ込まれ、溶けてゆく極彩色の物語《フィクション》たち。液体の外側では、目を泣きはらした父親が、美しい少女の身体を抱きしめて、そして投げ込んだ。白魚のような肉体が、緑の藻のような髪が、物語の海に抱きしめられた。その瞬間——稲妻が走ったように、光が照らされた。液体はオーロラのような意識を持った。

　僕の脳膜に映し出される光景は、それだけじゃない。甲高い声をあげるデブの顔。その身体は五倍ほどに膨れあがり、すでに極彩色のアイスクリームのように崩れ始めている。その雪崩のような身体にのしかかられて、恐怖に喘ぐ少年。手許には破れたズタ袋があり、そこから逃げ出したものたちが、ニャーニャーと啼きながら、四枚づつの翼手を羽ばたかせ、鋭い乱杭歯で少年の肉を狙っていた。離れた場所では、パルプ雑誌の表紙よろしく、裸体をのけぞらしたプロム・クイーンが、ゴリラのようにのしかかる毛むくじゃらの巨大蜘蛛から生えたハンサムな青年の顔に恍惚の眼差しを向けていた。

　こいつは誰の作り話《フィクション》だ？　僕は呆然と眺めながら、オーロラ色の水面から半身を出したアーブの顔を眺める。小ぎれいな少年の顔が老人の顔に変貌し、慇懃に頭を下げてから、どろどろと崩れていく。誰の物語だ？

　もちろん、すべての生命の。彼女は微笑んだ。私たち、みんなの物語。

Short Short Stories

降誕祭

深田 亨

『犬と日本人入るべからず』

昭和二十五年ごろでしょうか。小学四年生だった私は、幕末に居留地として開けた、海と山に囲まれた港町の、西のはずれに住んでいました。いまはもう八十歳を超えてしまったので、少年だった当時の記憶も曖昧になってきましたが、少しそのころの話をしたいと思うのです。

その辺りは、昭和のはじめに外国人専用の住宅地として開発された海の見える丘で、立ち並ぶ木立のあいだに瀟洒《しょうしゃ》な西洋風の家が見え隠れして、まことにエキゾチックな風景でした。

戦争前は周辺の日本人と、そこに住んでいる外国の人たちとは、いくばくかの交流があったようです。でも日本が世界から孤立し、戦争の気配が濃くなると、多くが母国に戻ったり退去させられたりして、もとからの住人はほとんどいなくなりました。

戦争に負けると、外国人住宅一帯は進駐軍に接収され、軍関係の家族の住居に充てられました。そのときからだと思います、最初にお話しした『犬と日本人入るべからず』という頑丈な木製の看板が、外国人住宅地の入口に立てられたのは。もちろん犬に文字が読めるわけがありません。日本人を野良犬と同等に見下した戦勝者の驕《おご》りなのです。

もっとも、子供の私はそんな事情なんて知る由もありません。四年生のクラスに外国人住宅の使用人の娘がいて、彼女の一家は、主人として仕える外国人の家の、敷地の一角に住んでいました。住み込み用として建てられたその家は、ご主人の暮らす母屋《おもや》に比べてずいぶん狭く、ガレージと同じぐらいの大きさでした。それでも私の家などよりはよほどこざっぱりしていて、大きな窓から明るい光が入っていました。

垣根や塀のほとんどない広い庭を持つ洋風の母屋にも、私と使用人の娘は比較的自由に入り込んでいました。

彼女と一緒に庭で遊んでいると、白人の奥様にジュースやケーキをご馳走になることもあり、外国の人はみんな優しいのに、どうしてあんな看板があるのだろうと、無邪気に思っていたものでした。

そんなふうに、お屋敷の庭には自由に出入りできた私たちですが、住宅地の中ほどにあるクラブハウスと呼ばれる集会場には近づいてはいけないと、使用人である彼女の親や白人の奥様から釘を刺されていました。そこは住宅地に住む人々がパーティやレクリエーションを楽しむ場所で、建物の横にはプールやテニスコートもあったのです。

でも、禁じられればなおのこと覗いてみたくなるのが子供というものです。ある日、私は使用人の娘を誘ってクラブハウスに忍び込みました。叱られるからと渋っていた彼女も、いざ実行するとなると、ちゃんと見つかりにくい場所に私を導きました。何度か親の手伝いで、パーティの準備をしたときに見当をつけていたそうなのです。

そこは厨房の横にある屋内倉庫のような小部屋で、クラブハウスの建物の裏側にあり、中からも外からも出入りできるようにドアが二つありました。集会やダンスをする広いホールに通じる内側のドアはロックされていたのですが、建物の外に出るドアに鍵は掛かっていませんでした。

つまり、芝刈り機や散水用のホースなどがしまわれているその部屋は、外から出入りできても、中には入れないようになっていたのです。そして、内側のドアの上に幅の狭い透明のガラスが嵌っていて、椅子をドアにくっつけてその上に乗ると、ホールの半分がなんとか見えるのでした。

私がクラブハウスに入りたいと思ったのは、禁止されているからというほかに、もう一つ理由がありました。その日、クラブハウスで映画会があると使用人の娘に聞いたからなのです。戦後、外国映画が次々と公開されていましたが、めったに映画館に連れていってもらうことのなかった私は、クラブハウスで上映される映画をどう

画：藤原ヨウコウ

しても見たくなったのです。

それは彼女も同じでした。私たちは映画が始まる頃合いを見計らって小部屋に入り込み、肩を寄せ合うようにして一つの椅子の上に立つと、窓のカーテンがすべて閉められて暗くなったホールを覗きました。

背をこちらに向けて、やや不規則に並べられた椅子に、住宅地に暮らす外国人の、おそらく大部分が腰掛けているようでした。その先には、部屋を横断するように大きなカーテンが張られていました。どうやらそれがスクリーンの代わりだったようです。

映画はすでに始まっていました。

ただ、映画の内容は、私が期待していた喜劇や西部劇ではありませんでした。

ストーリーは単純です。私や使用人の娘と同じぐらいの金髪少女が主人公です。夜、少女が家で家族といるところに数名の黒ずくめの強盗が押し入り、家族を惨殺します。ただ一人生き残った少女はその強盗団に攫《さら》われます。そして人気のない山奥の小屋に連れ去られるのです。

薄暗い小屋の中で、目隠しされた少女が男たちによって裸にされ、何とも奇妙な道具を身体のあちこちに装着され、粗末な寝台の上に手足を縛りつけられて仰向けに寝かされます。その周りに蠟燭やナイフや――なんと言えばいいのでしょうか、私は大工道具を連想したのですが、わけのわからないものが並べられます。少女の前に、目のところだけ穴が開いた頭巾をかぶった人物が進み出ます。そしてそれから――そこで繰り広げられた映像を、小学生の私には説明できる言葉を持っていませんでした。ただ、映画の終りには少女はばらばらにされ、身体の各部分が小屋の奥にある祭壇のようなところに祀られてしまうのでした。

大人になってから思い返すと、猟奇映画とでも言えばいいのでしょうか。おぞましい儀式、拷問、殺戮のオンパレードでした。しかも犠牲になるのは、私たちと同じ年ごろの、一人の可憐な金髪少女だったのです。

私は何度も目をつぶり、しかし誘惑に負けてまたスクリーンを凝視するということを繰り返しながら、最後まで見終わりました。

記憶では映画は白黒で無声だったはずなのですが、切り刻まれる少女の叫び声と血に染まった金髪が耳と目に焼き付いていました。もしかすると、少女が惨殺されるシーンだけ色付けしたいわゆるパートカラーで、そこだけ音声を入れていたのかもしれません。あるいは、あまりの衝撃に、私の記憶が改変されたのでしょうか。

使用人の娘は途中から椅子をおり、うずくまって声を殺して泣いていました。

　映画が終わると、私は彼女の手を取って、そっと表に出ました。あたりはもう暗くなっていました。

　使用人の娘はショックだったのか、二度とクラブハウスに行こうとは言いませんでした。けれど私は、どうしてももう一度映画を見たかった。私は、映画に登場した金髪の少女に魅せられたのです。

　クラブハウスの映画会は月に一度開かれるようでした。使用人の娘を脅すようにして日時を聞きだすと、私は一人で小部屋に潜みました。もう使用人の娘とは、クラブハウスに忍び込むだけでなく、一緒に広い庭で遊ぶこともなくなりました。彼女のほうから離れていったのです。

　ただ、学校でも私を避けようとする使用人の娘に、おまえが禁止されているクラブハウスに誘ったと白人の奥様に告げてやる。そうすれば親はクビになって、あの家にいられなくなる。そんな卑劣な手段で映画会の日程を調べさせたのでした。

　映画は、場所や時代設定は違っても、どれも最初見たのと同じようなストーリーでした。配役もほぼ同じで、あの金髪の少女はいつもひどい目に遭うのでした。どうやら彼女を主役に据えた、オムニバス仕立てのシリーズのようでしたが、私にそんなことがわかるはずもなく、金髪の少女が引き続き見られることで満足していました。

　もう最初のように目を閉じることなく、私は食い入るように少女が金髪を毟《むし》られ服を裂かれ野獣に襲われ——もっとおぞましい目に遭う場面を見続けました。

　いまから思えば、もともと私にそんな異常な嗜好があったわけではないのです。敗戦後の日本人の多くが持っていた、アメリカに代表される西洋文化への憧れを、子供であるが故に純粋に求めていたのです。それが現実の西洋の暮らしとして目の前に提示されたので、ごく素直に受け入れていっただけなのでした。

　緑の芝生、クリーム色のペンキを塗られた住宅、目の高さにあるドアノブ、絵付けがされた白い磁器のティーカップ、クラブハウスの横にあるプールとテニスコート。そういった生活様式の続きとして、クラブハウスでの映画会があったのです。だから自然に、おぞましい映像も肯定的に——いいえ、それは違います。私はどの映画でも主役——それは必ず凌辱される役目でもあります——を演じる金髪の少女に囚われていたのです。

　私はもう使用人の住まいには近づきはしませんでしたが、主人の屋敷の庭には何度も入り込みました。奥様にお菓子をもらうこともありました。

　奥様は私が使用人の娘と一緒でないことなど、少しも気にしてはいないようでした。庭に入り込む野良犬が一頭でも二頭でも、関心を向けるほどのことではないのです。使用人である娘の両親も、私の姿を見つけても何も言いません。おそらく使用人の娘は、両親に秘密を明かしてはいないのでしょう。私の脅しが効いていたに違いありません。

私は無邪気に考えました。『犬と日本人入るべからず』という看板についてです。戦勝国の西洋人にとって、私たち日本人は犬程度には忌避されても、排除するほどではないのだ。だったら彼らが関心を払わない犬のように振る舞えばいいのではないか。使用人の娘と遊んでいたころほど頻繁にではないけれど、目立たないように、けれど少しは目につくように行動していよう。そうすることで映画会のある日に姿を見られても、見過ごされるように印象づけるのだ。

梅雨が過ぎ、夏が来ました。目論見がうまくいったのか、外国人住宅の住民たちは、私の姿を見かけても誰何したり追い払ったりすることはありませんでした。私は犬になったのです。看板の字が読めずにふらふらと出入りする犬に。

ある暑い夏の日、いつものように学校の帰りに外国人住宅のエリアをぶらぶら歩いていると、通りかかったバイクが目の前に止まりました。バイクには丸刈りで牛乳瓶の底のような眼鏡をかけ、派手なアロハシャツを着た若い男が乗っていました。駅の近くにある洗濯屋でした。いつも後ろに洗濯物を入れる籠を積んだバイクを運転して、洗濯物の収集や配達をしていたのです。冬でもアロハの上に革ジャンパーを羽織って走り回るのです。

洗濯屋は外国人住宅にも行っていました。彼の服装は、外国人住宅に出入りするためという功利的な目的だけでなく、自分を西洋の人たちと同等に見せたいという思いがあったのでしょう。それは、私が犬になったのと正反対な態度ではありましたが、根底では同じ感情の発露だったのかもしれません。

そのため、洗濯屋のことを日本人の風上にも置けないやつだと嫌う人もいたのですが、大人たちはそんなことには目をつぶり、彼から外国人住宅界隈の噂話を仕入れようとするのでした。けれど、彼は決してお客の話をしないと、親が不満げにしていたのを憶えています。

その洗濯屋が私の前にバイクを止めて、あまりこの辺りで遊ばないほうがいい、という意味のことを言ったのです。

「なんでや」と私は聞き返しました。

外国人と日本人のあいだを都合よく行き来する彼に、

あるときは獣の仲間、あるときは鳥の仲間と自称する、イソップ物語の卑怯な蝙蝠《こうもり》であるような、見下した思いを持っていたのです。それは大人たちの感情そのものでした。

「ぼくは日本人やろ、あの人らはそうやない。あの人らにはあの人らの習慣――しきたりがあるんや」

「しきたりてなんや。戦争に負けてもここは日本や。にいちゃんこそ日本のしきたりを破ってそんな恰好してるのは、おかしいんとちゃうか」

子供ならではの屁理屈に反論しない洗濯屋に、私は追いかぶせました。

「犬と日本人入るべからずと書いてあっても、誰も文句は言わへん。追っ払われることはないやろ」

洗濯屋は苦々しげな顔をすると、何も言わずにバイクを発進させました。

もうそのとき、私は犬の心情でした。ただ、普通の野良犬ではなく、できることなら映画に出てくる白人の金髪少女の飼い犬――ペットになりたい、という思いすら芽生えていたのでした。

というのは、毎月盗み見る映画の中に、少女が飼っている白い犬――スピッツという種類だそうです――が登場したことがありました。犬は攫われようとする少女を守るように襲撃者に向かっていくのですが、返り討ちに遭って殺されるのでした。

私の夢想は、自分や家族が緑の芝生のある白い家に住んで、西洋風の生活をすることから、金髪の少女のペットとなって一緒に過ごすことに変化していました。そして、少女がひどい目に遭い、惨殺されようとするそのとき、ご主人の身代わりになるのだというように、想像が膨らんでいきました。

夏休みが終わり登校すると、学級の中にある噂が流れていました。夏休みの前から、私は使用人の娘と遊ぶことはなく、むしろ当初彼女を苛めていたグループに近づいていました。

私の中では、そうすることでグループの連中を牽制するのと、外国人住宅に出入りしていることを隠すというもっともな理屈をつけていたのですが、それは自己を正当化するただの欺瞞に過ぎなかったのです。

噂は、あの洗濯屋に関することでした。外国人住宅にかかわる日本人は、住み込みの使用人ばかりではありません。道路を清掃したり、食材を配達したり、家を補修したりとさまざまな人が出入りしています。そういった大人たちが話しているのを、同級生の誰かが聞いたようでした。洗濯屋は、洗濯物だけではなく犬の死骸をひそかに引き取って、裏山にある池に投棄しているというものでした。その死骸は、身体中の骨が折れ目玉と舌がくりぬかれているという注釈までついていました。

　そしてあの降誕祭の日が来たのです。

　その夜、クラブハウスで開かれるパーティのあと、いつもより遅い時刻に映画会があるということを使用人の娘から聞きだしていた私は、学校の帰りに外国人住宅街に行ってみました。映画は夜なのですが、クリスマスの準備を見たくなったのです。

　ああそうでした、使用人の娘が私に言ったのは、クリスマスではなく「ばあすでいふぇすてぃばる」という単語でした。日本語に訳すと「降誕祭」、なのだそうです。

　なるほど、外国人はそんな風に言うのかと妙に納得したのですが、彼女はこう続けたのです。戦争前に住んでいた人たちはクリスマスという言葉を使っていた――お父さんがそう言っていた、と。

　でも、戦前の住民は、町の中心部にある居留地で昔から仕事をしている人たちで、いわば日本人に近い暮らしぶりであったろうし、今の住人は進駐軍の関係者ばかりであるぐらいの知識を持っていた私は、降誕祭という訳語に、より強く本物の西洋文化が現れてきているように思いました。

　午後四時ごろの外国人住宅はひっそりしていました。私はクラブハウスには近づかず、森のようになった住宅地の裏道をぶらぶらしました。表の道路は人目につきすぎるのでいつも避けていたのです。犬だって、それぐらいは考えます。

　そんなふうに隠れるようにしながら雑木林の中を歩いていると、ふいに木の陰から出てきたものがいました。金髪の少女でした。私はあの映画に出てくる少女と出くわしたのです。見間違いではありません。服装だって、どの映画の中でも見せる、フリルのついた可愛い白いドレスを着ていたのです。

　少女は一瞬驚いた表情をしたけれど、相手が日本人の子供とわかったのか、野良犬を見るような目をして、プイと行ってしまいました。でも私は落ち込むどころか、ますます少女に焦がれてしまったのです。映画の登場人物であるはずの少女が現実にいた。もちろん映画に出ているのですからですからいないはずはないのですが、日本に、それもこの外国人住宅街にいることが不思議でした。

　これまでに生身の少女の姿を見たことはありませんでした。もしかしたら、少女は有名な子役で、進駐軍の慰問団に加わって本国から日本に来たのではないか。そして映画の上演される会場を巡回していて、たまたまこの外国人住宅地を訪れたのではないか。それならば私にとって奇跡のような出来事です。

　少女はクラブハウスに続く道に向かったようでした。あとを追いたかったけれど、もし他の住人に見つかって追い出されでもしたらたまりません。私はいったん家に帰ることにしました。

　夜遅く、私は自分の家をこっそり抜け出して、クラブハウスに向かいました。あたりは暗く、とくに樹木に囲まれた外国人住宅地は闇の中にありました。今夜はどの家にも明かりが点っていないのです。どうやらみんなクラブハウスに集まっているようでした。

　やがて行く手にクラブハウスの建物が見えました。さすがに窓から光が漏れていましたが、期待していたようなクリスマスの飾りつけなど見当たらず、厳粛な雰囲気さえしていたのです。

　それはむしろ私には好都合でした。映画会の前のパーティが賑わっていると、秘密の場所に行くまでに見つかったりするかもしれません。おそらくホールを埋め尽くしているであろう住人たちが、みんな上映を待って大人しく座っているほうが、見つかりにくいはずだと思ったのです。

　裏のドアから小部屋に入り込み、内側のドアの前に椅子を置いて、ガラスの隙間から覗いたホールの様子は、いつもの映画会のときとかなり違っていました。観客が座る椅子はなく、みんな立っていました。予想していたクリスマスツリーやきらびやかな飾りつけは見当たらず、くすんだ色の燭台がいくつも置かれ、蠟燭の灯が天井におどろおどろしい模様を浮かべあがらせていました。

　なによりも、スクリーン代わりのカーテンは部屋の隅に引き寄せられ、その奥には燭台が並び、ホール全体が神殿のような造りになっていました。そしてその中央に置かれた供物台とおぼしき机の上に、あの少女が横たわっていたのです。眠っているようでした。いや、薬か何かによって、眠らされているのでしょうか。

　それは映画ではありませんでした。いまから何が始まるのだろう。私は胸をどきどきさせて、ガラスに顔をくっつけていました。

　やがて人々は歌い始めました。それが聖歌なのかどうか、教徒ではない私にはわかりません。ただ、地の底に吸い込まれるような旋律に、思わず身体が震えました。

　少女の前に、頭巾をかぶり、司祭のような格好をした男が進み出ました。手にはナイフを持っていました。少女はやはり、これまでに見た映画と同じ運命を辿るのでしょうか。

　降誕祭の映画、と使用人の娘は言っていました。少女は降誕する神に捧げられる犠牲に違いありません。あのナイフは少女のどこを引き裂くのでしょう。私は、瞬きもせずに目を大きく見開いていました。

　突然、眠っていた少女が目を開きました。そして目前に迫るナイフを見て叫びました。しかし薬が効いているのか、身体を動かすことができないようでした。

　叫び声をあげながら少女はあたりを見まわしました。そして、部屋の隅にあるドアの上部、ガラスの向こうにいる私と目が合いました。

　なんと、少女は私を見て冷笑を浮かべたのです。あなたはこちらに来られないだろう。だってあなたは、犬と同じなんですもの。そう言っているように、私には思えたのです。

　私はうろたえて立っていた椅子を踏み外し、音を立ててしまいました。ホールにいた住人たちがいっせいに私のほうを見ました。

　それからどうなったか——覚えていないのです。

　サイレンの音で気がつくと、私はクラブハウスに隣接した家の芝生に横たわっていました。身体が焼けるように熱かったのは、目の前のクラブハウスが、まるでお正月明けに神社の境内で行われるどんど焼のように、炎をあげて燃えているからでした。サイレンは集まってきた消防車の発するものでした。

　一夜のうちに、クラブハウスは焼失しました。けれど翌日の新聞には、『外国人住宅地でボヤ、数人が軽い火傷』、という小さな記事が載っただけでした。

　おそらく占領下にあったからなのでしょうか、建物が燃え尽きるほどの火事は、なかったことにされてしまったのでしょう。

　数日で焼け跡は整地され、数か月後には新しいクラブハウスが前とまったく同じ形で建てられました。それまでの住人たちはすべて入れ替わったようでした。駐留していた部隊が異動になったのだと大人たちは言いました。

　外国人住宅に勤めていた日本人の使用人は、すべて解雇されました。同級生の使用人の娘は、遠くの学校に転校して、会うことはなくなりました。私は中学生になり、高校を卒業すると他の都市の大学に進学して、外国人住宅のある町を離れました。

　大学を卒業して故郷に戻ったとき、クラブハウスはすっかり前のままの姿で、火事で焼失したことさえなかったように思えました。きっとそこでは、新しい住人たちが以前と同じようにパーティや集会を開いているのでしょう。その中に、映画会があるのかどうかはわかりません。

　でも最近になって、使用人の娘の親が「降誕祭」と訳した「バースディフェスティバル」という言葉が、必ずしもキリストの生誕だけでなく、その他の導者――それが聖なるものとは限りません――にも使われることがあると知って、一時喪失していたあの夜の記憶が徐々に戻ってきたのでした。

　あの夜、ホールの全員が私に気付いて、そのうちの誰かが内側からドアを開けて小部屋に入ってきたとき、爪先立ちで乗っていた椅子から転げ落ちた私は、外へ逃げずにとっさにホールに飛び込み、人々のあいだをかいくぐりながら燭台を次々と倒していったこと。その火がカーテンに燃え広がって、部屋が火に包まれたこと。あわてふためいて建物から出ようとする住人たちと一緒に外へ向かわなかったのは、あの少女のもとへ走り寄るためだったこと。そしてそれは少女を助ける目的ではなく、裾の長い衣装と頭巾に火が着いて、燃え上がっている司祭風の男からナイフを奪い、動けない少女の胸に突き立てるためだったこと……。

　それは記憶の捏造に違いない、そう思い続けて、意識の底に沈めていたのでしょう。

　ただ一つだけ、クラブハウスが再建されているときに、以前と変わっていた小さなことを、小学生の私は発見していました。

　外国人住宅街の入口にある、『犬と日本人入るべからず』の看板の、文字の下の空いた部分に、まるで犬や日本人以外の何者かが入るのを拒むように、前にはなかった十字架が彫られていたのです。

　もっとも今では、そんな差別的な看板は、とっくの昔に撤去されているのですが。

Legendaries of the Pulp Magazine

うなばらの魔女

The Sea-Witchi

ニクツィン・ダイアリス Nictzin Dyalhis

野村芳夫訳

耽美的なヒロイック・ファンタシー「サファイアの女神」のみ邦訳のあるニクツィン・ダイアリスは、一九二二年から四〇年のあいだに、幻想小説やSFなど十三編の創作をパルプマガジンに発表した。その特異な名は本名といわれているものの、生年さえ定かでない（一八七三年から八〇年のあいだと思われる）。彼は隻眼の、オカルティズムに造詣の深い人物で、一九四二年に歿したらしい。『ウィアード・テールズ』三七年十二月号に掲載された本作は、北欧神話を踏まえた、幻想的な復讐譚である。

ヘルドラ・ヘルストロームはわたしの生活に、とりわけ意表を突くやり方で入ってきた。そして彼女は実に呪わしい女性の筆頭でありながら、考えてみれば同時に、比べようもなく甘美で、途方もなく愛らしい女性なのである。

当地の海岸には、三日にわたって北東からの大風が激しく吹きつけた。その年も押しつまり、北大西洋の沿岸は当然のごとく寒かったが、大風に閉じこめられて、わたしは軽度の閉所恐怖症に悩まされた。そこで深い長靴と油布製防水服、耳おおいのついた時化《しけ》帽という格好に身支度のうえ、勇んで渚の散歩に出かけた。

わたしのコッテージは高い崖地の上に建っている。そこから海岸へと下る開けた安全な小路をわたしは急いだ。冬の短い日は早くも暮れかかり、足場の悪い渚を四分の一マイルも歩くと、暖かな炉辺が恋しくなった。散歩のおかげで、少なくとも食欲は高まった。

　いつもの晴れた冬の日に見られる、夕暮れの残照はなかった。闇が落ちるのは唐突で、強力な懐中電灯を用意してきてよかった。コッテージへの崖を上がる、小路のふもとにさしかかるすぐ手前で、わたしは信じられない思いで立ち止まり、わが目を疑った。

　いましも大きな寄せ波が渚に砕けようとするところに、懐中電灯の光線を向けた。光の輪のなかに浮かびあがったものにわたしは息をのんだ。このような光景などあり得ないと思ったが――それは現実であった！

　救出のため、駆けつけようとしたのに、一歩も踏みだせなかった。自分の意志より強いなんらかの力が作用して動けなくなった。わたしは呪文をかけられたように、ただ見つめることしかできなかった。見守るうちにも、乳母が赤ん坊をゆりかごに優しく横たえるごとく、たぐいまれな生き物を砂浜に残して、大きな寄せ波はそっと引いていった。

　腰まで泡につつまれた女はつかのま立ちつくし、やがて静かに浜へ足を踏みだすと、懐中電灯の光の輪をためらいなく大股でたどって、わたしの前に現われた。

　すさまじい波音と荒れ狂う嵐にもかかわらず、荒波が渚に打ち上げた天地開闢《かいびゃく》以来の、このうえなく美しい漂着物には、老いたわたしすら身震いせざるを得なかった。

　たぐいのない肉体に一糸だにまとわず、凍てつく寒さの冬の海からやってきたからには、肌は蒼ざめているのが自然の摂理なのに、その白い皮膚はばら色を帯びて輝いている。

「はて！」わたしは語気を強めていった。「いったいどこから来た？　きみは現実なのか――それともわたしは存在しないものを見ているのか？」

「現実よ」銀鈴を鳴らすような澄んだ声がした。「向こうから来た」その優美な腕が荒れたうなばらを指した。「乗っていた船が沈んでしまい、衣服を脱ぎ捨てラーンのふところに飛びこんだの。ラーンの馬たちはとっても見事な働きをしてくれたわ！　でも、わたしが渚に上がるまで、そのまま待ったほうが身のためよ。ラーンは怒りの神だから、死すべき人間に対して滅多に好意は示さない」

「ラーンだって？」古代スカンディナヴィアのヴァイキングが信仰した海の女神じゃないか！　なんと不思議な女性だ。〝ラーン〟やその〝馬〟、古きうなばらの白きたてがみの波について語るなんて。ひとまず、わたしはこのひどい嵐のなかに裸でいる彼女を思いやった。

「なるほど、きみはラーンの娘にちがいない」わたしはいった。「その暗礁は陸地から十マイルも離れている！　来たまえ――わたしの家は近いし、快適だ――こんなところで話している場合じゃない」

「案内して。ついて行くわ」彼女はあっさり答えた。

　彼女はわたしよりずっと軽快に小路を登り、そこから友のように並んで――もっとも、彼女は無言を貫いたが――コッテージに着いた。わたしは奇妙にも思考が読み取られているように感じた。だが、読みとった結果に彼女は安心したようだった。

　ドアを開けると、彼女はほんの一瞬ためらったように思われた。

「入りたまえ」わたしはいささか気ぜわしく命じた。「もう、悪天候はごめんだろう！」

　彼女は身に備わった威厳をもって頭を下げた。それを見て、わたしは並の人間ではないのを確信した。そして、あまりの小声で聞こえなかったが、明らかにスカンディナヴィア風の口調でなにごとかつぶやいた。

「なにかね？」わたしに語りかけたようにも思われたので、たずねた。

「もてなしと宿の恩義について、古き神々の加護を願いました」彼女は答えた。そして敷居をまたいだが、家に入りながら、その均整のとれた白い手を伸ばし、軽くだがしっかりと、わたしの左の前腕にあずけた。

　彼女は鈍く赤熱する大ストーブへ直行し、軽く笑みをうかべ、おだやかに落ち着いて、全裸など意に介さず、明らかに温かさを満喫し、寒気に身をさらしたあとの震えなどみじんもない。

「これが必要じゃないか」わたしは一杯のブランディーを差しだしながらいった。「たがいに名乗り合って、説明を聞く時間はあとでたっぷりある」わたしはつけ加えた。「だが、いまはきみが身にまとうものをなにか見つけよう。ひとり住まいなので、この家に女性の服はないが、できるだけのことはさせてもらおう」

　わたしは寝室に入り、パジャマの上下、全体に刺し子の入ったバスローブをひろげ、彼女が立っている居間にもどった。

「きみは実に当惑を覚えるほど美しい」わたしは無遠慮にいった。「そのわけは、いわれるまでもなくわかっているだろうが。しかし、きみのために寝室に並べた服を着てもらえれば、もっとくつろげるにちがいない。そうしたら、夕食を用意しよう」

彼女は裸のままじきにもどってきた。わたしはどうしたことかと見守った。

「どれも、合わない」彼女は肩をすくめた。「あの重いバスローブ——この暖かい家で要《い》るかしら？」

「しかし——」わたしは口を開いた。

「でも——これなら」彼女は笑みをうかべ、何年もまえにわたしが東洋から購入した白檀材のテーブルに掛けた、金糸の刺繍が入った絹の、深紅のテーブル掛けをすくい取った。ほんのひと手間で身にまとうと、豪華なテーブル掛けは、美しい姿を飾るローブに変じて垂れ、たぐいまれな肢体をたおやかに隠して、申し分のないうるわしさでつつんだ。身をよじる龍が描かれた細長いスカーフを棚から引き抜いて飾り帯とし、豊満な乳房からなだらかな腰へと流すと、彼女のほっそりとした腰や胴の美しい曲線のことごとくがかえって引き立った——そして、彼女はふたたび微笑んだ。

「さあ」彼女は軽く笑った。「これでも、あなたの目を楽しませているかしら？　そう願うわ、だってあなたは今宵、助けてくれたから——わたしにはどうしても友人が必要なの。わたしにできるのは、ささいなこと——あなたの目を楽しませるくらい。

なぜなら、わたしに一臂《いっぴ》の力を仮《か》してくれたから」——わたしはその古めかしい表現に目を見張った。「そして、これからも助け続け、味方となって（そのように、わたしの魂はいっている）くれるから、わたしはあなたをつねに愛する、波炎《なみほむら》のラグナルが赤剣《せきけん》のヤール・ウルフを愛したように……若き妹、あるいは恭順な姪として」

「しかし、ラグナルはかく語られている」わたしは故意にスウェーデン語で口をはさみ、その効果を緊張して見守った。「泡から生まれたうなばらの魔女によってあたえられた古き赤剣のヤール・ウルフへの愛は幸薄く、大方の男の望むたぐいのものでもない！」

「それは悪意ある解釈よ」彼女は逆襲した。「すべての人々と同じく彼の運命もノルンの三女神につかさどられる。彼の運命は女神たちの落ち度ではなく、一時間以内にヤールの仲間たちにより捕らえられた三人の殺人者に、魔女は赤い復讐を遂げた。魔女は浪の泡白の手で彼らの皮を生きたまま剥ぎ、痙攣するその身体に塩をなすりつけ、それから亡きヤールをヴァイキング船に乗せて火を放った。そして、燃えさかるヴァイキング船の舵を離れた場所からあやつり、ヴァルハラの英雄たちがヤールの到来とともに、誉れをあたえた人物がわかるよう、その生涯の偉業をうたいあげながら、古き人と最後の航海に出た」

彼女はいったん口を閉ざし、興奮した胸が波打った。やがてあからさまに努力して感情を抑えた。

「でも、あなたはわたしの言葉を話せるし、吟遊詩人、スコールドたちの昔話も知っている。ならば、スウェーデン人なの?」

「スウェーデン語も、古代スカンディナヴィアの吟遊詩人《スコールド》の昔話も、きみと同じスウェーデン人の祖母から教わったのだ」

「わたしと同じ?」彼女の口調には妙な変調があった。「ああ、なるほど! 女はみな同じ種族だといえる……かもしれない」

「それより、大事なのは夕食だ」わたしはいい、キッチンへ向かおうとした。

「でも――やめて!」彼女は愛らしい片手を平たく伸ばし、わたしの胸を押しとどめた。「それはふさわしくない、ヤール・ウルフ。ただの近衛《このえ》兵《へい》のように、わたしのために料理するなんて! だったら、あなたの姪のヘルドラに食事の準備をさせて」

「〝ヘルドラ〟? では、それがきみの名前か?」

「ヘルドラ・ヘルストローム、あなたのかわいい姪っ子よ」彼女はうなずいた。

「だが、なぜわたしをヤール・ウルフと呼ぶ?」その理由を知りたくて、わたしはたずねた。冗談めかした調子でもなく、彼女はその名を重々しく口にしていた。

「前世で、あなたはヤール・ウルフだったから」彼女ははっきり断定した。「ラーンの馬がわたしを降ろすもっとまえから、渚にいるあなたがわかった!」

「そうか、さしずめきみは、波炎のラグナルの生まれ変わりなのだな」わたしは反論した。

「どうして、そうなるの?」彼女は切り返した。「波炎のラグナルは死なない。でも確かに、わたしはそこまで年寄りには見えない! うなばら生まれの魔女は、やってきた海食洞にもどる、ヴァイキング船が燃えたとき……でも、いまはわたしのことを訊かないで。

ただ、もうひとつだけいえるのは、わたしたち二人が描きだす縦糸と横糸の奇妙な模様は、世界がはじまるまえにノルンの三女神たちによって紡がれたもの。わたしたちは以前出会い――ふたたびいまここで出会った――わたしたちは未来にも会うでしょう。でも、それがどのように、いつどこでなされるか、わたしにはいえない」

「まさしく、きみは〝妖精のたぐい〟だ」わたしはつぶやいた。

「ときにはそんなふうに思ったりするわ」彼女は同意し

た。やがてその不思議なサファイア色の眼と、わたしの堅い灰色の眼を見つめる静かに輝く、優しいもの思いに沈む女性らしい笑みに、疑念は一条の煙のように消え去った。しかし、わたしは警告するように人差し指を彼女に向けた。

「少なくとも、きみが魔女であるのはわかった」わたしはきつい皮肉でいった。「老人に魔法《グラミール》をかけている」

「魔法の必要などないわ」彼女は笑った。「その力は、女性ならみな持ちあわせているから！」

　彼女が目の前に揃えてくれた〝食事〟のあいだ、記憶もない遠い昔の自分だったかもしれない人物とはかかわりなく、この現在の人生で、わたしはただのジョン・クレイグ、人類学、民俗学、考古学の退職した教授であり、きわめてつましい収入で暮らしていると話した。わたしは個人的に彼女を賞賛するし、ずっとこの家に残ってくれるのは歓迎するが、近くの村人の好奇心や妙な噂や邪念を誘いかねない。だから、海から現われたいきさつを語るわけにはいかない――と。

「でも、わたしには行くところがないし、あなた以外に味方になってくれる人はいない。わたしの愛したものや持ち物は、すべて向こうにある」ふたたび彼女は、暗礁とおぼしい方向を指し示した。「あなたがいつまでもここに居てよいといってくれるなら、わたしは姪っ子のヘルドラということにするけれど？　わたしたちの年齢と外見のちがいを考えたら、それで中傷はまぬがれるわ」

　彼女の目は言葉以上に雄弁であった。そこには熱望、悲しみ、そして奇妙な愛情があった……わたしは突然の決定を下した。結局、わたしが決めることだ……。

「わたしはきみと同じく天涯孤独の身だ」わたしはまじめにいった。「姪っ子として留まるがいい、ヘルドラ。必要な女性用衣服一式をリストにしてくれたら、できるだけ早く注文して、早急に届くよう手配しよう。きみがここで暮らしたとしても、わたしは誰から見ても年寄りだから、道理のわかる人間なら、妙な邪推をするとは思えない。そしてわたしは実際、どんな愚か者も口が出せないような、まことしやかな説明を考えよう」

　食事が終了し、わたしたちは立ち上がって、居間へともどった。わたしは三つ叉の水ギセルを満たして火をつけ、肘掛け椅子に落ち着いた。彼女は自らテーブルの箱からタバコを取り、長い細身の全身をゆったり楽に伸ばして、わたしの長椅子《ディヴァン》に横たわった。

　わたしは自分の出自をたっぷり説明し、係累が彼女とつながって姪となる嘘をでっち上げた。そしてその見返りに、彼女の話をほんの少しだけ訊きだした。しかし、それだけで充分だった。もとよりわたしは、他人について過度な好奇心はなかったからだ。

思いがけず、ひどく無作法にもあくびが出てしまった。それも無理からぬことだが、もし休息を必要とするのが誰かといえば、彼女こそ必要としているのだと急に気がついた。しかし、わたしが口を開くより早く、彼女が機先を制した。

優美なひと動きで横になった姿勢から起き上がり、手を伸ばせば楽に届く距離で彼女はわたしの目の前に立った。手早い二動作で、彼女のばら色に輝く白い見事な裸体が、渚を上がってきたときと同じように現われた。

バスローブのように壮麗にまとっていた深紅のテーブル掛けは、一瞬でわたしの足もとに広がり、黒いスカーフはわたしの膝にかかり、栄えあるその肢体が完全な謙譲を示して、わたしの前でひざまずいた。わたしが異議をとなえたり、立つよう命ずるまもなく、抑制されたトランペットのように柔らかでおごそかな銀鈴の声が聞こえた。

「かくのごとく、丸裸のから手で、暮れなずむ嵐の夜、冷たい鉛色の冬のうなばらからわたしは上がってきた。あなたの灯す光が疲れたわたしの目にとまり、渚にみちびいてくれた。あなたは崖の上に案内し、快適な暖炉に当たらせ、親切にも、家なきわたしに家を提供してくれました。

そこでいま当初の姿に返って、あなたの前にひざまずき、わたしはあなたの両手に手を重ね——このように——そして、わたしのすべて、わたしのあたえられるかぎりのものをあなたに捧げ、握手によって契《ちぎ》りをかわします」

わたしはおおよそ信じられずに見つめた。事実上、古代スカンディナヴィア流のやり方で、まぎれもなく彼女は、自らわたしの奴隷となることを宣言しているのだ！　しかし、銀鈴の声は続いた。

「そしていま、わたしは立ち上がり、あなたの施しの布をまた身にまといます。あなたはわたしを実際の姪として、赤剣のヤール・ウルフが波炎のラグナルを知ったとおりにわたしを知るでしょう！」

「確かに」わたしはようやく息を継ぎ、驚きにあえいだ。「きみは古代とこの現代との奇妙な混合物だ。きみを知ってからまだ数時間だが、わたしは昔のヤールがそのうなばらの魔女を知っていたようにきみを感じている。もっとも、きみと彼女が同一人物でなければ話はべつだが！」

「ほとんど同じよ」わずかに暗い調子で彼女は答えた。「少なくとも彼女はわたしの女系先祖よ！」そして、素早くつけ加えた。「誤解しないで。ラグナルは昔のヤールの情婦ではなかった。しかし、のちに彼がヴァルハラに行ったあとで、うなばらに囲まれた島に住んでいたとき、ラーンが岸に打ち上げた、ひどく傷ついて意識のない若いヴァイキングと結ばれた。手当をした彼女がその男ぶりを惜しんで生き返らせると、彼は言い寄った。

でも、彼はすぐに彼女に、その魔女ぶりに厭きてしまった。それゆえ彼女は怒って、彼をふたたびラーンのもとに送り返し――以来、彼はいなくなった。その結びつきから娘が生まれ、やはりラーンにゆだねられた。しかし、ラーンは娘を哀れんで、とある老夫婦のもとに送った。フィヨルドの湾口のそばに住む、子宝に恵まれなかった二人は、彼女をランヒルドと名付け、娘として養育した。ときがたつにつれ彼女は結婚し、三人の背の高い息子とひとりの娘をもうけた……。

それは遠い遠い昔のことで――けれども、わたしはラグナルの隠れた海食洞へと潜り、波炎のラグナルとじかに話をした。一晩中、わたしは彼女の腕《かいな》に抱かれ、あけぼののなかで彼女の吐息は、わたしの額に、唇に、胸にかかり、その翌日も彼女の語る言葉を終日聞き、旧き時代に魔術《ウイッチクラフト》と名付けられた英知を思うさま学んだ」

つかのま彼女は黙りこくった。やがて上体を乗りだすと、たおやかな冷たい両手をわたしのこめかみに添え、とてもおごそかながら、言葉に尽くせない優しさをもって、老いて深いしわの寄ったわたしの額にキスをした。

「お願いだから」彼女はつぶやいた。「わたしのことはもうなにも聞かないで。話せるのはここまでよ。だから、これ以上の質問をされると、うなばらにもどらねばならなくなってしまう。そして、そんなめには遭いたくない――いまのところは！」

それ以上なにもいわずに背を向けた彼女はディヴァンに身を投じ、あらためて四肢を充分に伸ばした。そして、疲れた子供のようにたちまち眠ってしまった。わたしははっきりと思った。この〝姪っ子〟は普通の女性とはまったくちがう。そして、きわめてたぐいまれな能力をたっぷり身につけていたのを、わたしはのちに知ることになる。

彼女はわたしのその考えの新たな証明として、ここに来て最初の満月の夜に、人間離れしたその力を示してくれた。

彼女は夕刻になると最初の晩にしたとおり――深紅の

ローブと黒い飾り帯だけを身にまとうのを習いとしていた。四十マイル先の大都市から注文した、女性なら誰しもうらやむ衣服を用意したにもかかわらずである。しかし、わたしはいささか野蛮なこの装いの彼女を見るのが楽しみでもあったのを認める。

　ときどき彼女はわたしの椅子の肘掛けに坐り、なめらかな頬を肌の荒れたわたしの顔につけ、その優美な腕を老いた革のように堅い首に巻きつけた。最初にそうされたとき、わたしは皮肉めかしてたずねた。

「魔女よ、わたしを愛撫しようというのかね？」

　しかし、彼女の溜息まじりの悲しそうな返事に啞然とし、さらに胸が詰まった。

「いいえ！　そうじゃないの、古きヤール！　だって——わたしは父親というものを知らないから」

「ああ、わたしも美しい娘というものを知らない」わたしは言葉を失った。そして、以後、彼女がそんな気分にひたっても、わたしは皮肉な気持ちにおちいることなく、どちらも言葉を発せずに何時間も坐り、言葉を必要としない思いにふけった。しかし、その夜について書くと、彼女が深紅の唇を頬に押しつけてきたので、わたしはおどけてたずねた。

「なにか欲しいものがあるのかい、ヘルドラ？」

「あるわ」彼女は重々しく答えた。「小舟——オールと帆が揃って、エンジンのついていないものを入手してくれない？　ラーンはエンジンのたぐいは嫌いだから」

「でも、いま、今晩というわけじゃないんだろう？」

「いいえ、もしご親切に甘えられるのなら」

「よほどの理由があるにちがいない。さもなければ頼みごとなどしないだろうからな」わたしはいった。「そこいらで、センターボードのついた平底の小型帆船を手に入れようじゃないか。崖道の登り口の海岸に廻そう。今日は快晴で波はおだやかだし、和風が吹いている。だが、きみが想像するより海上は寒いから、身支度はしっかりしたほうがいい」

「急いで」彼女は心配そうに懇願した。

「承知した」わたしはうなずいた。

　わたしは家を出て、村の波止場に降り、譲って欲しいといって船を入手した。しかし、小型帆船を登り口につけて小路を見つめたわたしは、小声でののしった。わたしがコッテージを出たとき着ていた深紅のローブと黒い飾り帯以外、あの魔女はなんの服も身につけていない！

「きみは凍えたいのか？」わたしは怒りが先に出たのを認める。「そんな格好じゃ見ているだけでも、寒けがしてくる！」

「あなたもわたしも、今夜は寒くならないわ」彼女は笑った。「ねえ、素敵じゃない？　よい船を買ったわね。どうかわたしに操らせて、質問はしないでちょうだい」

　彼女は舵柄《だへい》をつかみ、風向きに合わせて帆脚索《ほあしづな》を引いた。帆は風をはらみ、彼女は妙に猛々しい調子のうたを口ずさみはじめた。平底の小型帆船はひどく早く航行した――そこまでスピードが出る風ではなかったのに。

　ついにわたしは歓迎できないものを見るはめになった。沿岸のこの場所に留まろうとする者はいない。

「正気か、きみは？」わたしは鋭く詰問した。「目の前は暗礁だぞ！　あの白波が見えないのか？」

「ええ、そうよ――暗礁だわ！　あんなちっぽけな白波をわたしが恐れると思う？　いいえ、わたしが目指すのは、あの白波のまんなかよ！　でも、あなたは――怖いの、え、ヤール・ウルフ？」

　わたしはその口調から笑われているのではないかと思い、沈黙したが、寒い夜の、月明かりの航海などという気まぐれにつきあうのは、ごめんこうむりたいという気持ちでいっぱいだった。

　まもなく、船は白波に入った――ところが、状況は異なっていた！　というのも、疾走する平底帆船は銀の浪の立つあいだにすっぽり開いた、内陸の水車用貯水池を行くようなおだやかな航路にやすやすとすべりこんでいたからだ！

「帆を下ろし、マストを檣座《しょうざ》から外して」彼女は突然叫んだ。

　わたしは異をさしはさむまでもなく、昔の水夫のように黙々としたがった。

「さあ、オールを握って」彼女は指示した。「そして、この船を、しばらくここに留めておいて」わたしがオールをオール受けに差しこむまもあらばこそ、彼女は素早く全裸になった。船を砕き人命を奪う荒々しい暗礁が、決して見たことのない美しい姿で立ち現われた。

　急に彼女はすらりとした両腕を上げ、鋭くかん高い叫びを三度繰り返した。すると言葉もなく舷側を越えてはねも立てず、大きくきれいに飛びこんだ。

「しばらく、ここに船を留めておきなさい」とわたしに命じていた！　この世でもっとも大切なわたしの相手は、どこかこの冷たい海のなかで逆流にもまれている！　必要とあれば、彼女がわたしのもとにやってきた大風の夜以上に最悪の嵐にもさからって、船の位置を保とう。彼女は待っているわたしを見つけるだろう。そして、もし彼女がもどってこなければ、船板が腐るまでここに船を留め、極寒の海中で相まみえよう。

永遠にも等しく思われたが、海面下に白いきらめきが現われたのは一時間後だった。やがて彼女のすらりとした腕がぬっと出て、その手が船べりをつかみ、高貴な頭が海中から突きでてイルカのように息を吹き、澄んだ銀鈴の声で勝利の笑いを洩らした。

「まあ、いとしい人！」彼女は古代スカンディナヴィアの言葉で叫んだ。「だいぶかかったみたいね？　それでも、潜ったところから船は一フィートも動いていない。さあ、手を貸して、荷物を持ち上げてちょうだい。重くてさすがにくたびれたわ。取っ手が付いてるから」

荷物はなにやら緑色がかった金属の箱――青銅製と思われた――で、ざっと長さ二十インチ、幅十二インチ、高さ九インチほどだった。どうやって彼女がこれほど重いものを持って海面に上がれたのか、わたしの理解を超えていた。さらに、これが海中に存在するのを彼女がいかにして知ったのか、これもまた理解がおよばない。しかし、そもそもヘルドラ・ヘルストローム自身が謎の存在なのだ。

彼女はふたたび深紅の薄っぺらなシルクのローブを身にまとい、本来なら歯の根も合わずに震えているはずが、仕合わせそうに笑みをうかべた。

「マストを取り付け、また帆を張ってちょうだい、ジョンおじさん」いまや任務を全うした彼女は、驚くほど実務的にいった。「帰りましょう。わたしは一杯のブランディーとタバコが欲しい。あなたの一番の欲求も同じなのはお見通しよ」

コッテージにもどって心地よくおさまると、ヘルドラは青銅の箱を自室に運ぶよう求めたので、わたしは持っていった。一時間以上、部屋にこもっていた彼女は、わたしの坐っている居間にもどってきた。その姿には目を見張った。つねに美しいとはいえ、いまの彼女は並外れて華麗だった。

彼女のうるわしい肉体は、いつもの深紅のローブではなく、Vネックが喉から長く斜めに腰付近まで切れこんだ袖なしの、透き通って身体に密着したシルクの下着でつつまれていた。衣服はきわめて淡い海緑色で、月下の霧とくもの巣を織り交ぜたようなとても薄い生地だった。ばら色を帯びた真珠光沢の肌が、誘いこむようなきらめきを見せる繊維から透けて、その風雅な美貌には、わたしの老いてくたびれた本性すらあらためて戦慄するほどだった。

彼女の美しい肩にかかる、宝石がちりばめられた黄金の襟飾りは、まぎれもなく古代エジプトの細工で――はるか南方の地を略奪したヴァイキングの戦利品にちがいない。四角い黄金の延べ板をつないだ幅広の腰帯には、やはり宝石の鋲飾りがほどこされ、なだらかな彼女の腰回りをおおい、宝石であやどられた太陽の紋章がある広い金属板が正面には固定されていた。その金属板もしくはバックルから幅広の帯が二本、ほっそりした白い足もとへと垂れている。

上腕と手首のそれぞれには黄金の幅広い腕輪《トーク》、そして入念に細工された黄金の頭飾り《ティアラ》からは、鎖で吊され彫刻された一対の金の円盤が両耳の上まで下がり、いつにも増して彼女の美しさを際立たせていた。赤みを帯びた金髪は太い二本の巻髪に編まれて、乳房から腰に流れ、宝石がはまった黄金の髪留めでそれぞれ束ねられていた。

「波炎のラグナルからもらった贈り物よ、どう、ヤール・ウルフ」彼女はそっとささやいた。「姪っ子の盛装はお気に召したかしら？」

ヴァイキングの王女、あるいはもっと昔、邪悪な時代の古代スカンディナヴィアの魔女――いずれにせよ、このヘルドラ・ヘルストロームは、わたしのもとで〝姪っ子〟と称しているが、この見事な美女以上に素晴らしい女性は存在しないということだけは間違いない。

素直にそう告げると、輝くばかりの笑みで充分に報いてくれたばかりか、わたしの頬に喜び勇んでキスをした。

目もあやな美しい衣装にもかかわらず彼女はわたしの椅子の肘掛けにひょいと坐って、わたしの左手をもてあそびはじめた。やがて軽く笑いながら、手をわたしの目線の高さまで持ち上げた。わたしはなにも感じなかったが、彼女はわたしの薬指に古風な意匠の光沢を失った幅広い銀の指輪をすべりこませた。

「これは往事、あなたのものだったの、おお、ヤール・ウルフ」彼女はお気に入りの言葉――古代スカンディナヴィア風の言語でささやいた。「さあ、この古代の指輪はふたたびあなたのものになった！　神秘のルーン文字をラグナルご自身が刻んだの。読んであげましょうか、それとも、ねえヤール、あなたが読む？」

「わたしの力には余る」わたしは告白した。「〝秘密〟の言葉だから、〝ライム・カナール〟たちだけしか知らない。あるいはこれを理解できるのは、魔女や魔術師以外にはない」

「ラグナルはヤール・ウルフの指からこの指輪を抜いたのち、ヴァイキング船に火を放った」ヘルドラはささやいた。「このルーン文字は敵があなたを襲ったときに記された――剣戟《けんげき》のさなかに非業の死を遂げるのは、あなたじゃなく敵たちのはずだったのよ、赤剣のヤール！

でも、うなばらに生まれた魔女は、あなたがやがて来るべきヴァルハラの日々に厭きるだろうと知っていた。闘争と殺害、喪失と嘆き、憎しみと過剰な復讐の世界にもどってくるのを知っていた――それゆえ、彼女は魔力を持つ指輪が持ち主のもとに還るのに備えて、このルーン文字を刻みこんだ。

ラグナルは、ルーン文字の読めるわたしがこれをあなたに読み聞かせるよう、特別な命令を下しました。そうして、この神秘の言葉を危急の際にとなえさえすれば、溺れず、炎に焼かれず、また、剣、槍、斧すらあなたを傷つけることはなくなります！

そして、お願いです――あなたは世間に対してはわたしの〝ジョンおじさん〟ですけど、わたしにとっては、うなばらの魔女ラグナルが昔のヤール・ウルフをいとおしんだ以上に大切なのです――ぜひとも、あなたはルーンの呪文を覚え、もし危険にさらされたらそれを使ってちょうだい。約束して！　わたしに約束して！」

彼女の銀鈴の声には、必死のひびきがこもっていた。彼女はわたしの右手をつかみ、自分の身体、ちょうど左乳房の堂々たるふくらみの直下に押し当てた。

「約束よ！」彼女は念を押した。「約束してちょうだい！　あなたの右手をこの胸に添えて、わたしはルーンの呪文をあなたが学ぶよう真剣に忠告します」

「女に夢中になった年寄りのばかほど手に負えないものはない、というが」少し意地悪い調子で、わたしは不平がましくいった。「ことにうるわしい女性がかかわると。しかし、つまらん異国風のちんぷんかんぷんに、きみは大騒ぎだ！　ならば、ルーン文字をわたしに読み聞かせなさい、魔女の娘！　呪文を聞こうじゃないか。きみを喜ばせ、安心させるに留まらない、よこしまな言葉であろうと学ぼう」

彼女の深紅の唇が息を殺してわたしの耳もとに近づき、とても低い声ながら、注意深い明確な音節をもってささやきかけるのを、かろうじて聞き取ることができた。そして、そのささやきは静かな夏のそよ風の吐息よりも小さかったにもかかわらず、わたしの精神の聴覚には、青銅の盾を打ち破る大戦槌《だいせんつい》の打撃のようにとどろいた。繰り返す必要などなかった――彼女にとっても、わたしにとっても。わたしの心がルーンの呪文を忘れる気づかいはまったくない。忘れようにも忘れられないものだった。

「確かに」わたしはつぶやいた。「きみは古代の魔術に精通している。きみがわたしを愛してくれるのは、わたしにとって幸運だった。さもなければ、きみの魔術で――」

まったく意外にも、神秘な気配は抜きで、彼女は澄んだ鈴のような陽気さで笑った。

「いいものを見せてあげる――あなたもわたしも楽しめる、ゲームとか、お遊びよ」

　彼女は踊りながら居間を横切り、自室へ入ると、銀に似た金属を磨き上げた、古い鏡を持って現われた。わたしにそれを差しだした。わたしはひどく素直にその柄を握り、この新たな気まぐれに調子を合わせた。

「しっかり覗いて、よい鏡かどうかいってちょうだい」彼女はそのサファイア色の眼に妖精のような陽気さをたたえて指図した。

　わたしは見入った。日焼けし、しわの寄った、毎日ひげを剃ったり髪に櫛を入れるときに見る老いたいつもの顔がそこにあったので、よい鏡だと答えた。彼女はまた、わたしの椅子の肘掛けにひょいと腰を掛け、頬ずりして、その冷たい腕をわたしの首にまわした。

「さあ、もう一度見て！」

　ふたたび鏡は現実を映しだした。わたしの顔はいつもどおり、彼女の顔も同じだった。「花崗岩の石の脇に、ばらがあるみたいだ」わたしは断言した。

「あなたは自分の思考に合わせて自分を見ているだけよ」彼女は小声でつぶやいた。「そして、あなたがそうだと信じているかたちで、わたしを見てちょうだい」

　彼女は唇を鏡に近づけ、その温かい息を吹きかけた。鏡はいったん曇り、また澄みわたった。彼女のつぶやきは先ほどより小さくなり、悲しみがあった。

「もう一度、見て！　いつもわたしがあなたを見ているように。そしてわたしが自分を知るとおりに見なさい！　そして、あなたの視界の外にわたしが出たら、魔女の娘、ヘルドラはあなたを心から愛する女性なのを思い出して、そうすれば彼女は真の姿をあなたに見せてくれます！」

　その男の顔はなおわたし自身にはちがいなかったが、それは人生の苦難が額や頬や口もとにしわを刻みこむ以前、多年の冬の降雪が髪を白くするまえの、若き日のものだった。

　彼女の顔立ちの美しさはいうまでもないが、その瞳の内にわたしは歳月の重みと人生の積み重ねと苦い体験、そして神聖というよりははるかによこしまな、恐るべき英知を見た。この若く見える女の子――乙女にして女人の横にあっては、わたしの年輪など、永遠のときを生きる不死の者にくらべて、弱々しく泣く赤子にも等しいという、反駁《はんばく》できないほどの確信が生まれてきた。

「これは少なくとも魔術ではない」自分の知識の重みを

背負った彼女は、ものうい小声でいった。

太くて重い老いた腕を、彼女の繻子《しゅす》のようななめらかな白い肩に置いたわたしは、サファイア色の眼が正対するよう彼女の首をまわした。わたしはとても静かに、彼女の額にキスした。

「ヘルドラ・ヘルストローム」わたしは感情的になって声がかすれた。「きみは力の一端、あるいは邪悪な一面をわたしに示してくれた！　きみは波炎のラグナル自身、不死のうなばらの魔女かもしれない。きみはもしかしたら、よからぬ目的を持って死すべき人間のもとに来た、地獄の女帝かもしれないとさえ思うことがある！　しかし、年寄りなのか若いのか、小娘か大人の女か、善か悪か、魔女、精霊、天使か女悪魔か、きみがなにものであれ、それはそれとして、きみはきみ、わたしはわたしだ。そしてなんらかの込み入った理由によって、わたしたちは自分流におたがいを愛しているらしい。それなら、きみが、もしくはかつてのきみが、あるいは諸前世でのわたしの人生がこのままどこまで行き着くのかを見てみようじゃないか。そしてわたしたちを待つその結果を甘んじて受け入れよう！」

彼女のサファイア色の眼からこぼれそうに涙が光ったのだろうか？　もしそうだとしても、わたしには確かめようがなかった。というのも迷える魂の泣き声は、聖域に逃げこんだ――わたしの肩にその顔を埋めてしまったからだ……。

長い沈黙ののち、彼女は椅子の肘掛けから滑り降り、無言のまま顔をそむけて自室へ入った。一時間余りして、わたしは自分の部屋に引っこんだ――しかし、わたしは眠れなかった……。


ときがたち、わたしはいつまでも続く〝痴人の天国〟の夢にひたっていた。

避暑地に人々が集まりはじめた。海岸沿いにずらりとコッテージが建っていたが、さらに、控えめにいってもいわゆる〝ひとかどの人物〟が所有する広大な地所があった。

大きな州の知事、わが国の前大統領、幾人かの外交官、公使館員たち――しかし、この物語に関係する人物はひとりしかいないのに、どうして列挙する必要があるだろう？

優男《やさおとこ》のマイケル・コムニーナスは、小粋な身なりをして浅黒い、三日月型の黒い眉に黒い眼の男だ。口もとに人を見下すような微笑をうかべ、その唇は男にしてはやや過剰に赤みを帯びている。丁寧なヨーロッパ風の物腰ながら、驚いたことに〝漁色家〟を自認していた。

　彼にとってこの地の夏は初めてではなかった。ワシントンの公使館に勤めているときの姿など想像すらできなかったが、海岸で目にする彼の顔はとてもハンサムで、わたしでさえぞっとさせられるくらいだった！　わたしは彼がヘルドラに目を向ける瞬間が来るのは当然、気づいていた……もちろん、姪っ子魔女が処世にたけているのはわかっていた。しかし、まったく同じようにわたしは厄介の予感、たぶん悲劇を予感していた。

　うむ、わたしはいささかも間違っていなかった。

　ヘルドラとわたしは、平底帆船で航海に出ようと、ちょうど離岸しかけていた。それは二人にとって一番の楽しみであった。

　偶然、マイケル・コムニーナスが細長いステッキを振り回し、黒い糸のような細いひげをいじりながらうぬぼれた笑みをうかべて通りかかった。かつてのなにげなく言い寄る手口の数々をわたしは目撃していた。軽薄な近頃の若者がするような〝ありふれた〟やり口だった。

　わたしは視界の隅でとらえていた。このドンファンのにやけた笑いは、いまや、決して溶けない極地の氷のように輝く、サファイア色の眼と出遇い、計算高く値踏みして消えていった。顔には困惑の表情がひろがった。浅黒い肌は、不健康な緑がかった青銅色に変わった。思わず、十字を切って通り過ぎた。この男は恐れている、まさしく恐怖に襲われた！

「彼を見かけたことはあったかい、ヘルドラ？」わたしはたずねた。「やっこさん、きみを悪魔と出遇うほうがまだましだというように見ていたぞ。きみのはつらつとした美しさに惚れそこなったな、うなばらの魔女よ！」

「あの人は誰？」彼女は一風変わった調子でたずねた。

「わたしは嫌われているみたいだけど、こっちこそお断りだわ」

「マイケル・コムニーナス」わたしは伝え、地元民が承知している家柄などを教えようとしたが、彼女の激情にはばまれてしまった。

「誰ですって？」

「マイケル・コムニーナス」いま一度わたしは少しつっけんどんにいった。「叫ばなくてもいい！　彼がなにをしたんだ――」しかし、またも彼女は古代スカンディナヴィアの言葉で口をはさんだ。

「ほほう！　ビザンティン帝国皇帝のヴァラング近衛兵の隊長たち、トルフィン！　アルヴィド！　スヴェン！　また彼らに付き従った――ガドラン！　ランドヴァ！　ハーコン！　スミッド！　そして、ヴァルハラにいるおまえたちヴァラング人、みな聞け！　それに、ああ、おまえたち、悪鬼、魔女、魔術師、トロール、吸血鬼たち、そして永遠の凍れる火が熱なく燃えるヘルの地獄の城に住まうすべての暗黒の神々、わたしの声に耳を貸せ、わたしの言葉を謹聴せよ。わたしはおまえたちにうれしい便りを届ける。

　やつが生きている！　何世紀もたつのにこのうるわしき地球の奥にふたたびマイケル・コムニーナスが住まっている！　肉体をまとい、血や骨や神経や細胞組織や筋肉を備えて生きている！　なんとやつは生きている！　ついにわたしはやつを見つけた！

　ああ、すべての運命をつかさどるノルンの三女神がなぜこの地にわたしを送りこんだのかがようやくわかった。そしてわたしは、なんじらを失望させない、死せる英雄たちよ！　なんじらみなを満足させ、失望させない！」

　これが愛する優しさをわたしが学んでいる、華麗なあの美女だろうか？　つかのま彼女の顔は怒り狂う鬼女のようだった。しかし、やがていつもの表情にもどり、彼女は重い溜息をついた。

「気にしないで、ジョンおじさん」彼女はわびしそうにいった。「わたしはその昔、ビザンティン帝国皇帝の配下、ヴァラング近衛兵に属するヴァイキングに行われた汚い裏切りの古い話を思い出してしまったの。

　臆病者より悪い——卑怯者——およそ三十人あまりのヴァイキングを破滅に追いやったのが、皇帝アレキサンダー・コムニーナスの甥の、やはりコムニーナスという名の男だった……残念だけど、わたしは過去の記憶にとらわれて生きているの。だから健全なヴァイキングの娘なら、呪われた名前、コムニーナスの一族を名乗る者には、憎しみのあまり、われを忘れてしまう。

　でも、あなたは昔の赤剣のヤール・ウルフが誕生の門を抜けて、この世にもどってきたのだとわたしにはわかっているのだから——このコムニーナス一族の子孫が語り伝えられているとおり本物のマイケル・コムニーナスであるとしても、驚くにはあたらない」

「生まれ変わりの信仰は、たいそう古くからある」わたしは熟慮していった。「そしてこの世界のいくつかの地域では、宗教の基本的教義に組みこまれている。もしもこの考えが真実だとすれば、つまり、きみのいうように、誰かの現在の人生は過去の誰かの人生の継続であると考えても、なんら驚くべきことではない……だから例のコムニーナスの係累は、現在の目的のためならどんな裏切りもやりかねない気がする！　しかし、ヘルドラ」わたしは突然直感して、彼女に懇願した。「きみに妖術、魔術、あるいは古代スカンディナヴィアの魔法といったものをもてあそぶようなまねはしてもらいたくない。もしこのマイケルがもとのマイケルだとしても、それでも遠い昔の話だ。もし彼がまだ罪をつぐなっていないとしても、どこか、いつか、なんらかの方法できっと自分の罪をつぐなうであろうことはきわめて期待できる。だったら、そんな小事できみの頭を悩ます必要はないだろう」

「よき賢者のように喋るのね」わたしが短いお説教を終えたとたんに、彼女は笑みをうかべた。「ご忠告、感謝するわ。そして、いま赤剣のヤール・ウルフ、あなたがわたし同様、いささか奇矯な状態にあるのはわかっています。〝きっと彼は自分の罪をつぐなうであろう〟——ああ！　とてもお気楽な考えだわ！　だから、もうこのことを考えるのはやめましょう」

　わたしは鋭く彼女を見た。彼女の突然の黙認は謎めいていた。しかし、彼女のサファイア色の眼はわたしを正視して笑みをうかべ、いつものように満ち足りた温かい輝きを送ってきた。そのためわたしは言葉通りに彼女の主張を受け入れ、航海の喜びに、わたしが若き日に聞いた、古い英国の愛のバラッドをうたう銀鈴のような彼女の声に身をゆだねた。そして人を惹きつける魔力のとりことなり、マイケル・コムニーナスのエピソードは忘れてしまった——しばらくのあいだは。

　二日後のちょうど暮れ方、屋根裏部屋をごそごそやっていたヘルドラが階段を下りてきた。古いバイオリン・ケースを手にしている。わたしが目をやると残念そうににやりとした。

「年寄りのジョンおじさんは悪い人ね」彼女は叱った。

「ヤール・ウルフの時代には演奏したのに、なぜあなたは〝フィデル〟を弾けるといってくれなかったの？　過ぎし冬の夜にあなたの甘美な音楽が聴けたのを想像してみてよ。あなたの演奏に合わせて——ラグナルが古きヤールに踊って見せたように——喜びの踊りを披露できたのを想像してみてちょうだい」

「でも、きみに話さなかったのは、わたしがバイオリンのたぐいを——弾けないからだ」わたしはきっぱりいった。「こいつは、かつて抱いたばかげた望みのかたみなのだ。挫折に終わったのは習得しようとしたが、あまりにもひどい雑音しか出せなかったので、本腰を入れるまでもなくやめてしまったからだ」

「からかわないで」彼女はいたずらっぽく目を光らせて口答えした。「わたしにそんな言い訳は通用しないわよ。今夜、あなたは演奏し、わたしが踊る——あなたが、ヤールだったときですら見たことのないダンスをね」

「もし演奏するとしたら」わたしは真剣に保証した。「きみのダンスはわたしの騒音でとんでもないはめになるぞ、このおねだりやめ！」

「そうかしら」彼女はうなずいた。「でも、わたしの魔術は〃フィデル〃のありかを、明らかにしてくれたし、わたしの精霊はあなたが素晴らしい演奏をすると教えてくれているわ」

「きみの〃魔術〃は当たったかもしれないが、きみの〃精霊〃は明らかに間違っている」わたしは食ってかかった。

「わたしの精霊はいまだ裏切ったことがない——だから、今度も上手に弾ける」彼女の口調には重々しくも、からかいの気配がまじっていた。だからわたしは少し腹立たしくなった。

「わかった」わたしは不服ながら譲歩した。「わたしの〃演奏〃を聞きたいのなら、いつでも弾いてやる。しかし、二度と耳にしたくない音になるぞ」

彼女は楽しげに笑いながら自室へ去り、バイオリンを持ってきた。

夕食が済んでも古いバイオリンの演奏について彼女はなにも口に出さず、わたしは棚上げになったのかとひとり合点した。しかし、十時頃になると、なにもいわずに彼女は自室に向かった。しばらくして現われた彼女は、腰に宝石のはまった小さな黄金細工の留め金しかついていない、透き通ってゆったりした淡い青色のシルクのローブだけをまとっていた。ゆったりとしたそのローブは、うっとりするほど美しい、均整のとれた肢体を隠しきれず、また隠しようもなく、愛撫するかのように、彼女の肉体のあらゆる曲線をなぞってまとわりついていた。

彼女はあの小さな留め金以外、まったく飾り物を身につけず、ほどいた燃えるような素晴らしい金髪はきらめく夕日の滝を思わせ、ばら色を帯びた真珠光沢の肌を透かす薄いくもの巣のようなローブに映えて、腰まで流れていた。

ふたたび彼女は坐り、しばらく話をした。しかし、真夜中に近づくと、彼女は短い沈黙を破った。

「すぐもどってくるわ。踊りのための準備をしたいから」

彼女は部屋から四基の古風な青銅のランプと不思議なかたちの油壷を一点持ってきた。彼女はランプに油を満たし、居間の床の四隅にそれを置いた。

自室へ退いた彼女は、八角形の石を持って出てきた。およそ一インチの厚み、さしわたし約四インチの表裏ともに平らな石である。これを彼女は、いつもわたしが水ギセルを据える低い台に置いた。鏡のように石板を立てかけた——なにかの役に立つとはとうてい思えなかった。光を反射するどころか、スレート板のように沈んでいる。

最後の仕上げとして、彼女はいまいましい古いバイオリンを持ち出した！　そして、深紅の唇に天使もうらやむばかりの無垢でたくらみのない笑みをうかべた。

「どういうつもりだ？」わたしは——とぼけてたずねた！

「ヘルドラを熱狂させる音楽を演奏する、あなたの〝フィデル〟よ」彼女はなだめるように微笑した。

「うーむ、いやいや！」わたしはぶつぶついった。「だけど、あのランプはなぜ——それにあの汚い黒い石板はなんだ？」

「あの黒い石板は冥界の女王ヘルの、〝ヘルストーン〟よ。正しい角度で据えられた四つのランプが輝くと、その前にあるものをなんでも反射する特性を発揮してくれる。そして、発光する硫化カルシウムと呼ばれる物質が満杯になるまで遅効的に光線を吸収し——正確に同じ映像を放出して見せてくれる。そのように、わたしの踊りの画像が保存されるのよ」

「ヘルドラ」わたしは鋭くたずねた。「きみはなにか呪わしいことをたくらんでいるのか？　こいつはまるで魔術を操る舞台セットじゃないか！」

「わたしは過ぎし宵、あなたのためにうたいました」彼女は遠慮がちな非難の口ぶりで答えた。「そして昔話を語りました。さらにあなたの目を楽しませるため、幾度となく衣裳で身を飾りました。そうしたことはすべてあなたをうっとりさせたけど、なにか人に害をなしたかしら？　だとすれば、不可思議なヘルストーンの前で、自分自身の満足のためにダンスを踊ることが、誰かの害になるでしょうか？」

いつもどおり、彼女の勝ちだった。サファイア色の眼が、わたしのかすんで老いた灰色の眼を見つめるたびに——理解してもらえると信じているので、こちらはついなんでも是認してしまうという——妙な作用をおよぼす。ただ、たんに彼女は彼女であり、わたしはわたしであるという理由で。

「わかった」わたしはいった。「しかし、きみはわたしをからかっている——この古いバイオリンを弾かせようとするなんて。よし——思い知らせてやろう！」そしてわたしは弦の上で弓を引き、とんでもない音をたてた。するど、鉄の罠が獲物をとらえるような思いがけないほどの素早さで、冷たい指がわたしの手首を強くつかみ、べつの人格がわたしの腕と指を操っているのが、きわめてはっきりわかった――しかし、同じように即座に確信したのは、もしわたしがそのまま演奏しても、少なくとも――危害はおよばないということだった。だとしたら、事態の成り行きにまかせよう――聞こえてきた音楽は人間が考案したどんな楽器によってもなされたとは信じがたいものだった。

その音楽を表現したいと思っても、適当な言葉が見つからない。考えつくとも思えない。荒々しく、野蛮で風変わりでありながら、心をそそられる魅力的なもので、あらゆる抑制を奪うものだった――堪能すれば、天国の天使さえ堕落しかねない。わたしはほとんどもうろうとした同然の意識酩酊になり、麻薬の夢に酔うハシッシュ常用者よろしく、意志を押さえこまれて抜けられぬ状態となり、抗いようのない恍惚感へと沈潜していくようだった。

ヘルドラはテーブル上の大型石油ランプを突然吹き消し、四隅に立つ青銅の灯火だけを残した。

見事な肢体は優美に動き、最初はゆっくり、やがて早く、世界がまだ若かった古き時代の複雑な舞いへと変化していった……。

内心の恐怖とともに、わたしはこのセレモニーがなんのためのものかを悟った。わたしはかつがれ、からかわれつつも、さらに中断するも手遅れだと知った。口を利くことさえできなかった。ただ、見知らぬ他人がわたしに乗り移って、狂ったようにバイオリンをかなでるのに身をまかせるしかなかった。そして、わたしの愛する〝姪っ子〟は、彼女を憎み、恐怖する男に対して誘惑をたくらむダンスを踊った――その悪魔的な目的は充分に推測できた！

男をたらしこむ優雅な肉体に集中した光線は、明らかに彼女を通り抜け、地味な八角形の黒いヘルストーンの表面を照射するのがわかった。石板は光を貪欲に呑みつくし、鈍く黒い表面がオーストラリア産の珍しいブラックオパールのように輝いた。一方で、踊り続ける魔女の動きはことさら誘惑をもくろむ、さらに魅力的でなおかつ奔放なものになった。そして、なぜヘルドラがかくも恥ずべき――というより恥知らずにふるまっているか、わたしにはわかっていた！　彼女はマイケル・コムニーナスの性格をきわめて正確に読み取っていた。彼女は、彼の魂が彼女の憎しみや彼女への恐怖を認識しているのを知っていた――おまけに彼の本性をあおることで、彼を自分の魔手のうちに収めるチャンスとなるのを知っていた……だから、彼女はあのきわめていかがわしいヘルストーンの性質をわたしに教えることさえしたのだ！

音楽は荒々しくいっそう早まり、なお迅速になり、より魅力的でリズミカルになって、ヘルドラの美しい肉体は、揺れ、回転し、襲いかかり、身構え、やがて最後にはためく両手がひらりと一瞬、腰の小さな留め金に触れると、薄布のローブはわずかひと振りで脱ぎ捨てられ、ヘルストーンの陰気な表面に忠実に記録された。

たちまち踊り手は硬直したように動きを止め、両腕は招くように突きだされ、王女の風格を持つ頭は仰向いて、白く長いなめらかな喉首を見せ、なかば閉ざされた澄んだサファイア色の青い瞳は、狡猾な挑戦を示してきらめいた……。

超自然的な音楽は、溜息とすすり泣きのささやき、毒の甘さとともにやんだ……わたしの手首をつかんでいた冷たい指はふいに離れ……最初に思いついたことは、もし誘惑の呪文がわたしに向けられていたら、古い格言に、〝女に夢中になった年寄りのばかほど手に負えないものはない〟、とあるが、それを即座に証明していた。ということだった！

そしてわたしは事実上、マイケル・コムニーナスがすでに屈服したのを知った！

だから同時に、わたしは逆上した。ヘルドラはあまりにやりすぎた。わたしはきっぱりと素直にそういった。間違いようのない言葉で、彼女のくわだてたのは殺人か、もしくはもっと悪いものであると述べた。そして、現代のアメリカでは、妖術が入る余地も、処罰もない。だから、どんな悪魔的たくらみを行おうとも、わたしが共犯に問われることはない。ああ、わたしは簡単明瞭に自分の立場を述べた。

すると彼女は立ちつくし、ひどく傷ついた表情でわたしを見た。まるで、無邪気な遊びの最中に、気まぐれに叩かれた子供のように見受けられた！

「マイケル・コムニーナスを悪魔が追い払ったとしても、わたしはなんの痛痒《つうよう》も感じない」わたしは激怒して結論づけた。「しかし、きみがここに住んで、わたしの姪っ子として振る舞っているあいだは、彼を殺害してもらっては困る！　きみは失踪してしまえば、法律的にはとがめられないのはまず間違いない。しかし、わたしはどうなる？　共犯者として、少なくとも終身刑に処される！」

彼女の顔は魔術にかかったように紅潮し、その声は深く後悔しているようで、その目には真剣な愛の光があった。彼女はやってくると、わたしの首に白い腕をからませ、優しいなぐさめの言葉をつぶやいた。

「かわいそうなジョンおじさん！　ヘルドラは軽率だっ

た——いけなかった！　あなたを深刻な厄介事に巻きこんでしまったのかしら？　面目もありません！　でも、ノルンの三女神がわたしに課した運命は重いものです。愛するあなたのためでも、避けるわけにはいきません。教えて」彼女は突然たずねた。「もしも下劣なみみず野郎を、あなたにもわたしにも、一切の嫌疑がかからないやり方で滅ぼしたら、そうしたら、わたしがしたことを知っても、あなたは以前のように愛してくれるかしら？」

「だめだ！」わたしは強く否認した。わたしははっきりさせておきたかった。

　彼女は平静な笑みをうかべ、わたしの唇をキスでふさいだ。

「死すべき人に嘘をつかれて感謝するときがくるとは、夢にも思わなかったけれども、いまは感謝します！　あなたの心の奥底にある本心は読めます。だから、わたしはうれしい！　でもいまは」——彼女の口調にはひどく孤独な悲しみがこもっていた——「わたしは残念ながら、明日、おいとませねばなりません。あなたにいただいたきれいな衣服と、それを入れたトランクを持って。あなたはわたしが、から手で出て行くのは望まないでしょう。また、金払いの話などで、ああ、ヤール・ウルフ、あなたに恥をかかせたりしません。

　わたしが去ったら、帰郷したといってください。そうすれば、地元の口さがない人々も邪推などしないでしょう。そしてすぐにわたしのことなど忘れ、コムニーナス一族の落とし子に不可避的に起きることも、あなたやわたしとの関係についても誰も疑いはしないでしょう。

　ただこれだけは絶対に確かです。いつかどこかで、あなたとわたしはふたたび一緒になります……」彼女の言葉が途切れ、わたしの唇に激しくキスし、さらに両方の頬にも優しく、さらに最後に奇妙な尊敬をもって、わたしのしわの寄った老いた額にキスした。そして、彼女は背を向け、まっすぐ自室へ向かい、ドアを閉めた。わが家に滞在してはじめて、彼女が部屋の鍵をかけるカチリという音が聞こえた……。

　翌朝、計画通り、彼女は始発電車で街へと去った。わたしは求めに応じて充分なお金を持たせた——自分の宝石を売るつもりだといったので、彼女が最初に持っていこうとした以上の金を渡した。

　そして、彼女の出発にともない、わたしの生き甲斐のすべてが消えた……。

　わたしは重い足取りで、空疎な住まいとなってしまったコッテージ——老人にとってはいっとき地上の天国であった――へ帰った。そして、一番はじめに目に留めたのは、居間のテーブル上に残された呪われたヘルストーンだった。

わたしはそれを拾い上げ、粉々に砕いてしまおうかとも思ったが、ある考えがうかんだ。わたしは石を地下室へ運んだ。薄暗いなかに置かれると、ヘルストーンはその魔力の作用でほんのり輝き、わたしから去って行った美しい彼女の姿を見せてくれた。そしてわたしは冷たい八角形の石板を唇に押し当て、彼女の存在の不確かな代用品を残してくれたことに感謝した。そして、わたしはきびすを返して上階にもどり、中国の職人の手並みになる古い象牙細工の箱を見つけ、かけがえのないものとして、そのなかに注意深くおさめた。

その夜、わたしは早くベッドに入った。遅くまで起きている理由はなかった。しかし、眠れなかった。わたしはベッドに横たわり、歴史に記録されているその鼻祖から、最近の子孫、あるいはヘルドラが呼ぶところの〝落とし子〟にいたるまでのコムニーナスのルーツ、家筋、眷属《けんぞく》を呪った。

真夜中になって、なお眠れずにいたわたしは起き出して、ヘルストーンを取り出し、闇のなかに据えた――するとしだいに、わたしはひとりでないことに気づいた！

見上げると、燐光色の光の、魔力の輝きのなかに彼女を見て、わたしは茫然と立ちつくした。すぐそれがヘルドラそのものでないのに気がついたが、彼女の〝輝ける似姿《シン・レッカ》〟、〝魔力で送られる邪悪な幻影〟であり、これも彼女の妖術のひとつであるとわかった。

「だが、これでも歓迎だ」とわたしは思った。彼女の想いは、豪奢な彼女自身の霊的写しであるこの幻影を通じて表明されていると感じた――するとたちまち腹立たしくなり、彼女の命令に逆らおうと努めた。そんなことが、なんの役に立つものか！

まったくなすすべもなく操られ、それでいて完全に自分の行為を認識しつつ――古代アルナの〝魔法《グラミール》〟により――不思議に身を守る不可視のマントにつつまれて――わたしは服を着て、ヘルストーンをたずさえ、夜のなかへ出た。

わたしはコムニーナスのコッテージに直行し、戸口の上がり段の下を掘り、そこにヘルストーンを埋めた。なお神秘の魔法に守られたまま、自分の住まいへともどった。

水ギセルを吸おうと椅子に坐ってまもなく、わたしは冬の海から現われたところをわが家に連れてきて、世間的には〝姪っ子〟として保証人になったあの魔女の、救いようのない非道さを十全に意識した。

ちょうどそのとき、わたしはとって返してヘルストーンを引き上げ、砕いてしまおうと決心した――が、できなかった！　突如としてわたしを眠気が襲い、起きてみたらもう白昼の午前九時半だった。その後、目覚めてから、夕暮れになるまでいつも、呪わしいヘルストーンを思考から閉め出しておかないと起きていられなくなってしまった。それゆえにわたしとしては、朽ち果てるまで、石板をそのまま捨て置くことに決めた！

やがてある午後遅く、コムニーナスが海岸をやってきた。彼はヨーロッパ流に礼儀正しく帽子を上げると、声をかけてきた。わたしは無作法にぶつくさいっただけで、無視した。しかし、躊躇のすえ彼はついに口を開いた。

「クレイグ教授、わたしがどう思われているかは知っていますし、ある程度それが当たっているのは認めましょう。わたしはドンファンだとの評判を得ているようです。しかし、わたしは自分がそれをひどく後悔しているということをあなたに信じていただきたいのです――いまは！　しかし、そんな世評にもかかわらず、よろしければあなたに、きわめて自然な質問をしたいのです」

なんの話になるのか不明なまま、わたしは同意のしるしにうなずいたが、どういうわけかヘルドラに関することなのは確信できた。だから、彼が唐突に口走っても、まったく予想外というわけではなかった。

「ミス・ヘルストロームが、もしおもどりになるとしたら、いつでしょう？」

わたしは面食らった！　そうとしか表現できない。わたしは逆上して彼をにらみつけた。呼吸を整えると、強い調子でたずねた。

「あつかましくも、よくもそんなことがわたしに訊けるな？」

返事はわたしを仰天させるものだった。

「なぜなら、彼女を愛しているからです！　待って」――彼は懇願した。「お願いです。しまいまで聞いてください！　犯罪者でも、その程度の好意は許されるでしょう」わたしはしぶしぶうなずき、彼はふたたび続けた。

「彼女にはじめて出会ったとき、わたしは強い反感をおぼえ、心の奥でなにかが縮み上がる思いでした。それでも、彼女の比類ない美しさを称賛したのです。しかし、彼女が去ってから、わたしの瞼にその姿がうかばない夜はありません。だから彼女を愛していると悟りました。そして、彼女がもどるのを望みます。それゆえのおうかがいです。

率直にいわせてもらいましょう――彼女の関心を集め、

嫌悪の情なくわたしの称賛を受け入れてもらえたらとさえ望んでいます。おそらく、二人の心は――いつか、たがいに近づけるでしょう。というのも、いつもわたしは彼女が顔を仰向け、目をなかば閉ざし、まるで求めているかのように、その両腕を差しだすのが見えるからです。もし居所さえわかれば、わたしは必ず迎えに行きますし、彼女がどこにいるかは、わたしにとって少しも〝ささいな〟ことではありません。叶うならば、皇帝の妻にしてもおかしくない彼女の愛を得て、わが妻となせるならば――」

「たいした夢想家だ」わたしは嘲笑した。「しかし、色事師さんよ、わたしはあんたが生まれるずっと昔から人生経験を積んでいるんだ。そんな話は真に受けない。わたしの姪の所在など、あんたとはなんの関係もない。だから、わたしが腹をたてるまえにいなくなれ。さもないと、どんなことになっても知らんぞ。とっとと失せろ!」

彼は去った！　わたしの表情と怒りに満ちた目差しから、殺してやりたいほどの気分であるのを察したにちがいない。まさにそのとおりだった。しかし、同時にわたしは恐怖を覚えた。彼がいま述べたことは、わたしを動揺させるに充分だった――ヘルストーンはそのいまわしい作用をおよぼしていた。わたしの魂はその避けがたい結末を想像して震え上がった……。

ある考えがわたしに取りついて、その目的を遂行するためには夜陰に紛れる必要があった。わたしはあてもなく、コッテージの部屋から部屋へとうろつき、いつのまにかヘルドラが使っていた部屋に入っていた。なお、あてもなく、ドレッサーの抽出しを次から次へと開け、一番下の抽出しで、かすかなカチリという金属音を聞いた。

古風な青銅のランプが四基入っていた。彼女と連絡をつける必要が生じたときのために、残しておいてくれたのではないかと、わたしはめざとくにらんだ。調べてみると、願っていたとおり、油は満たされていた。

十時頃、わたしは居間の四隅にランプを据え、ヘルドラがしていたとおりに点灯した。そして、わたしは呪文めいた召喚を試みた。

「ヘルドラ！　ヘルドラ！　ヘルドラ！」わたしは呼びかけた。「わたし、きみの必要に応じて仮住まいを提供したジョン・クレイグは、いまきみを召喚する。どこにいるにせよ、わたしの要請に応じてきてくれ！」

室内の空気は微動もしなかったのに、四つの灯りが消えた。かすかな光、魔法の光が続いて輝きだした。そして、そこに彼女が、というより彼女の輝く霊体《シン・レッカ》が立っていた！　しかし、わたしはそれをなんと表現しようと、あたかも肉体がそこにあるのと変わりないのを知っていた。

「ヘルドラ」わたしは魔法の光による幻影に嘆願した。「わたしは、ラグナルが赤剣のヤール・ウルフを愛したのと同じきみの愛にのっとって、きみに求める――ふたたび不可視のマントの〝魔法《グラミール》〟でわたしを包み、呪われたヘルストーンをきみがわたしに埋めさせたところから取り出させてくれ。きみに石板を返却させてくれ、もうこれ以上、人に危害を加えることがないよう、どこであれ、きみの指定する場所にもどさせてくれ。

すでにあの哀れな魅せられたばかは、狂ったようにきみを恋している。なぜなら、わたしが段の下に埋めた呪文のこもった石板は、やつが戸口を踏みしめるたびに力の放射をいっぱいに浴びせるからだ！

ヘルドラ、唯一の好意をわたしに示してくれ。そうすれば、きみが魔女の人生で犯したあらゆる罪を大目に見てやろう」

光る幻影は間違いなくわたしの要請に同意してゆっくりとうなずいた。どこか遠くから、わたしはかすかなささやきを聞いた。

「それがあなたの望みであるなら、ヘルストーンを取り、港への北水路を守る高い崖のふもとにある海食洞へご自分で運びなさい。そこにあなたが納めてしまえば、その作用もあなたの任務も終わります。

そしてわたしがこれまでになしたことを大目に見てくださるとのお言葉に感謝します。というのも、過去の咎《とが》は重いものですが、あなたの約束はその荷を軽くしてくれます」

輝く幻影は消え、わたしは外の闇のなかに出掛けた。まっすぐヘルストーンを隠した家に行き、わたしは石段の下を手探りして、いささか問題のある服装でも、咎められずに済んだヘルドラの〝魔法《グラミール》〟に内心感謝して、求めるものを取り出し、海岸を急いだ。

潮はほぼ引いていたので、わたしは迅速に歩み、いささか遠い、ヘルドラに指定された海食洞に向かった。引き潮になれば出入り可能で、入り口が水没する満ち潮のあいだはまったく安全な場所だった。

わたしは即座にこれっきり一切の面倒と縁が切れると信じて海食洞へ入った。しかしそこには誰もおらず、洞内は黄泉《よみ》の国へ通ずる暗黒界、エレボスのように真っ暗だった。わたしはマッチをすったが、なにも見えなかった。マッチは燃えつきた。わたしはもう一本手探りした――一瞬、懐中電灯のまばゆい光線に目がくらんだ。やがて光はわたしの顔から洞窟へとすっとそれた。柔らかながら威嚇的な憎々しい声がした。

「やあ、クレイグ教授、うちの戸口の下から盗みだしたものを、わたしに返したまえ！」

即物的なオートマティック拳銃が、わたしのみぞおちに、正確に向けられていた――そして、喋っているのは、誰あろうマイケル・コムニーナスその人だった！

神秘の〝魔法《グラミール》〟が働かなかったのはきわめて明確だった。そして、わたしはなんとも進退窮まってしまった。

そのとき、突然、ヘルドラが現われた！ 復讐の怒りに満ちたようすで、どこからともなく出現し、形勢は逆転した。頭から足先まで覆う、黒い外套か長いマントをはおっている。

右手を前に突き出し、左手でわたしが持っていたヘルストーンをつかみ取った。彼女は指先をコムニーナスに向けた。触れてもいないのに、まるで古代の戦槌で強打したも同然の効果があった。

「このいぬ、長きにわたる、いぬの血筋の息子よ！」彼女の冷たい声には激しい敵意がこもっていた。「そのばかげた拳銃を捨てなさい！ 捨てろといったのよ！」

伸ばされた指先から、青い光が細く閃《ひらめ》き――脱力した手から拳銃が落ちた。コムニーナスは全身麻痺したようだった。ヘルドラの魔法は彼を完全に奴隷状態にしてしまった……わたしは急いでかがみこみ、拳銃を拾った。

「つけてきたんだな？」わたしは怒鳴るようにいった。

「わたしは――」

「待って、ヤール・ウルフ！」ヘルドラの口調は、いかにも楽しげだった。「あなたの出る幕じゃありません！ わたしの氏族間の血讐、血の正義の問題よ！ まずわたしがあいつ、マイケル・コムニーナスとの片をつけます、古くからの憎しみにおぼれ、そして久しく果たされなかった、いにしえの復讐が完了するのです」

「ヘルドラ」わたしは彼女の言葉の不吉さに畏怖をおぼえて口を開いた。「これ以上、かようなことが進行するのはごめんこうむる！ わたしは――」

「お黙りなさい！ 壁際に坐って見ているがいい。身動きも口を利いてもなりません、さもなければ、永久に黙らせますよ！」

抵抗しがたい力でわたしは洞窟の壁面に放りだされ、平らな岩の上に強く固定された。わたしは彼女の命令にただ従うしかないとわかった――口を利くことはおろか、瞼さえ動かせず、これ以上邪魔立てできないよう完璧に封じられてしまった。

つかのま彼女はそれ以上の注意をコムニーナスに払わず、わたしのもとに歩み、かがみこんで、唇にキスした。彼女のサファイア色の眼は、わたしの怒りに満ちた燃える目を覗きこんで笑った。

「かわいそうに！　ひどいことになったけど、あなたがそうさせたのよ。このもつれた輪をすっかり解きほぐすための助力が欲しかったけれど——あなたを操るのはむずかしすぎた！　でも、ある意味であなたはびっくりするほどわたしの術中にはまってくれた。そう、ヘルストーンまで持ってきてくれた——だからわたしはとてつもなく価値のあるものを失う気遣いがなかった。わたしはそこのばかの頭を今夜眠らせずに、ヘルストーンを取りもどすあなたを見せて追いかけさせた——そして、わたしのささやかながら上出来の罠にはめた。

さあ、今度こそ！」

彼女は身をひるがえして、コムニーナスと対した。そして、彼はすっかり呪縛されているにもかかわらず、わたしにはその目の恐怖、自分のこうむる恐ろしい運命をいやおうなく予知しているのが読み取れた。

彼が落とした懐中電灯を彼女は拾い上げ、そっけない言葉とともに消した。

「べつの光がここには必要だわ——ヘルの城の冥府光《ヘルライト》が！」その言葉と同時に奇妙な光が洞窟を満たし、その発光色にはまさに怯えを誘うものがあった。ふたたび彼女は口を開いた。

「マイケル・コムニーナス、地中の邪悪な虫けら！　自分の運命が自分に襲いかかるのを知っている——しかし、それでも、おまえはその理由を知らずにいる。ああ、ぶたよりも下劣なけだものめ！　わたしの言葉を記憶せよ。神々のたそがれに永遠が呑みこまれたのちまでも！　おまえは現代人だから、自我、魂が永久に死なず、その身体と名前や時代を幾度変えても、魂そのものは同一であり、各世の肉体が行った行為に責任がともなうのを知らない。おまえは自分の魂が自分だけのものであるとほざいているが——実際のところ、おまえこそ逆に魂の所有物にほかならない！

さあ、見るがいい！」彼女は洞窟の入り口を指し示した。「あそこに一条の海霧が立ちのぼるのを。まもなく上げ潮になる。そして、あの冷たく渦巻く霧のカーテンに映る——何世紀もまえの、過去の図を見よ。この洞窟のなかにいるあらゆる許しを凌駕する罪を犯した卑怯な裏切りの魂の過去を！

あなたも見なさい、赤剣のヤール・ウルフ、そうすれば、この地上であなたに残された日々に、彼の運命を知るだろう、加えてヘルドラがあたえるそれにふさわしい罰を知っておくがいい！
ノルンの三女神の杼《ひ》がこのコムニーナスの罪のタペストリーを織るあいだ、わたしはこの男の犯罪のすべてを語ります。

ビザンティウムを皇帝アレキサンダー・コムニーナスが治めていた。彼の帝位を盤石なものとすべく、ヴァイキングとなっていたノルウェーの優秀な息子たち、すなわちヴァラング人のいかつい斧と長剣によって親衛がなされていた。ヴァラング人の臣下は皇帝の信頼と愛情を勝ち得ていて、圧倒的な敵の前でもひるまず、最後の一兵まで、コンスタンティヌスの十字架にかけて戦う、そのように誓っていると、しばしば皇帝は彼らの忠誠ぶりを誇っていた。そして、その証拠に彼らの戦いの鬨《とき》の声を引き合いに出していた。

〝ヴァルハラ！　ヴァルハラ！　勝利かヴァルハラか！〟と。

金角湾《ゴールデンホーン》へ入港しようと、ヴァイキング船〈グレティル〉号が航行していた。船は高貴な三兄弟——トルフィン、アルヴィド、スヴェンの持ち船だった。そして彼らの妹が乗っていた……女予言者にして巫女、アルナの乙女としての彼女の名声はスカンディナヴィア全土にとどろいていた。どれほど卑しい男でも、彼女を崇敬しない者はなかった。そもそもアルナに対して欲望の目を向けることは罪であり、三兄弟の妹はことに神聖な存在だった。

皇帝アレキサンダー・コムニーナスの両腕のなかで、三兄弟は彼らの手を置き、丸一年の忠誠を誓った。三十人の戦士、乗組員たちは、三兄弟の導くどんなところにも従った。そして、ヴァラング近衛兵の連中から、彼らの赫《かく》々たる戦功のほどを聞いた大皇帝は、兄弟たちを重んじて高位につけ、身近に置いた。

彼らの妹、アルナの乙女はふさわしい身分をあたえられ、神聖な評判を呼んだ。ああ！　キリスト教徒のビザンティウムびとのあいだからも、異教の信仰を持つ彼女に尊敬と名誉が示された。しかし、ビザンティウムのひとりの男だけ、人並み外れた大望を抱いていた。昔のスカンディナヴィア人やビザンティン帝国国民が誰もあえて持たなかったほどの野心を。

コムニーナスという男は皇帝の甥にして、満幅の信頼と愛を皇帝の叔父から受けている、ビザンティン帝国艦隊の大提督であった。放蕩の悪名がつきまとう彼は、ヴァイキングのアルナの乙女にふしだらな目を向けたが、正妻に迎える気はまったくなかった。否！　彼の望みは彼女を情婦にすることだけであった……そのため、たくらみをめぐらした……。

　三人の兄弟、トルフィン、アルヴィド、スヴェンと全乗組員をふくめたヴァイキング船〈グレティル〉号は、皇帝の海岸の一画を蹂躙する海賊討伐に向けて船出するよう命じられた。

〈グレティル〉号の乗組員は全員、水樽に入れられた毒により、ねずみのように死んだ！……彼らはヴァイキングらしく死ねなかった。畜生のごとき死を遂げたので、戦場で死んだ英雄たちの殿堂、ヴァルハラに行く資格を得られなかった！　そして大提督から海岸を熟知している舵手として送りこまれた二人の悪人によって、毒の苦悶にゆがみ、身を折る、たくましい肉体が、さめの餌として船べりから捨てられた。樽に毒を入れた二人は、死者や瀕死の人間を放り捨て、〈グレティル〉号を座礁させ、船に火を放った――しかし、命じたのはやつだ――犯罪はやつによってなされた！」

　そして、ヘルドラの陰気な調子の声はその物語をなおさら残忍なものに思わせ――コムニーナスとわたしは、霧のカーテンにそれぞれの出来事が明確に描かれるのを見つめた……ヘルドラは荒々しく燃える目をマイケルに向けた。

「ビザンティン帝国の全ての国民で真相を知っている人物はひとりしかいなかった」彼女はにわかに逆上して叫んだ。「つかのま、おまえの喋る能力をもどしてやろう。さあ、ああ、ばかもの！　卑怯者！　臆病者！　わたしは誰だ？」

　突然彼女は地味な外套をかなぐり捨て、かつてわたしの目を楽しませた、装飾品の数々をまとって輝く美しい姿で立った。

　この世のものとも思われない恐怖の叫びが、見つめるコムニーナスから発せられた。彼の叫び声は、もつれしわがれたあえぎだった。

「アルナの乙女、ヘルドラ！　赤い髪のうなばらの魔女――トルフィン、アルヴィド、スヴェン三兄弟の妹！」

「そう、下劣な、いぬ！　兄弟たちが船出したあと、おまえは夜やってきて、わたしに襲いかかった。助けを求めるわたしの叫びを聞くものとてなく、おまえはわたしを奪おうとした――このわたし、純潔を誓ったアルナの乙女を！　おまえはわたしをあざ笑い、ののしり、ヴァイキングにとって神聖なものを、貶《おとし》めてやまない犯罪行為を自ら誇った！

　しかし、おまえが閉じこめた恐ろしい地下牢から、わたしは逃れた――いかにして？

　わたしの知る魔術により、わたしは冥界の女王、ヘルその人に呼びかけ、いつまでも続く人生の見返りに、彼女に対するわたしの奉仕を願い上げました――わたしがおまえに報復するまで、おまえによって、ヴァルハラに入る栄誉を拒まれた英雄たちの復讐を遂げるまで！

　そしていまや――おまえのためにこのわたしがくわだてた運命がすみやかに下される……おまえはもう思い出しただろう！」

　ヘルドラが語ったのは真実だった。たちまち彼らは到着した！　わたしの坐るところからはっきりと見えた。船べりに丸い盾が並んだ大きなヴァイキング船が。金糸の刺繍をほどこした大きく四角い深紅の帆を張り、長柄のオールがいっせいに浪をかいて上下する――かすかに不気味な口調の遠洋の漕ぎ手たちの舟歌が聞こえてきた。

「えっさ！　ほい！　さささ！　ほいさ、ほいさ、ほいさ、ほいさ！」それは昔のヴァイキングたちが拍子をあわせた船漕ぎうたであるとわかった！

　とうに死んだ古代スカンディナヴィア人の乗組員とともに現われた、恐ろしいヴァイキングの幽霊船の全貌が、冷たい不知火《しらぬい》の光のなかに描きだされた。彼らは死者になれない――冥界の国ヘルに入るには善良でありすぎるし、ヴァルハラにも入れない……。洞窟の入り口に幽霊船はまっすぐやってきて、乗組員たちが下船して入洞してきた。ヘルドラはうれしい歓迎の叫びをあげた。

「深きところより、なんじら英雄たちこぞってわが沈黙の召喚を聞き、往事のアルナの声に従えり！　なんじらの待機はついに終わらん！

　あちらにコムニーナスの血脈の男が立っている。あとひとりのほうは、なんじらに関与していない――しかし、心せよ。それというのも、前世のひとつで彼は、赤剣のヤール・ウルフだった！　彼の左手には、いまも波炎のラグナルのルーン文字の記された古き銀の指輪がはまっている！」

　幽霊ヴァイキングたちは頭《こうべ》をめぐらせ、奇妙に身をこわばらせてわたしに視線を向けた。彼ら全員が敬礼した。明らかに、その時代でヤール・ウルフはひとかどの人物であったにちがいない。やがて、わたしをさて措《お》いて彼らはヘルドラに向き直り、次の命令を待ち受けた。彼らは、コムニーナスを獰猛かつ、むさぼるように見た。

　ヘルドラの奇妙な鈴のような調子の声は、弔いの鐘そのもののように重々しくおごそかに響いた。

「マイケル・コムニーナス！　現在のおまえの身体はなんらわたしに危害を加えなかったし、人々にも危害を加えていない。確執の標的は、おまえの身体ではない。それゆえにおまえの身体は、入ってきたときと同様、この洞窟から出てゆける——いままでどおりの男ぶりで、なんら損傷をこうむることなく。

　しかし、おお、もっとも呪われたおまえの卑怯な魂は、今夜地上の住みかから引っ張り出されなければならない。そして魂は、おまえが不当に取り扱い、いまや獲物を待ち、復讐を遂げんとする者たちにゆだねられるのだ！　いっておくが、マイケル・コムニーナス、彼らがおまえのために用意しているのは、おまえの宗教でいう地獄《ハデス》さえ、心から楽園と思えるようなものだ！」

　ヘルドラはまっすぐコムニーナスのもとに歩んだ。彼女の白いすらりとした腕が伸ばされ、下向きの手の平から伸びる指先は、強張っていた。奇怪な紫がかった光線が彼女の指から発せられ、しだいにコムニーナスの身体を包んだ——彼は光りだした。まるで彼の身体が光に浸され、吸収して溶解するかのように……。

　ヘルドラの声は最後通牒の調子を帯びてきた。

「マイケル・コムニーナス！　なんじ、呪われた魂よ、ヘルご自身からあたえられたわたしの力によって、なんじの隠れ場である肉体より、わたしはここになんじを召喚す——出てまいれ！」

　生きている肉体はまったく動かなかったが、彼の口からかすかな銀色めいた気体が出てきて、アルナの乙女のほうへと流れ、それにともなって紫色の光は薄らいでいった。銀色の霧は積み重なり、渦巻き、のたくっていま出てきたその肉体とそっくりなひと形をなした。最終的には魂と肉体をつなぐ銀色にきらめく一本の索になった。ヘルドラは声をひそめていった。

「誰かこの索《さく》をまっぷたつに断ち切れ！」

　ヴァイキングの両刃の戦斧がぐるぐる回転し、かすかなしわがれ声がした。

「トール・ハルフ！」

　古代スカンディナヴィア人の戦争の神トールに助力を願ったのであろう。というのも巨大な幽霊斧は、ほとんど鍛鋼に等しい強度の硬い索を打ったからだ。三度にわたって斧は振り上げ、振り下ろされ、強靱な筋肉の巨漢によって振るわれた刃により銀の索はたたき切られた。

　くすくすとした忍び笑いが、現代のマイケル・コムニーナスの唇から洩れた。

　わたしは突然、胸くその悪さを感じた。そこに立っているのは、空虚な薄笑いしかできない、まったく精神を喪失した脱け殻だったからだ。

「そいつは」ヘルドラは冷たい嘲りの口調で、銀色に輝くひと形の魂を指さしながらいった。「なんじら、英雄のものだ！　なんなりと好きなようにするがいい！」

　幽霊の二人の巨漢が、その大きな手で魂の肩をがっちりつかんだ。魂は鈍い鉛色、卑屈な恐怖の色へと変じた。縮こまり、身をよじりつつ、魂は幽霊ヴァイキング船にあわただしく乗せられた。ほかのヴァイキングたちは乗船し、オールの定位置についた……しかし、彼らは待った。ヘルドラはわたしに向き直った。

「あなたにかけた魔法を解きましょう！」彼女の口調は、姪っ子として在宅したときの、もっとも優しい調子と同じくおだやかだった。


　わたしはあえぎ、起き上がって伸びをした。怒りをぶつけたかったが——遠慮した。その悪魔的な力をまざまざと見せつけられていたので、彼女の不興を買う危険は冒せなかった。そして、わたしの心を読んだ彼女は、楽しそうに笑った。

　彼女の冷たく柔らかな白い腕がわたしの首に巻かれ、実に素晴らしいサファイア色の眼が、わたしの目を優しくじっと覗きこんだ——わたしはその静かに光る目から言葉を読み取ったが、それは書かない。ふたたび彼女は銀鈴の声で語った。

「赤剣のヤール・ウルフ！　ジョン・クレイグ！　わたしは波炎のラグナルの孫娘です！　そしてかつて、わたしは三人の兄弟とともにヴァイキングとして、はるかビザンティン帝国へ赴きました。その話はあなたも知るとおりです。さて、わたしは、波炎のラグナルが決して死なないといいました。また、わたしは彼女の海食洞に潜って、その腕《かいな》に抱かれたといいました——そして、今度はあなたにわたしの残る謎について話します。彼女の息とともに、彼女はわたしの肉体に入りこみ、以来、わたしたちはひとつの魂として住んでいます。わたしは復讐を遂げるための助力を必要としていました。というのも、コムニーナスの魔手を逃れたあと、わたしは驚くべき冒険をしてスカンディナヴィアへともどりました——憔悴《しょうすい》しきって。そのときわたしはラグナルに忠告を求め、彼女は助けてくれました……。

　今度はあなたにたずねます。あなたは、わたしがときどき願ったように、男が乙女を愛するように、わたしを愛してくれますか？　よく考えてから、答えてください。そして、かつてあなたに鏡で見せたとおり——わたしはあなたよりも年上であるのを思い出して！　そう、それを承知の上で、長くつらいわたしの過去の妖術の行使にもかかわらず、そして、今夜の出来事にもかかわらず、わたしを受け入れて、あなたとわたしがいま一度若返ったらどうします?」

「ヴァルハラの全神々にかけて、そして冥界の女王ヘルの城の全悪霊にかけて――イエスだ!」わたしの返事は、熟慮の要も、危険を考慮する要もなかった。

「では、やがていつの日か、あなたはわたしを得るでしょう――必ずや!」

わたしの口に彼女の深紅の唇がきつく押しつけられ、わたしの全身に熱い炎がみなぎった。しかし、それは生命で――死ではない。わたしの胸に彼女のふくらんだ乳房が押しつけられるのが感じられ、思いもかけない炎が彼女の心臓からわたしの心臓へと流れた。ときが止まってしまった。永遠にも思われたのち、彼女はわたしの首に巻いた腕をほどいた。彼女は背を向け、一度も振り返ることなく、待っている幽霊ヴァイキング船に乗りこんだ。オールが浪をかいた……。

「えっさ! ほい! さささ! ほいさ、ほいさ、ほいさ、ほいさ!」と繰り返し聞こえた……さらにまた……遠く幽霊船の舟歌が消えてゆく……。

わたしは洞窟を出た。

かつてマイケル・コムニーナスだった、よだれを垂らす脱け殻はすでに洞窟を出ていた。のちに彼は〝気が狂った〟という噂が流れ、公使館は彼を本国に帰還させた。誰ひとり、わたしやわたしの〝姪っ子〟と彼の災難を重ね合わせて考えたり、疑う者はなかった。そして、コムニーナス自身はまったく記憶がなく――魂が離れたときから、自分の名前すら忘れてしまった!

それから一ヵ月もたたないうちに、わたしはコッテージを売却し、まったく未知の場所、新しい土地を見つけるまで身の回り品一式を荷造りして保管した。そしてわたしは、長年暮らしたコッテージを去った――実は切迫した理由から。

ヘルドラが彼女の息と乳房からわたしに吹きこんだ炎《ほむら》は、わたしの若さを取りもどすことになった! わたしの髪は黒っぽくなり、顔のしわはほとんど消えてしまった。歩きぶりはきびきびとして、見かけ上もほぼ六十歳から四十歳近くになった。その変化は村人たちの注目を引き、少なくとも奇跡のようだと、あからさまに見咎められるようになった……噂はしきりと流れ……昔の迷信が蒸し返され、かげ口がいいふらされた……それでわたしはついに去る決意をした。わたしの新たな外見が、不自然と思われない土地に行くために。

出会いの期待を胸にして――。

『ウィアード・テールズ』の幻の作家たち

植草昌実

『ウィアード・テールズ』（以下WT）の熱心な愛好者たちは、ウェブのあちこちで調査や研究を発表している。近年ことに作品の復刻が盛んなのは、その成果でもあるのだろう。

　歿後七十六年にして出版されたニクツィン・ダイアリスの怪奇幻想短編集*The Sapphire Goddess*（DMR Books,2018）は、WT発表作全八編に他誌掲載の幽霊もの一編を追加収録。なお、序文によると、他に西部もの、犯罪ものが各二編あるという。

*The Sapphire Godess*書影

　アリスン・V・ハーディングも、二〇二〇年に初の個人短編集*Allison V.Harding: The Forgotton Queen of Horror*（Armchair Fiction）が刊行された。全作品の半数弱、十六編を収録するが、「怪人ダンプマン」シリーズは開幕編のみなのが惜しまれる。その正体がマクルレイス時代のWT副編集長L・ブキャナンだったのか、あるいは彼の婚約者（のち夫人）ジーン・ミリガンなのか、確定する証拠はまだ見つからないようだ。

「深淵の王者」のC・ホール・トンプソンは、四〇年代後半のWTにラヴクラフト的な四作の中短編を発表した。“The Will of Claude Ashur”を読んだオーガスト・ダーレスが、ラヴクラフト作品の素材を使わないようにと圧力をかけた、という話もある（同作の収録は紙幅の都合で本書では見送った）。が、以降もWTに「蒼ざめた殺人者」と「呪いの系譜」を発表しており、ウエスタンへの転身は機に敏くパルプ・ホラーの衰退を見てとったからだと思われる。

*Allison V.Harding*書影

　ボリス・ドルゴフは「幻の挿絵画家」と呼びうるだろう。四一年から終刊の五四年までWTに挿絵を描き、表紙も六度手がけているというのに、彼に関する資料はほとんどなく、ハネス・ボクの友人であったことしかわからない。一体、彼は誰だったのか？

参考：Lesser-Known Writers (desturmobed.blogspot.com)

WT1950年5月号（ドルゴフ画）

Legendaries of the Pulp Magazine

道

Roads

シーベリー・クイン　Seabury Quinn

荒俣宏訳

『ウィアード・テールズ』の看板作家は数あれど、筆頭にあげるべきはやはり、一九二三年十月号から五二年三月号まで登場し続けたシーベリー・クイン（一八八九―一九六九）だろう。彼が創造した怪奇探偵ジュール・ド・グランダンは、対する事件の奇怪さや扇情性、露悪性もあいまって人気を博し、二十五年にわたって誌上で活躍した。その一方で、愛や平和を物語に託して伝えるファンタシーもいくつか手がけている。その中でも――いや、WT史上においても屈指の傑作と称される本作（三八年一月号掲載）を、ここにお届けする。まずは御一読を。そして、クリスマスが近づく頃に、ぜひ読み返してください。

一　ベツレヘムへの道

灌木《かんぼく》のくべられた焚き火がパチパチと燃えるサリの中庭では、座りこんだ駱駝《らくだ》が意味もなく口を動かし、杭につながれた裸馬が乾草をむしゃむしゃと嚙《か》んでいた。からになつた煮こみ鍋を囲んだ男たちは、髭《ひげ》や指にこびりついた飯のかすや汁をなめまわしてしまうと、羊皮の外套《がいとう》をそのへんに引きずり出して、ゴロリと横になった。

案の定、男たちは良からぬ噂《うわさ》話に花を咲かせはじめた。

「おい、ヤコブんところのガキも気をつけたがいいぜ、エジプト人だしな。やつらときた日にゃ、モーセやヨシユアたぁ縁もゆかりもありゃしねえんだ……。そうよ、やつらはおれたちの年端もいかねえ息子を殺《や》りやがった……。王座にかしこまったローマ人のご機嫌《きげん》取りのデク人形ってとこよ。異教徒のギリシア人めが！」

「したが、イエスさまが罪をお裁きになる。皆はあのかたこそわれわれの久しく待ち望んだ救世主《メシア》だと言うとるようじゃ。あの勇者は、その万力をもってガリー船からローマの暴君どもを海中に放りだしてしまうじゃろう――」

「しっ、しっ。ヨアヒム黙れ。向こうの野郎、犬らしいぜ！」

　男たちは、火勢の衰えた焚き火のまわりで、体をまるめていっせいに狸《たぬき》寝入りをはじめた。赤い毛皮の外套を肩にひっかけた亜麻《あま》色の髪の男が、残り火にかがみこんだ。

　炎が彼の冑《かぶと》に映ってキラリと光った。ダニューブのかなたからやってきたスラブ民族か、さもなくばゲルマニア地方からはるばる入門を志してきた、ヘロデ運動競技学校の闘剣士ではなかろうか。ガッチリした男だ。

「ヘロデの豚小屋からあの野郎、いったいなにをさぐりだそうってんだ」

「シオンの長《おさ》なら知っているだろう。ただし、長が聖都イエルサレムで噂話を仕入れてくれればの話だがな。ゴルゴタの丘では、明日三つの十字架刑が執行されるらしい」

　ヨアヒムはそっと話を中断すると、鎧《よろい》から短剣が楽に抜けるよう片膝をついて、そのまま中庭の砂利道をそろそろと横切りはじめた。イエルサレムの近辺でヨアヒムに勝る短剣使いはいなかった。鼠《ねずみ》に忍びよる猫のように彼は剣を静かに抜きはなち、全体重を腕にかけ一気に――剣を相手の心臓めがけてふりおろした。血が吹きあがった。断末魔の助けを求める絶叫、そして喘《あえ》ぎ……寝ていた闘剣士は、金貨、銅貨のつまった革袋に眼をつけられたのだ。金を持っていたのがこのヘロデの雇われ闘剣士にとっては命取りだった。――割れ鐘のような声がとどろいた。

「おい、このドブネズミめ！　寝首をかくつもりか、恥を知れ！」

　白剣の切っ先が男のほうへつき返された。彼は手も足も出ず、すくんだ指の間から短剣をポトリと落とし、相手の腕力で手首の骨をまるで柳の小枝のようにへし折られると、おおぎょうな苦痛の声をあげた。

「お助けください。お強いお方、わたしめは――」彼は哀願した。

「やい、おまえの腹のなかはお見通しだ。この虫ケラ野郎め」答えが返ってきた。「寝込みを襲って金品をそっくりせしめようって寸法かい。さあ、わしにそのやさ首をへし折られぬうちにとっとと消えうせろ」

彼は組みうちで鍛えた、白くて大きくがっしりした腕をひろげた。

蛮人が彼らをドブネズミと呼んだのはまったく当を得ていた。三人の仲間は折れた右手首を左手でかばうヨアヒムを中にして、北方人の慈悲心が変わらぬうちにと、中庭からこそこそ逃げ去って行った。彼らが出てしまうのを見とどけると、金髪の蛮人は外套を肩から背にたくしあげた。

その外套の下からあらわれたのは、首から膝まである、良質のあざやかな赤い毛皮で編まれ、錦繍《きんしゅう》のふち飾りがついた胴着だった。鉄の飾り鋲《びょう》のついた雄牛皮の胸当てが、彼の体を包みこみ、しっかりとボタンで留められていた。足には、生皮の紐《ひも》で結ばれた柔らかい皮の半長靴をはいている。鎧の片腰に両刃の手斧《ておの》がつるされているから、歩くたびに金属的な音を立てていた。肩には、鍛えぬかれた幅広い両刃の長剣がゆれていた。

肩幅は広く、筋肉はたくましい。彼の髪の毛は編みあげてあり、鉄の冑からはみだして、顔の両側に垂れていた。髪の毛と同じく、その口髭《くちひげ》も金色に輝き、胸当てにまでとどかんばかりだった。それほど年とってもいない。彼の小麦色に日焼けした皮膚は、なめらかで清潔であり、海の青を写したような眼は、健康と若さを証明していた。彼は点々と星のまたたく夜空を見上げて、
「火竜《かりゅう》、中空を昇るに、そのすがた悠然《ゆうぜん》たり」と古詞をつぶやいた。「旅をつづけるときが来たか、冬の嵐《あらし》が吹き荒れぬうちに故郷へふたたび帰還するための旅を……」

道は旅人たちで混雑していた。百姓の多くは、市《いち》へ向かう途中だった。日の出と同時に一日がはじまり、一時間以内に引きがはじまるのであった。ありとあらゆる品物を売《ひさ》ぐ行商人が、牛馬をだましだまし、せわしなく端綱《はづな》を引き、道を急いでいた。巡邏《じゅんら》中の十人隊隊長が手を上げて、彼に挨拶《あいさつ》した。

「幸いあれ、クラウディウス！　やはり寒い国に帰ってしまうのか。こりゃうまい。ブルートのやつから、おぬしの腕力と剣術の腕前について賭けておいた銀貨をしこたませしめられるぞ！」

北方人は、おもしろがって笑った。彼はローマ人のなかにあって、髭も生えぬうちから、名前をノルウェー式の単純なクラウスからクラウディウスに呼びかえられて

いたことを思いだすとき必ず笑いださずにはおれなかった。

「そうだ、マルカス、わしは帰る。五年以上もあの気紛れなヘロデに仕え、戦闘の秘術を反吐《へど》がでるほど学んだ。剣、手斧、槌矛《つちほこ》、籠手《こて》（剣闘士の用いたグローブの一種）あるいは素手を使って、とことんまで戦う技術をな。こんどは、先祖代々の眠る地へもどる番だが、もし気が変わったら、ヴァイキングに仲間入りするかもしれん。とにかく、これからはご機嫌取りのためではなく、自分自身の利益と喜びのために戦闘の術を使うさ」

「おぬしに神のご加護のあらんことを。さらばじゃ、野《バー》蛮人《バリアン》」ローマ人は別れをつげた。

「もう闘技場の砂の上でおぬしら好敵手とあいまみえることもあるまい」

曲がりくねった一本道を進んでゆくと公道の両側に村のたたずまいが見えた。太陽はすでに高く昇っていた。滔々《とうとう》と流れでる泉で、旅人たちは水を手にすくい疲れを休める。

いつもなら泉のまわりは、それぞれの水瓶《みずがめ》に水をいっぱいくんだ女たちが、水くみもそっちのけでおしゃべりにうち興じ、子供らが騒々しく遊びまわっているはずであった。しかし、ここはまるで死の町のようだった。太陽の照りつける真っ白な道に降りつもった埃《ほこり》のように、沈黙が重くたれこめていた。家々は完全に静寂を保っている。まるで墓場のようだ。ややあって、彼は鋭くあたりを見まわした。甲高《かんだか》い声で泣きじゃくる声がかすかに聞こえてきた。

「アイ、アイ、アイ、アイ！」

彼は小屋の戸口に吊《つ》るされた布切れを押しのけると、暗がりをのぞきこんだ。髪をふり乱し、上着を乳房まで引き裂かれた一人の女が、土間の上に足を折りまげてうずくまっていた。泥が、額《ひたい》や頬《ほお》や胸にこびりついていた。女の膝の上には、胸を血潮の花模様に染め、すでにこと切れた赤子が、しっかりといだかれていた。クラウスはその斬《き》り口を見た——戦士はそれぞれ皆独特の斬り方をする——たしかに見覚えがあった。やや不ぞろいな刃が、赤子の体をかなり深く刺し、ぱっくりあいた傷口から真っ白い骨が見えていた。

「だれのしわざだ」北方人は、爛々《らんらん》と輝く眼をむいて、曲馬団で見たカッパドキア人の軽業師のような決然たる表情をその髭づらにみなぎらせて尋ねた。「だれが、おまえに乱暴をはたらいたのだ、女」

年若いユダヤ女は顔をあげた。彼女の眼は、あまり泣きつづけたため赤くはれ上がり、よごれた顔に涙の流れた跡を残している。これほどの受難にもかかわらず、彼女の顔立ちの美しさは失われていなかった。

「軍隊が」彼女はむせび泣きながら答えた。「軍隊が、突然この村にやってきて、神の赤子がエジプトを求めゆくのを阻止するためだといって、村じゅうを荒らしまわりました。

あたくしたちは、血を流すような真似《まね》は好みませんのに、彼らは有無をいわせず襲いかかってきたのです。この村にいた男の子は、一人残さず殺されました。ああ、あたくしの息子も。いったいなんの恨みがあって、彼らはこんなむごいことを。あたくしたちが彼らにいったいなにをしたというのでしょう。ああ、悲しいことにも、神はあたくしをお見捨てになったのです。かわいい一つぶ種のこの子を――」

「女、おまえのいうことは偽りだ！」クラウスの言葉は鋭くきびしかった。「軍隊はこのような真似はしない。彼らは、男と男とで闘う。赤子など相手にはせん」

母親は体を力なくゆすると、小さく拳《こぶし》で自分の胸をたたいた。「軍隊がやりました」彼女は頑固《がんこ》にくり返した。「彼らは、やってくるなり、家々をまわって、あたくしたちの息子を殺したのです――」

「ローマ軍か」クラウスは容易に信じなかった。ローマ軍は、時には残酷なこともするが彼の知るかぎり、このような虐殺をはたらいたという前例はない。ローマ軍は嬰児《えいじ》殺害者ではないからだ。

「いいえ、親衛隊でした。ローマ軍の鎧《よろい》をつけていましたけれど。彼らは、この町に、行軍してきましたわ。そして――」

「親衛隊か？　ヘロデの？」

「はい、異人たちでしたわ。ヘロデ王なんか永遠に呪《のろ》われてしまえばいいんだわ！　以前、東方からの旅人がやってきたとき、ユダヤ人から王がお生まれになると聞いて、ヘロデは自分の王座を守りたい一心から、ベツレヘムの海岸村一帯に生まれた二歳以下の赤子を、残らず殺害する計略をたてたのです」

「おまえの夫は――」

「ああ、夫にも先だたれてしまいました」

「それでは、油や肉の蓄えは？」

「いいえ、神さま、ここでは死を待つほかありません。アイ、アイ、アイ――」

クラウスは、なにがしかの銅貨を取りだすとそれを母親の眼の前に落とした。「さあ、これを取れ」彼は命じた。

「そして、習慣《しきたり》にしたがって、赤子を手厚く葬ってやるがよい」

「神の恵みがあらんことを、異邦のお方。受難の私をお助けくださったあなたと、あなたのご一族が末長く平和でありますように！」

「聞かせてもらおう、おまえの名は？」

「ラヒエルと申します。あなたさまがイスラエルの神のお気に召されますよう――」

　クラウスは、泣きじゃくる女と死体を残して立ち去った。


　クラウスが外套にくるまって横になった木立にも、満ちてきた月が高く仰ぎ見られた。

　鳥や虫の鳴く声が、時おり奥深い木立のなかから聞こえてくるだけの、静かな夜だった。政府軍の兵士による巡邏《じゅんら》が実施されているにもかかわらず、暗くなった公道にはコソ泥がわがもの顔に横行するので、常識あるものなら、太陽が昇るまでは外出をさしひかえる。しかし、悪党どもといえども、武装した巨漢をねらうことはまず二の足をふむ。最も近い旅籠《はたご》屋でさえも数マイル先にあるのだから、北方人の故郷までは一千マイルをゆうに越えるだろう。ふところのほうは、彼が数十年間に渡って蓄えてきた金でふくらんでいる。テトラチの兵舎で雇われ兵士としてかせいだものだから、節約するのも当然といえばそれまでだが、旅籠屋では望めぬ芝の甘い香りを身近にかぎながら、彼は殺害された子供の記憶に心をいためた。

　かすかな驢馬《ろば》の蹄《ひづめ》の乱れた音が、遠方から聞こえた。家畜は疲れきっているらしく、ゆっくりと歩いていた。そのうえ、家畜を引いている男も弱々しく、おまけに足を痛めているようだった。それでもなお、よっぴて道を急いでいる。

「トール神（北欧神話の雷神。雷、戦争、農業をつかさどるすばらしい力もちの大男）にかけても」クラウスは考えながらつぶやいた。

「彼らユダヤ人はまったく奇妙な民族だ。議論に明け暮れながらも、たゆまず決してひるまず富を追求する。しかもそのうえ、他のどんな民族も持たぬような精神を持っている。彼らの久しく待ち望むメシアが、もしほんとうに現われたなら、強大なローマといえども危なくなる――」


　そのとき、鋭い叫び声が夜の帳《とばり》を破り、馬具の音が高鳴り、ふたたび絶望的な叫びが聞こえた。

「助けてくれ、助けてくれ――ぬすっとだ！」

　クラウスは皮肉たっぷりに笑った。「あしたの市に間に合いたいからといっても、強盗の出る夜の公道をたどる必要はあるまいて――」

男の絶望的な叫びに加えて、女性の恐怖の叫び声が聞こえた。肩から剣を吊るすと、芝の寝床からクラウスは飛びだした。

槍を持った兵士の一団が男と女を取り囲んでいた。冑の飾り毛と青銅の胸当てから、彼らがローマの雇い兵だということはすぐに知れた。その鷲鼻《わしばな》から見ると、彼らはシリア人、ユダヤ人、あるいはアルメニア人の脱走兵で、どうやらテトラチが見せ物のために雇っている私兵であるらしかった。

「ほう、なにをはじめようって気だ」クラウスは茂みから飛びだすと、挑《いど》みかけた。「おまえたちはなんのわけがあって、か弱い旅人をいじめるのだ――」

十人隊隊長が狂暴に彼のほうを向いた。「手出しをするな、野蛮人」彼は手短かに命じた。「われわれは王の軍隊だ――」

「オーディンの聖なる使徒《レイヴンズ》（主神オーディンの両肩にとまった二羽の大ガラス。世界の出来事をオーディンに報告する）に誓って、おまえたちがたとえローマ皇帝の兵士であろうと、なぜこの善良な夫婦を襲おうとするのか話してみるがいい。さもなくば、この剣が戦いの歌を歌おうぞ！」クラウスが怒鳴った。

「おい、だれかやつを生けどりにしろ！」十人隊隊長が命じた。「貴様をテトラチさまの前にしょっぴいて、なぶりものにしてくれるわ。あとの者は、おれにつづいて仕事を片づけるのだ。おい女、赤子を渡せというのだ！」彼は刀をひき抜くと、寝入っている幼な子をしっかりといだき、驢馬に乗っている女に近よった。

それを見たクラウスは、野蛮人の好戦的な血が騒ぎだすのを覚えた。一人の兵士が彼めがけて槍を一直線に突きだしてきた。しかし、クラウスの長剣は、青銅と焼け木でつくられた槍の穂先をまっ二つにした。当の兵士は、彼の前に素手のまま立ちすくんだ。敵が短剣を抜くより早く、クラウスが突きだした剣は、兵士の楯を通り抜け、胸当てをした体をほぼ貫通した。その兵士は、喘《あえ》いで倒れ伏した。すると、三人の新手が楯をかざし、頭を低くして、槍の穂先をクラウスに突きかけた。

「アイー、剣《つるぎ》の歌う戦いの歌。アイー、ほとばしる真紅の血潮にささぐ。アイー、嵐《あらし》の歌う英雄とワルハラ（オーディン神の殿堂。戦士の霊が侍女にかしずかれて、饗応にあずかる）の物語にささぐ！」彼が賛歌を歌うたび、彼のふるう灰色の鋼は血を吸っていった。四人の兵士をまだ彼らが体勢を整えぬうちに切り捨てたクラウスは、さらに背後から切りかかってきた二人に対し、剣を下げ、振り向きざま敵の頭に恐ろしい一撃を加えた。二人の冑《かぶと》と頭蓋《ずがい》は砕け、耳と鼻から血を吹き上げた。残るは四人だけ。彼は腰に下げた両刃の手斧をひっつかむや、まるで味方が大勢いるような不敵な叫びをあげておどりかかった。彼の手斧は、青銅と去勢牛の皮を紙を裂くように破り、また二人のテトラチ私兵を倒した。夜風に髭と長髪をなびかせて、烈火のごとく怒りに燃えたった復讐《ふくしゅう》者を見た残りの二人は彼に背を向けて一目散に逃げ去った。そして、クラウスは十人隊隊長とあい対した。

「けっ！　口ほどにもないやつらめ。おいっ、おまえはわしと男らしく戦うか、それとも罪人のような据《す》え斬《ぎ》りにしてもらいたいか？」彼はきいた。

「おれは自分の義務《つとめ》を果たすまでだ、蛮人」十人隊隊長はむっつりと答えた。「偉大な王がお命じになったのだ。この国をくまなく巡って二歳以下の赤子をことごとく殺害しろと。なぜだかは知らん。だが命令を遂行することが兵士の義務なのだ――」

「なにをいう、オーディン神の十二人のお供に誓って、兵士の義務は死ぬことなのだ！」クラウスがさえぎった。「不幸な女ラヒェルと、彼女の不幸なたった一人の息子にささげん！」彼は、今までに感じたことのないほどの闘志をもって、手斧を強打した。楯や鎖帷子《くさりかたびら》は、なんの甲斐《かい》にもならなかった。手斧は首のつけ根から筋肉と骨を裂き、心臓に達して、それを二つに斬りさいた。そのため、十人隊隊長の腕は道の白砂の上にドサッと落ち、ついで樫《かし》の木が倒れるように、その巨体がクラウスの足下に倒れた。痙攣《けいれん》のきたヘロデ王の兵士の体はすでに首がなかった。

クラウスは、手首に結んだ手の皮紐《かわひも》をといて、それを空中に投げあげた。それは回転して月光に照らしだされ、銀の輪を描いた。そして落ちてきた武器を手にとると、ふたたび空高く投げ上げ、はじめて北方人がヴァイキングになった時代から歌いつづけられている勝利の歌を歌った。そのあとで、父神であるオーディン、雷神トール、そして美しいワルキューレなどの選ばれた戦霊が憩うワルハラの神々を全身全霊で拝み称《たた》えると、死体に道の土くれを蹴《け》りかけ、唾《つば》を吐き、罵声《ばせい》を浴びせた。そのうえ、王兵の鎖帷子を二度と使えぬよう、剣でたたきこわした。

ようやく怒りが鎮まった彼は、斧を置くと、夫婦のほうへ向きなおった。男は片手に端綱を握り、別の手には丈夫そうな杖《つえ》を携えていた。年齢は五十ほどだろうか。灰色の顎鬚《あごひげ》をたくわえ、首から踵《かかと》まで薄い毛糸の衣で包み隠していた。その衣は、ユダヤ教会で行なわれるサバトのときに着てゆくような、儀礼用の衣服に見えた。

麻のターバンが頭にまかれ、耳元にはダビデ風の捲《ま》き毛《げ》が、顔の両側に垂れ下がっていた。彼の服装と態度は、どこか山深い村落の老人を彷彿《ほうふつ》とさせたが、さらに長い間の清貧から生まれた或《あ》る尊厳が加わっていた。

今しがた行なわれた戦いにもかかわらず、驢馬は悠然《ゆうぜん》と道ばたの雑草を食《は》んでいた。背の上に敷かれた鞍布《くらぬの》に座る婦人にも無関心に……。驢馬の背に座る婦人は、ようやく少女時代を過ぎたぐらいの初々《ういうい》しい女性だった。おそらく十五歳を超えてはいまい――クラウスは彼女の端正な目鼻立ちを見ながら、そう推察した。彼女の顔は卵形で、肌の色は驚くほど白く、その顔の輪郭は華麗というほかなかった。欠点のない鼻、はち切れんばかりの成熟した唇《くちびる》――その唇は、兵士たちの乱闘のショックで少し開かれていた。口元は優しさと信頼にあふれ、青い大きな瞳《ひとみ》が長い睫《まつげ》のために影を含んでいた。そして彼女の美しさを調和あるものにしている黄金の髪が、ユダヤの花嫁のように結《ゆ》われて、薄い被《かぶ》りものの下で輝いていた。彼女は青色の肩掛けをはおっている。胸元には、かわいらしい赤子がいだかれていて、一眼みれば母親譲りの美貌《びぼう》と純潔さとをすぐに認めることができた。

「ありがとうございました」男がていねいに頭を下げた。

「あの兵士たちは、この子を捜していたのです。昨夜、天使がわたくしの枕辺《まくらべ》にお立ちになり、この子をつれてナザレからエジプトまで逃げろとお告げになったのです。ヘロデ王の私兵がわたくしたちを見つけださぬうちにと……。わたくしは彼らがなんの罪もない赤子をたくさん殺したという話を耳にしておりました」

「たしかにそのとおりだ、ご老人」クラウスが答えた。彼の心には、あの未亡人の子供のことが思いだされてならなかった。「あの村は今、母親たちの悲しみで満ちあふれている。しかし、これであの兵士たちの起こした悲しみの種をいくらかでも刈りとることができたようだ」

「なんとしたことを！」旅行者は言葉を返した。「あなたさまは、ご自分の命をわたくしたちのために、お捨てになろうとなされました。この後は、あなたさまは、お尋ねものとなられるでしょう。そしてヘロデはあなたを十字架にかけるまで心落ち着くことがないのです」

クラウスは笑いとばした。「そのときには、わしの剣《つるぎ》が戦いの歌をうたうまでだ。いや、わしが生まれ故郷にもどるあいだには、まだまだいくつもの戦いが待っていることだろう」彼は剣を取りながらそう言った。

話している彼の眼が、女の青い眼にピタリと吸い寄せられた。彼は思わず口を閉ざした。そのような美しい眼《まな》差《ざし》を、二十二年間戦いに明け暮れたクラウスは見たこともなかった。

「あなたのお子ですか、ご婦人」クラウスはぎごちなく尋ねた。「行く前にその子の顔を見せてはくださらんか。わしが兵士の鬼刃から救ったその子を」

　婦人は幼児をいま一度抱きあげた。その子の青い眼がクラウスの上に注がれた……北方人は、柔らかいピンクの頬をなでるために、一、二歩進みでたが、突然目の前に大きな壁でも出現したかのように立ち止まった。なぜなら、どこからか不思議な声がクラウスの耳に聞こえてきたからだった。いや、それは人間の声ではない。それは彼の耳に触れる天からのささやきだった。

「クラウス、クラウス」優しくその声は響くのだった。

「なんじが余に慈悲を与えたゆえに、なんじの生命を幼児の自由のために投げ捨てたゆえに……余はなんじに告げる。なんじが余のためになすべき仕事を果たし終えるまで、なんじは決して死の暗き翼に包まれることなきを……」

　幼児の唇は全然動かなかったが、クラウスはその声が、この子から発せられていることに気がついた。しかし、さらにこの幼児の青い瞳をのぞき込むと、その輝きは幼児にはない静けさと知恵とを宿しているのがわかった。彼は自分に勇気がもどってくるのを感じて、魔法使いの面前で恐る恐る口をひらくときのように、幼児に向かって語りかけた。

「生身の人間が、永遠に生きることなどできはせぬものを。腕力が衰弱し、視力が衰えるときが、このわしにもやってくる。たとえ、その心がいまだ勇敢で力強くとも、もはや戦闘を行なえぬほど体力の衰えるときが必ず来るにちがいない。むしろ、こう言ってはくださらんか、主よ――おまえは、手に剣と斧を握りしめて死にゆくのだ――と！　オーディンの美しき乙女が、戦場で倒れたわしの死体をお取りあげになって、ワルハラなる浄土へお召しになるのなら、わしにとって、これほど喜ばしいことはあるまいゆえ」

「いいや、そうではない。クラウス、なんじはなんじの生命と引きかえに幼な子の生命を守った。それはなんじの良心の賜物。オーディンの名が忘れられ、この世に彼を祭る祭壇がなくなるときはやがて来よう。しかし、なんじの名と誉《ほま》れは、さらに生きながらえるのだ。笑い合う幸福な子供たちが、永久になんじの良心と愛の美しさを称えることだろう。そして人々が、余の生誕日を祝うかぎり、なんじは永遠にすべての幼な子の心に生きるのだ」

「わしは『神々のたそがれ』（北欧神話の終末の日。全世界が火の海となって燃えあがる）よりも生きのびると言われるのか？」

「なんじの名を子供たちが口にするかぎり……」

「わしは万能の英雄になるのだろうか」

「幼い時代のなつかしい思い出を胸にいだくすべての人類によって称えられる愛の英雄……」

「なんということば！　どうやら、なにかひどく勘違いをなされているようだ。わしはむしろ剣をもって戦いの歌を口ずさみながら、戦場での死を望むような蛮人なのだ。もし、おんみがそう言われるのなら、人はなぜ自分の星にしたがうのだろうか？　それでは、私の星運はいったいなんなのだろうか」

　クラウスは剣を抜き、それを二度頭上高くふりまわした。そして最後に鉾《ほこ》を地に突きさし、北方人の風習にしたがって、聖者に対する尊敬の念をあらわした。

　父親は、剣が空を切る音を聞いてびっくり仰天した。しかし母親は、静かに彼を見つめ、北方人が野蛮語でわが子に語りかけてくるのを黙って聞いていた。

　そのあとでクラウスは、彼らはエジプトまで早く行くように命じた。そして、道を急ぐ夫婦を見送りながら、クラウスは夜空の北極星を見上げた。その星の輝くところに、彼の生まれ故郷があった。

二　カルバリへの道

　ユダヤ総督ルキウス・ポンティウス・ピラトは胸壁にもたれ、夜の帳《とばり》に包まれた街を見おろしていた。平坦《へいたん》な屋根に隠れる家々のあいだには、あちらこちらに灯が花ひらいている。騎馬の蹄鉄《ていてつ》が敷石の上を踏み鳴らしていく物音が時おり聞こえる。興奮ぎみの群衆がたてる騒音は、ほとんど絶える間がない。イェルサレムは、もう爆発寸前のところまで人間でうずまっている。ここ数日間、人々はヨッパ門《ゲート》の下を流れのようにくぐりぬけていた。ちょうど大きな宴が催されようとしていた—ユダヤ人という人種は、宴か断食のどちらかをいつも祭りにして騒いでいる——おかげで彼の率いる軍団が保持する治安維持能力は、もう限界まで引き出されていた。

「まったく、騒々しいことが好きな民族よ、このユダヤ人というやつらは。な、そうではないか、クラウディウス」

　総督は、彼の左後方に三歩ほど離れて立っている、金髪の顎鬚《あごひげ》をたくわえた長身の男に語りかけた。

「いつも口論や小ぜりあいを絶やさない。必ずなんらかの騒動を起こしていなければ気のすまんやからだ。昨日などもな、頭に軍団の鷲章《わししょう》をつけた中隊が砦《とりで》から帰ってきたとき、街の連中は都市の街路に偶像をつくって入ってくるとはなにごとだと叫びながら、軍団に投石をはじめおった。動いたり飛んだり泳いだりするものに似せた偶像をつくれば、それが罪になると思い込んでおるらしい。まったく融通のきかん心根の狭い民衆どもよ」

「そのとおりです、閣下。頭がかたいうえに、反抗的な連中です」さっきことばを発した百人隊長がうなずいた。

　総督は笑った。

「なあクラウディウス。そのことをわし以上にはっきり承知しているものがおらんのだ。ただしおまえは、その昔大ヘロデ王の代にやつらと生活を共にしたことがあったそうではないか。それがまた、どんな風の吹きまわしでここへもどってきた？　このヘブライ人の聖都にただよう香が忘れられないのか？」

　顎鬚をたくわえた兵士は皮肉っぽく笑った。

「この国が分裂する前、わたしは闘剣士としてヘロデ王に仕えました」と、彼は答えた。「わたしに負わせられていた奉仕の期限が切れましたとき、幸いかすり傷ひとつ受けることなく親からもらった体を守りとおせましたし、財布にも金がたっぷりとたまっていました。そこでわたしは執政官に、もう雇われ闘剣士はごめんだと公言して、北方の故郷へ帰る旅に出たのです。ところがその途中――」彼は声を止め、総督には聞きとれない小さな声でなにごとかつぶやいた。

「ふむ、その途中で――？」と、ローマ人は話の先をせかせた。

「その途中でわたしは、ある小家族に狼藉《ろうぜき》をはたらこうとしていた王直属の兵士と悶着《もんちゃく》を起こしました。ヘロデ王は復讐に狂い、城から砂漠、砂漠から山中へと、まるで獣《けだもの》でも追いつめるようにあとを追ってきました。追われた男たちの運命などというのは、いずれにしても大した違いはないと見えまして、わたしもとうとう避難所へ逃げ込みました。軍団に身を投じたというわけです。それ以来、わたしは星の導きと、軍団の命令に従ってきました。そして今、こうして昔のようにイエルサレムの胸壁にたたずんでおります。ヘロデ王の後継者たちが伸ばした復讐の手にとらえられもせずに」

「だからこそ、おまえがこうしてここにいてくれることをわしは喜んでおるのだ」総督が明言した。「わしの役職は、どうしてどうして閑職などではない、クラウディウス。この騒然たる街を取り締まるのは、わずか一個の軍団だ。しかも反逆謀反《むほん》のたぐいは右に左に頭をもたげている。たとえばわしがなにかをする。するとユダヤ人は権利や習慣を犯されたと言ってわしに噛みつく。また、ほかのことをやったとする。こんどはやつらめ、ローマの鉄の踵《かかと》がやつらを圧迫すると、天に向かって吼《ほ》えたてる。これでもしも、あと十二も軍団が手元にあれば――いいや、おまえのような兵士ばかりで固めた軍団をたった一個持っていれば、クラウディウス――わしはやつらが負け犬のように命乞《いのちご》いをはじめるまで、槍の先でこの騒動を衝《つ》いてやるんだが！」彼はふいに陰鬱《いんうつ》な沈黙に閉ざされると、街に眼を落とした。それから――

「今聞こえたのだが、ガリラヤからやってきた男がユダヤ王の名乗りをあげているという話は、いったいなんのことだ？　やれやれ、またひと騒動か？　もしもやつらに有能な指導者が現われれば、わしたちは間違いなく命がけでやつらユダヤ人と一戦をまじえなければならぬ破目におちいるだろう」

「閣下、その点なら心配ご無用です」兵士は答えた。

「四日前街にやってきたその説教師を、わたしはこの眼で見てまいりました。穏やかで、おごりのない人物でした。つつましく、芝居気もない男でした。驢馬の背にゆられ、寺院ではこう説教しました。われわれはみな兄弟である、神を畏《おそ》れ、王をうやまい、ローマ皇帝のものはローマ皇帝に返すのだと」

「ほう、なるほどそうか。わしはまた別のことを考えていたぞ。大祭司カヤパめはこのわしに、彼が謀反を企てておると告げ口しおった。早いところ投獄して、帝国への反逆を説いた男として十字架にかけてしまえと急《せ》きたておった」

「カヤパ！」大男の百人隊長は唾《つば》を吐き出すように口をすぼめた。「あの肥えた豚坊主め！　なるほどやつの宗教が豚肉を食うなと命令するわけです。もしやつがそれを食えば、まさに共食いになってしまいます！」ピラトは不機嫌《ふきげん》そうにうなずいた。大祭司との口論は、なにも今にはじまったものではない。しかも過去の優劣はほとんど比較の対象にならないほど接近したものだった。カヤパは折りにふれて、もしも総督がその主張を譲らないならば反逆の危険が現実のものになるだろうと、ことばたくみにローマへ訴えを行なった。すると本国からは、ユダヤにおける今日の混乱はひとえにピラトに責任がある旨のローマ皇帝の意思が、彼の許《もと》にもたらされたのだ。もし反乱が発生した場合は、彼の失政とみなすことを、はっきり明言されたのだ。こうしてこの勝負にはカヤパが勝ちを握った。しかし他方、総督は裁判権において優越の立場を占め、また徴税に関しても彼の自由意思が認められている。この権限を利用して、彼はこれまで何度も高僧たちを自分の意思にしたがわせてきた。

「これでわたしたちにもう一人大祭司がいたら大助かりなのだが」と、彼は低くつぶやいた。「僧職階級を一手に掌握するあの愚かな大祭司のほかにもう一人、こちらの唆《そそのか》しに乗ってくる大祭司が欲しいものだ」

　鉄の剣鞘《けんざや》を軍用のキルトにぶつけながらこちらへ近づいてくる兵士の物音が聞こえた。兵士が一人、急ぎ足で屋上へあがってきて足を止め敬礼を行なった。それからクラウディウスに一巻の羊皮紙を手渡した。百人隊長は軍隊調の敬礼を返し、代わって巻き込んだ書状を総督に手渡した。「なんと驚いたことよ」封印を破り、胸壁にかざしてあった小さな角燈をたよりに内容を読みすすんだピラトが声をあげた。「クラウディウス、悶着の到来は思ったよりも早かったわい！　カヤパめ、ユダヤ王を僭称《せんしょう》したというあの男をはやばやと裁判にかけおった。サンヘドリンで審議を行ない、十字架刑に処すことを決めたそうだ。その決定を認めてほしいと、わしに手紙をよこしたわけだが、さてどうしたものか？」

「閣下、あの肥えた豚に小屋へもどれと命じてやりなさい。こうした場合、裁判権を有するのはローマ以外にはありません。やつが帝国の権威を示す紫衣をまとえないのと同様、やつに人を殺す権利はありません――」

「うむ、しかし危険がそこに潜んでおる。たしかに総督としてわしだけが死刑を宣言できる立場にある。しかし、やつら高僧たちとその下に囲われておる手勢は、わしたちにそれを鎮圧するだけの軍力がないことを利用して、小癪《こしゃく》な反乱を引き起こす肚《はら》でいる。おまけに、反乱が起これば、ローマはわしを生かしてはおかないだろう。わしは統治と支配のためにここへ遣わされたが、その任務は主として税の取りたてなのだ。反乱民が帝国に税を納めるはずはない。来い、クラウディウス。わしの紫衣を頼む。この無冠の王が国内にどんな害悪を流したものか、ひとつとくと訊《き》いてみようではないか」

　梢《こずえ》をゆする嵐《あらし》のようなどよめきが、聴衆のあいだに満ちあふれていた。二列の帝国衛兵がつくりだす光りさんざめくような明かりのなかで、人々の注目は紫色をした高雅な象牙《ぞうげ》製の椅子《いす》に腰をおろした総督に、いっせいに集中した。広間の最前列に近いあたり、右と左にシメオンとアヌスをしたがえたカヤパが王座の正面に陣取っていた。ローマ軍を下手に真似《まね》た僧兵の一団が、捕囚の周囲を取りかこんでいる。捕囚というのは、背の高い白衣姿の若者で、ユダヤ風の顎鬚をたくわえているが、彼をとり囲む浅黒い男どもは人種を異にするようにさえ見える色白の明るい色の髪をした人物だった。

「ようこそ総督！」カヤパが仰々しく右手を挙げて東洋風の挨拶《あいさつ》をおくり、それからまた頭を下げて空ぞらしいまでに東洋風な挨拶をくり返した。

「われらはただ今、ここに捕らえおきましたる冒瀆《ぼうとく》のやから、帝国の反逆者に対して下しました判決につき、あなたさまよりご認可をちょうだいいたしたくまかりこしました」

　ピラトの挨拶はただ片手を挙げただけで終わった。

「冒瀆がどうのということは、おまえたちだけの問題だ」彼は手短かに答えた。「で、彼が冒した謀反というのはなんだ？」

「こやつはみずから王と名のりました。もしもあなたさまがこの一件を謀反とご覧にならなければ、ローマ皇帝のお仲間ではございませんぞ！」

「おまえはほんとうにユダヤの王か？」総督は好奇の眼を囚人に向けた。

「それはあなたご自身のお考えから出たおことばですか、それとも他人からの伝え聞きを申されておりますのか？」若い男が答えた。

「わしをユダヤ人と思われては困る」総督は尋ねた。「おまえの国と、おまえの高僧たちが判決を下せといって、わしをここへ呼びつけたのだぞ。いったいなにをしたというのだ？」

　囚人から返答はなかった。しかし門外の騒音が気味悪いほど鎮まっていた。群衆が入り口に押しかけ、それを抑えるのに衛兵は四苦八苦している。ふたたび総督が問いかけた。「おまえはほんとうに王なのか？　だとしたら、おまえはなんという国の王だ？」

「その答えは、もうあなたが言われた。その目的のためにわたしは生まれ、その理由のために、俗界へ降りてまいったのです。だからわたしは、真実を告げねばなりません……」

「真実とはなんだ？」総督がささやいた。「わしも昔、真実について長々と語った古譚をいくつも聞いたことがある。しかし真実について同じことを語っている古譚はひとつとしてなかった。おい、クラウディウス！」彼は椅子のうしろに立っている百人隊長を振りかえった。

「閣下！」

「わしは今、こやつらを試練に立たせてみようと思い立った。地下牢《ちかろう》へおもむき、そこで見つかるいちばんの極悪人をここへ連れてくるのだ。こやつらの頑迷《がんめい》ぶりがどれほどまでに通用するものかどうか検《しら》べてみたい」

　クラウディウスが命令を遂行するために踵《きびす》をめぐらしたあと、総督は大祭司と彼の取り巻きに顔を向けた。

「この男には鞭打《むちう》ちの刑を加えるだけで充分だ。そのあとは自由にしてやってよかろう」彼はきっぱりといった。「もしも彼がおまえたちの掟《おきて》を踏みにじったというのなら、刑は鞭打ちだけで充分なはずだ。反逆罪については、まったく潔白と認定する」

　囚人は柔順に十人隊兵士のあとを追って粗末な小屋へ向かった。兵士たちはそこで囚人の服を剥《は》ぐと、革紐《かわひも》で柱にくくりつけ、あらわな背中に四十回鞭を打ち込んだ。

「こいつがユダヤの王さまかい？」と、十人隊の兵士は笑った。

「それならばだ、王と名乗る以上王冠を持っていなければならんのに、こいつはそれを持っておらんではないか。ほう、おいだれか、ユダヤの王さまにお似合いの王冠をつくって差し上げんかい！」

　茨《いばら》の小枝を結んだ環が手ばやく作られ、囚人の頭にかぶせられた。長い鋭い棘《とげ》が、彼の柔らかい肌に食い込み、ルビー色をした粒がまるで宝石をちりばめた額飾りのように額を濡らした。別の兵士がどこからか襤褸《ぼろ》同然の紫衣を見つけてきて、それを血のにじむ肩にまとわせた。最後に、ヒースの茂みから抜いてきた葦《あし》を、しっかりと縛った囚人の手に笏《しゃく》がわりに突きいれた。こうして興に浮かれた兵士たちは彼を卓の上に載せると、ユダヤに新王が誕生したときはいつもそうする形式で膝を曲げ、嘲笑《ちょうしょう》まじりに敬意をあらわした。

　やがて、その残酷な遊戯にもようやく飽きた兵士たちは気味悪い笑みを浮かべながら彼を広間へ連れもどし、総督と僧侶の前に立たせた。

「この男を見よ！」屈辱のかぎりを尽くされたうえ広間に連れもどされた人物を見て、総督はそう命じた。「おまえたちの王を見よ！」

「ローマ皇帝以外に、王は持ちませぬ！」と、カヤパは独善的な声で応じた。「こやつはみずからを王と偽りました。そしてみずからを王と名乗るものは、だれであれローマ皇帝に反逆する者でございます」

　一方クラウディウスは、みじめな囚人を一人連れて判決の間へ急ぐ途中だった。男は立派な体格をもっていたが、長年にわたって加えられた暴行のために立つこともできないほど疲労していた。服は破れて見るかげもなく、彼が〈生ける病《やまい》の巣〉であることを知るのに二眼とはいらなかった。さすがの衛兵もその姿には尻込《しりご》みし、囚人の髪や眼にたかった虱《しらみ》がうつらないよう槍《やり》の石突きで彼を遠ざけた。

　ピラトはさっそく、地下牢から連れてこられた囚人を呼んで僧侶たちの正面に立たせると、こんどは手を縛られ茨の冠をかぶせられた捕囚に注意を向けた。

「ユダヤの民よ、過越《すぎこし》の祝い（出エジプト記十二章二十七節）が終わったあとおまえたちに捕囚を引き渡すのは、昔からの習《なら》いである」と、ピラトはいった。「したがって、おまえたちはどちらの男を自由の身にさせたいか聞いておこう。断首台で死ぬ宣下《せんげ》を受けたこの盗賊か、それともおまえたちが王と呼んだこの若者か、どちらを選ぶ？」

「われらはローマ皇帝のほかに王を持ちませぬ」カヤパが怒りにふるえる声で叫んだ。

「この者を死刑にしてくだされ！　十字架刑に！」

広間の入り口を閉ざす青銅製の大格子《こうし》の外で、民衆がいっせいに声をあげた。「やつを殺せ！　十字架にかけろ！　十字架にかけろ！」「なんと、おまえたちの王を十字架にかけろというか？」総督は苦々《にがにが》しい驚きをあらわしながら尋ねた。

門前に集まった寺院の雇われ男たちは、前もって口うらを合わせておいたことばをもう一度怒鳴り返した。

「やつを十字架にかけろ！　やつを十字架に！」

「水差しに水を入れて持ってまいれ。それにハンカチも頼む、クラウディウス」ピラトはそう命令した。副官がもどってくると、彼は銀製の手水鉢《ちょうずばち》を前に置き、水のなかで手をすすいだ。それから亜麻《リンネル》のハンカチで手をぬぐった。「この捕囚の血から、いまわしは潔癖となった。おまえたち、それを忘れるではないぞ！」水差しとハンカチをクラウディウスにもどしながら、総督は叫んだ。

「あやつの血は、われらの頭《かしら》と、われらの子孫の頭に残りまする！　カヤパがいい返した。判決の間をとりまく群衆は、血の汚《けが》れに対する野蛮な賛歌をいっせいにうたいあげた。

「われらの頭《かしら》と、われらの子孫の頭に！　やつを十字架にかけろ！」

ルキウス・ポンティウス・ピラトは肩をすくめた。

「やれるだけのことはやった、そうであろう、クラウディウス」と、彼はいった。「説教師を牢獄へもどせ。明朝ほかの死刑囚たちとともに刑場へ連れていき、十字架にかけろ。ただしわしの警備兵は一兵たりとも動かさんぞ。そこでクラウディウス、おまえだけは死刑囚と刑吏たちに同行し、すべてが慣行どおり行なわれるかどうか、とくと検分してもらいたいのだ。それにもうひとつ――」――彼の薄い唇が、冷笑をふくんだ無表情な笑みを浮かべた。

「あの若者がかけられる十字架に、わしの標文を掲げてはくれぬか。おのれの同族に打ちこむ釘が、そのままカヤパの虚栄心を打ち貫くようにな」まるでなにか辛辣《しんらつ》な冗談を味わうようにひとり笑いしながら、彼はそうつけ加えた。

死刑台の丘、あるいは俗に〈頭蓋骨《ゴルゴダ》の丘〉とよばれる高台に向かう人の列が、その日、夜明けとともに行進を開始した。十字架刑というものは囚人を即座に殺す刑ではない。それに明日は安息日《サバト》だ。その神聖な日を死刑囚たちの聞きぐるしい苦悶《くもん》の呻《うめ》きで汚すのは、過去の習いに反する。過越《すぎこし》の祝いをダビデ通りに並んで過ごすために、群衆はこの街に集まってきた。死刑囚が引きまわされる姿を見、その日を大いなる祝宴とするために、彼らは小路の口に寄り集まった。香ばしい肉を売《ひさ》ぐ者や水を売る商人は、野次馬たちを相手にここぞとかせぎまくっていた。なかには目先が利いて、すっかり傷《いた》みのきた野菜や果物を荷籠《にかご》に入れて持ち込み、あっという間に売りさばいてしまう商人もいた。

が、それも無理はなかった。民衆はみな、十字架を負って苦しみの行進をつづける囚人たちが通りかかるとき、彼らに向けて汚物を投げつけるのを無上の歓《よろこ》びとしているのだ。

クラウディウスは群衆のあとにはつかなかった。その朝総督は遅くまで寝壇を離れなかった。朝の沐浴《もくよく》を終えたとき、総督にはいつもの職務が待っていた。総督自身が口述したとおりの文面を硬い羊皮紙に太字で書きつけた巻き物を持って、式部の書記官が政務室へやってきたとき、太陽はすでに高く昇ったあとだった。その羊皮紙をクラウディウスに手渡しながら、ピラトは無表情に笑みを浮かべた。「これを刑場へ持ってゆけ。そしておまえの手で若い預言者の頭上に掲げてやれ」と、彼。は命じた。「カヤパとその一党に、なにか目新しい愚痴の材料を提供してやれるだろうからな」

百人隊長は羊皮紙を見おろした。道行く者たちにその歩みを止めさせ、そばに近寄って文面を読ませるのに充分なだけの大きさを持つ文字で書きつけたその巻き物は、次のように読めた。

IESVS NAZARENVS
REX IVDAEORVM

その要旨は、ざっとこんな意味だった——

「こはイエス」(あの預言者はそういう名前を持っていたのだ)「ユダヤ人の王なり」。それを、ラテン語ばかりでなくヘブライ語とギリシア語で書いてあるから、十字架刑の丘を通る人間がどんな国語の持ち主だとしても、まず例外なく内容を読みこなせるはずだった。「彼らはローマの権力を一掃してくれる王の出現を待ちこがれている」総督はそういって笑った。「その彼らに今こそ見せてやろう。あわれ十字架にかかった王の姿をな。あのブタ坊主め、わしの文面を読んだときどんな顔をするか、ぜひ見てみたいものだ！」

　クラウディウスが刑場に着いたとき、三本の十字架が地肌《じはだ》もあらわな丘頂をかざっていた。二つの柱には、手足に釘を打ちつけられたいかにも屈強そうな盗賊がかけられ、体が極端に反らないよう頭の大きな木釘をちょうど立て木に組みあわせた支え棒のように脚のあいだへ打ちこまれていた。中央のひときわ高い十字架に、あの若い預言者がはりつけられていた。彼の華奢《きゃしゃ》な体は、これまでに加えられた恐ろしい拷問のために疲労の極限に達し、すでに衰えを見せはじめていた。十人隊の兵士が十字架のそばに階梯《はしご》をかけると、クラウディウスは釘と槌をたずさえてすばやく十字架にのぼり、瀕死《ひんし》の若者の力なくうなだれた頭近くに、その標文を立て木ふかく打ちつけた。

　羊皮紙の上の標文が掲げられたとたん、驚きと怒りのいり混じった、甲高い細い叫び声が湧きあがった。「これはなんとしたこと！」咽喉《のど》に手をあて、その豪華な僧衣をひきちぎりながらカヤパがわめいた。「これはなんとしたこと、百人隊長！　この冒瀆者に対し、こやつが申したとおりの標文をお与えになるとは！　しかもこやつが刑を受けるのは、まさにこやつの申した偽りのためなのですぞ。掲文をお外しなさい。そして、こやつなどわれらの王ではないと、お書き改めください。ローマ皇帝がおられるにもかかわらず、こやつはみずからに王の称号を冠した輩《やから》ですぞ！」歯のあいだから、怒りをこめてことばをほとばしらせる高僧の敵意には、なにか幼な子じみたおかしさがあった。クラウディウスは、政治家という者を本能的に侮辱する戦士らしく、答えを返すときだれかまうことのない冷笑を浮かべた。「大祭司、こんどのことばは、ピラトさまに吐きかけた不満のうちでいちばん出来がよかった。だがピラトさまが書いたものは、あくまでもピラトさまの書いたものだ。僧がいくら不平を鳴らそうとも、彼はまず標文を変えまい」

「今回の事態は、いずれローマ皇帝のお耳に入る」怒りにふるえて高僧は叫んだ。「ピラトがわれら民族を愚弄《ぐろう》し、罪人に王の称号を与えてわれらに騒動をひき起こさせたことを、お聞きになろう――」

　クラウディウスは、死刑吏たちに命令を下す百人隊長に突如もどった。「この騒動を鎮圧せよ」と、彼は命じたてた。「やつらの口を糊《のり》づけせねばならん」

中央の十字架にかけられた人物から、低い呻《うめ》き声がひびき出た。「水を……」

クラウディウスは海綿を取って、すぐそばに置かれてある苦酒とミルラ液を入れた瓶《かめ》にそれを浸すと、槍の先に突きさし、渇きに苦しむ囚人の口もとへそっと押しつけた。しかし疲労しきった無残な体は、衰えのあまり酒液を吸うこともできなかった。一度だけその体に痙攣が走ったあと、預言者は最後の力を振りしぼって呟《つぶや》きを発した。

「これで終わった。父よ、今こそわが霊《たま》を御身《おんみ》のお手に遣わします」最後の痙攣が発作のように彼を襲った次の瞬間、茨《いばら》の冠をいただいた頭が前に落ちた。すべては終わった。

「任務遂行のために最善は尽くした」死刑執行場を警護する任にあたった指揮官は、表情ひとつ変えずにいった。「こやつら僧侶どもは災いをもたらした。もしもこやつらの一人でも日暮れまで生き延びれば、われわれは騒動をひとつ鎮圧せねばならなくなるだろう」彼は大槌を取りあげて、吊るされた罪人の腕と脚の骨を打ち砕く仕事に黙々と従おうとするたくましい刑吏に合図を送った。

「待て、父なるオーディン（北欧神話中最高の神、戦闘の王）の大鴉《おおがらす》に誓って、その預言者の脚は砕かずにおくのだ」彼は衛兵から槍を剥ぎとりざま声をかけた。「彼には人間らしい死に方をさせてやろう」闘技場で、あるいは戦場で長年習い覚えてきた正確無比な槍さばきを見せて、彼は槍をかまえると、先に長々とついた青銅製の槍穂を預言者の胸に打ちかけ、彼の心臓を深ぶかと貫いた。穂先を引き抜くと、血の混じった水が流れとなってほとばしり出た。クラウディウスは兵士に槍を返した。「生き延びる望みのない男にこんな情けをかけたのは、ずいぶん久しぶりのことだ」血に狂った群衆が愉悦の色を抑えに抑えるなか、ついに前夜まで共に酒をくみかわし賽《さい》を振りあった仲間と闘って——心なくも打ち破ってしまったその仲間に剣を槍を打ちこんだ闘技場での日々が、一瞬のうちにもどってきた。「フリッガ（北欧神話中オーディンの妻で結婚と家庭の女神）の眼に誓ってもいい」と、彼は十字架にはりつけられた白い体を見上げていった。「この若者は美しい！　この男が、自分は神の子だと告げるのを聞いたことがあるが、なるほどこうして見るとあながち嘘《うそ》ではない。あそこに架《か》かっているのは人間ではない。神の子だ——呪《のろ》うべき奸計《かんけい》のために命を落とした麗《うるわ》しのバルドゥル（北欧神話に登場する美神）そのままだ！」

そのとき彼の耳に、何千何万ともつかない蜂がひびかせる羽音そっくりの鐘の音が湧きあがった。そのなかに言葉が混じっていた。ここ三十年というものそんな声を聞いた記憶はなかったが、それでもすぐに思い出せる声がひびかせる言葉だった。「クラウス、なんじは遠き昔、兇漢に襲われんとした幼な子に哀れみをかけた。そしてこの日、その哀れみがなんじをして一人の死にゆく男を、残忍比類なき暴行から救い出させた。なんじがその槍をわが脇腹《わきばら》ふかく突きこんだとき、なんじはみずからの光にしたがって慈悲を垂れた。余を覚えているか、クラウス?」

「これは不可思議な!」クラウスは踵《きびす》をめぐらし、衰えきって力ない預言者の体に驚きの眼を向けた。「わしがエジプトへの逃避行に手を貸した、あのときの幼な子が! 主よ、この哀れな臣下にいかなるお望みあって? わしが打ちこんだ慈悲の槍は、ねらいをはずれたのか――わしの仕事はまだ終わっていなかったのか?」彼はもう一度衛兵から槍を剝《は》ぎとろうと再度手を伸ばした。しかし――

「なんじの役目はまだはじまっていない、クラウス。なんじの力が要り用になったとき、余はなんじを呼び寄せ、なんじはその声を耳にするだろう」

死刑場を警備する兵士たち、あるいは大口をあけて刑の執行を見つめてきた群衆は、総督の片腕といわれる百人隊長がふと立ちあがり、十字架にかけられた若者に向かって、それがまるで手向《たむ》けでもあるように、あるいはまた相手が総督ご自身ででもあるように、深ぶかと頭を垂れるのを見た。

暗雲が陽光を閉ざしていた。総督館への帰りみち、ダビデ通りを疾駆するクラウスの頭上に、肌を嚙《か》む槍のような稲光をともなった雷が威嚇《いかく》的にとどろいていた。一度、二度、呻《うめ》くような地鳴りが聞こえ、堅固なはずの地表が、彼の足もとでゆっくりと揺れた。

「シグナは彼女の酒杯を仰がんとし、ロキ（北欧神話の悪知恵に長けた邪神）は毒蛇《どくじゃ》の牙《きば》のもとで悶《もだ》え苦しむ――か」拍車を愛馬の脇腹に蹴《け》り込みながら、クラウスはつぶやいた。地震の猛威がついに建物を崩しはじめたとき狭苦しい小路をすすむことは、どう考えても気分のよいものではない。ぱっくりと口をあけた地肌を新たに震動が襲い、砕けたタイルや粗石が頭上からすべり落ちて、街路をほとんどふさいでいる。クラウスは身をひるがえして鞍《くら》から降りると、愛馬の尻をするどくたたきつけた。

「さあ、行け、厩舎《きゅうしゃ》まで安全に着けるよう、トールが守ってくださるぞ」彼はそう命じてから大股《おおまた》にものをいわせ、わずか数歩で白壁の家並みに逃げ込んだ。その直後、頭上から落ちかかった石材の雨が街路の敷石に激突し、彼を再度ちぢこませた。

「アイ――アイ――ア・イ・イ！」恐怖のあまり金切り声にまで変調した女の悲鳴が、ふいに湧きあがった。「お助けください。お慈悲を――どうかわたくしを、そうでないと死んでしまいます！　お慈悲を、主よ！」

一瞬輝きでた閃光《せんこう》が、街路にあふれた白昼の暗闇《くらやみ》を切り裂いた。明滅する稲光のなかで、クラウスは、路上に横たわる女体を認めた。壊れた家屋から落下してきた木材が彼女の脚をとらえ、敷石の上に押さえ込んでいた。悲鳴を発する最中にも新しい地揺れがタイルや煉瓦《れんが》を落下させ、もうもうと塵埃《じんあい》を沸きたたせながら彼女の脚もとを埋めつくしていく。闇のつどう路上へ躍りだしたクラウスの冑《かぶと》に落石がひとつ衝撃とともにぶつかった。彼女のくるぶしから木材を払いのけようと体をかがめたとき、胸壁から落ちてきた石片が彼の踵のすぐそばに激突した。息継がずに白壁の下へ駆けもどったとき、彼の腕に抱きかかえられた女は死んだようにぐったりしていた。一瞬彼の脳裡《のうり》に、助かる見込みのない女を救い出すのに生命を投げだした自分の愚かさを呪《のろ》う自嘲《じちょう》が過《よぎ》った。しかし、その女を敷石の上に降ろしたとき、彼女は大きな眼をひらき、そのかわいらしい両手を彼の首にまつわりつかせた。

「お怪我《けが》はございませんでしたか、将軍さま？」彼女はふるえる声で尋ねた。

「おお、大事ない」と、彼は答えた。「しかしここにいては危険だ。歩けるか？」

「やってみますわ」彼女は立ちあがって、足を一歩踏みだした。しかしそのとたん呻《うめ》き声をあげてかがみ込んだ。

「足が――折れてしまったようですわ」彼女は喘《あえ》いだ。

「将軍さまどうぞ行ってくださいまし。あなたさまには、もう充分すぎるほどのお慈悲をいただきました。この上は一刻も早く！　わたくしごとき卑しい者のためにお命を危うくなさる必要はありません――」

「黙っておれ、女」彼は嚇《おど》すように命じた。「さあ、腕を貸すのだ」

彼女は柔順に腕を挙げ、彼の肩にまわした。彼はそのまま女の体を幼な子のように軽々と抱きあげた。それから、落ちかかる建材の危険を防ぐために彼女の頭へ外套《がいとう》を掛けてやり、家並み伝いに狭道が終わるところまで駆けた。こうして二人は、ようやく小さな広場へ逃れ込んだ。

ここはいくらか明るかったから、今しがた救った女の顔を見ることができた。まだあどけなさを残す未成熟の少女といった体格の、かわいらしい女だった。少女時代が過ぎてから、まだ何年も経っていないにちがいない。細い体だが、柔らかくふくよかな体の線には成熟した女の香りがかすかに漂いはじめている。陽光の熱い口づけを受けたオリーブ色の肌には、その光沢ゆたかな表皮を通して菫《すみれ》の血管がひとつ残らず見える。幼な子のようにかわいらしい両手の先細りの長い爪《つめ》があって、そこに輝かしい金箔《きんぱく》をかぶせており、それが小さな鏡のように美しくきらめいている。手と同じように金粉を塗りたくった爪をもつ小さな足は、沓《くつ》も履かず、ただ足底にヘンナ染料（頭髪などを染める赤褐色の染料）を塗っているために輝いては見えた。くるぶし、手くび、そして腕に、瑠璃《るり》や黄玉《トパーズ》や輝かしいざくろ石《ガーネット》をたくさん嵌《は》めこんだ飾り環をつけ、それと同じ高貴な鉱物を使った耳飾りを、きめこまやかな肌の肩にとどきそうなくらい長々と垂らしている。宝石を豊富にちりばめた黄金の髪飾りが彼女の額を丸く取りかこみ、顔のあたりにもつれる黒い捲き毛をうしろに束ねあげている。彼女の小さな固い乳房は露《あら》わで、その乳首をヘンナ染料で染めてある。胸の下には金糸を網目に編みあげた部分がつづき、そこからごく薄手の生地を用いた衣がはじまり、腰のあたりで桜貝や薔薇《ばら》をあしらったオレンジ色の光沢がすばらしい絹の帯を締めている。擂《す》りつぶしたアンチモンを瞼《まぶた》の上に塗りつけ、そのふくよかな、そそるような唇を粉末にしたシナバル染料で真紅に塗りあげている。

　クラウスは彼女の正体を知った。この朝十字架にかけられた若い預言者のあとを追うためにその卑しい職業を捨てるまでは、マグダラの廷臣たちに囲われる愛の館《やかた》の一娼婦《しょうふ》だった女なのだ。彼女を養っていた女主人がいなくなってからは、アグリッパの宮殿で踊り子として仕えていた女だ。彼は少しばかり彼女から後退した。潔癖を誇る北国の肌がこの愛らしい娼婦との接触を拒絶した。

「路上でなにをしていた？」と彼は尋ねた。「宮中にはおまえを買ってくれる廷臣どもがいなくなったから、わざわざ路上へ出てこなければならなくなったというわけか？」

「わたくしは――わたくしは主のお顔を拝しにまいったのです」彼女はかすかにすすり泣いていた。「とても恐ろしい病に冒されましたゆえ、主の治療を求めにまいったのです」

「そうか？　で、治療は受けられたのか？」

「はい、このように治癒《ちゆ》いたしました。重い十字架を背負われて主が通りかかられたとき、わたくしは主に声をおかけし、慈悲を願いでました。すると主は片手のお指をただ天へお向けになり、わたくしをじっと見すえられました——さあ、ご覧ください！　わたくしはそのときから病を忘れ、もとの汚れない身にもどったのでございます。わたくしの肌は、処女《おとめ》のそれのようにみずみずしく、清らかでございましょう？」

　クラウスはさらに彼女から離れた。しかし彼女は両方の手を前に差しだし、彼に迫った。「ご覧くださいまし、わたくしは汚《けが》れてなどおりません！」彼女は熱っぽい声でささやいた。「もう他人に忌みきらわれる覚えはないのです……」

「なるほど、病のことについてなら、おまえはもうだれからもけぎらいされないだろう」彼は無表情に相手を制した。「ところでわしは、おまえとおまえの体をどう扱えばよいのだろうかな？　地震はやんだ。街路はひとり歩きしていっても危険はあるまい。さあ、行くがいい」

「でも、足が折れていて——とても歩けません。わたくしの住まいますところまで、どうかお手を貸してはいただけませんか——」

「いいや、それはだめだ。あとは宮中にいるめかしこんだ貴族たちに世話を焼いてもらえ」

　彼は、まつわりついていた彼女の手をふりほどくと、なかば腰をあげかけた。が、そのとき声が——内奥の耳に以前聞こえたことのある、あの懐かしい声が——ひびきあがった。

「女をさげすむのではない。余は彼女に慈悲を垂れた。そしてなんじも——余も——彼女を必要とするのだ。クラウス、彼女をなんじのものとなせ」

　クラウスは一瞬逡巡《しゅんじゅん》した。それから——

「主よ、おことばに従います」と、ゆるやかに答え、芝の上にふたたび腰を沈めた。

「で、おまえの名はなんという？」彼は少女に尋ねた。

「エリナと申します」

「ギリシア人か？」

「タイア（古代フェニキアの港。悪徳の街として有名）人でございます、将軍さま」

彼女は彼のほうに近寄り、つつましやかな、甘えかかるような身ごなしで、そのしなやかな体を鎧《よろい》の胸当てにすりよせた。

「わたくしがまだ幼かったころ、人に買われて光ゆたかな海を越え、そこで愛の技《わざ》を習わされました。美貌《びぼう》に恵まれたわたしは、多くの男たちに望まれましたが、でも今はあなたさまお一人のものでございます」彼女は柔順に頭を下げ、彼の手をその上に置かせた。「あなたさまは卑しいわたくしのために地震と戦ってくださいました。地震の魔手から救いだしてくださいました。今こそわたくしは、あなたさまの奴隷でございます」

　クラウスはやや苦々しげに笑った。「この武骨一徹のわたしに、なぜおまえのような女が必要かな？」

「わたくしは舞踏の名手でございます。歌も歌え、楽器を奏でます。竪琴《たてごと》も横笛もシンバルも。また料理にも心得がございます。そしてもしあなたさまがお飽きになられましたら、そのときはどうぞ金銭ずくでわたくしを売《ひさ》いでくださいまし——」

「わが民族は自分の妻を売いだりせん——」

「妻？　将軍さま、今あなたさまは妻とおっしゃられたのでございますか？」彼女は信じられぬ面持ちで息をついた。

「どうだ、このわしが奴隷女をつれて旅するギリシア人やアラブ人に見えるか？　さあ行くとするか。立つんだ。わしがおまえを妻に迎える日まで安心して預けておける宮殿を捜さねばならんからな」

　涙が、頬を染めるルージュの上に幾筋もの流れとなって流れおちた。しかし涙の粒を通して見える彼女の笑みは、まるで降りしきる雨を通して輝く四月の太陽のようだった。

「ほんとうに、主はわたくしの将来を、わたくしの知る以上にはっきりと予言してくださいました！」彼女は恍《こう》惚《こつ》にふるえながら叫んだ。そしてクラウスが仰天するのもかまわず、彼の編み沓《ぐつ》に狂おしいばかりの口づけを降りそそいだ。

「おまえの将来をうらなったのは、どんな詐欺師だ？」彼女を抱きあげ、膝のうしろに腕をあてがってやりながら、彼は問いただした。さっき折れた足は早くも脹《ふく》れあがりだしていたから、もう歩かせることは不可能だった。

「十字架にかけられた主でございます——あの方を死刑にした者の母たちが眠る墓は、きっと野犬にあばかれますわ！　砂塵《さじん》のなかで頭を垂れ、主にご慈悲を願いでましたとき、主はわたくしをご覧になり、そっとほほえまれました。拷問と死への長い道をおすすみになり、十字架の重きに耐えかねられたときにさえ、ほほえまれたのでございます。主はこういわれました——『女よ、おまえの希《ねが》いはかなうだろう』と。わたくしはそのとき思いました。主がいわれたのはあの病気が治癒するということなのだろう、と。けれど——」彼女は、いま自分を抱きかかえている男の首に両手を這《は》わせ、恍惚の溜息《ためいき》をそっと漏らしながら彼の顔を力いっぱい胸もとに押しつけた。

「けれど——どうした？　女」

「クラウディウスさま、わたくしは遠くからあなたさまのお姿を見たのでございます。いつまでもいつまでも見とれてしまい、その雄々しいお姿にただうっとりといたしました。夜な夜な夢のなかであなたさまがわたくしをお目に止められ、運よく奴隷として買ってくださることを勝手に願ってまいりました。けれどまさか、このわたくしがあなたさまの妻と呼ばれる身になろうとは」——彼女の声がもう一度溜息のため中断された。しかしそれは、真の至福をこめた溜息だった——「このわたくしが、卑しい囲われ女だったエリナが——」

「待て、おまえのギリシア名はどうもわしにふさわしくない」彼が口をはさんだ。

「それでは、なんと名乗りましょう、ご主人さま？　あなたさまのくださる名前なら、なんでも名乗ります。あなたさまのくださった名前というだけでわたくしは幸福でございます。アフロディテのうるわしい眉《まゆ》に誓って、あなたがお選びくださったその名前で、あなたがお呼びになるときはいつでも、忠実な飼い犬のように飛んでまいります——」

「飼い犬だとか奴隷だとかいう話はやめろ」彼はするどく声をかけた。「おまえは妻だ、対等の立場に立つ女なのだ——いいか、トールの鉄籠手《てつごて》にかけて、おまえに礼を尽くさなかった者はだれ彼問わず首を刎ねとばしてやるからな！」

　ピラトの軍団は、ゲルマン系の民族がかなりの規模を占めていた。だからクラウスに北方式の婚儀を行なわせるだけの同国人が顔をそろえていた。エリナという名はウナに変えられ、二人が愛の誓いを交わしあうその日ウナはつつましやかな白衣をまとい、つややかな黒い捲《ま》き髪に贅《ぜい》をつくした被《かぶ》りものをかざし、腰には金の帯を、腕と指には金の環を着けて花嫁の座にすわった。北方の仲間たちは角杯を高だかと掲げ、花嫁と花婿のため「スコール！」を「ご機嫌《きげん》よう！」を叫んだ。そして祝宴が終わり、花嫁の杯《さかずき》が飲みほされたとき、まだ足が治りきらない新妻のためにとクラウスは、両腕でウナを抱きかかえ、花嫁の寝室に運んでいった。こうして、もと北方人クラウスと呼ばれた百人隊長クラウディウスは、北方の風習にしたがってタイアの女を妻に迎えたのだった。

　そのころ、僧侶たちの奸計《かんけい》にあって命を落としたあの預言者が墓からよみがえったという噂が、イエルサレムの街にひろまっていた。重武装をほどこした衛兵たちが預言者の墓石を警備していたとき、天使が現われ、墓石のくつがえったあとから燦然《さんぜん》と光り輝く預言者が姿を現わしたと、人々は口々に語りあった。そして多くの者たちが彼を生前と寸分違わない姿で目撃したと主張した。

　僧侶たちと、寺院に養われる食客たちはそんな物語に疑惑を差しはさみ、衛兵が眠りに落ちているすきに、あの預言者は信徒たちの手で盗み去られたのだと断言した。しかしクラウスとウナは固く信じていた――「わしは前にこういったな、あの方は神だ、死刑に処せられてもなお神にちがいない、とな？　クラウスはそう尋ねる。「美神バルドゥルこそあの方だ。地獄の門が、だいいち美神バルドゥルを捕らえられるはずはない。彼らの予期に皮して、あの方はふたたび地上に現われたのだ」

「マグダラのマリヤさまがおっしゃるとおり、あの方はほんとうに神の御子だったのですわ」夫の胸に頬をすり寄せながら、ウナが答えた。「あの方は病を癒《い》やしてくださったばかりか、わたしがなによりち望んでいた希《ねが》いを聞きとどけてくださいましたもの」

　クラウスは新妻の口にキスを送った。「いとしい妻よ、主はいわれたぞ。わしにはおまえが必要だとな」彼は優しくささやいた。「わしはそのことに気づかなかったが、主はたしかに予言された。それに」彼はいっそう声を低めながら、こう付け加えるのだった。

「主ご自身もおまえが必要だと、そういわれたぞ。わしたちは主のお声を聞き、主に召されるときはいつでも、喜んで応えるのだ。たとえそのお声が、はるか北端のニフルヘイム（北欧の神話に出てくる闇の国）からひびいてこようとな」

三　長い長い道

　人々は年老い、白髪をふやし、帝国ローマへの奉仕に明け暮れながら死んでいった。しかしクラウスには、死も老齢も、めぐり来ることがなかった。赤味を帯びた彼の髪はその光沢を保っていた。彼と同時代にまだ産《う》ぶ毛《げ》の若者として軍団に参加した男たちが剣を置き、炉辺を囲んでは、むかし海陸を舞台に戦われ勝利をかちとった軍《いくさ》の思い出話に花を咲かせるとき、彼は相変わらず若々しい活気に満ちあふれていた。数年間、彼は総督の右腕として忠実な部下として、ピラトと運命を共にした。そして年老いた総督がパレスチナからヘルヴェティア（ライン川上流地方にあった国）に移ったとき、軍団の指揮官として同行したのもクラウスだった。この年老いた庇護者に死がおとずれたとき、クラウスは弔問者のあいだに立って火葬のために焚《た》いた樹々から音をたてて昇る野辺の煙を見まもった。そのあと彼の顔は、武勇の誉れ高い強兵《つわもの》を依然必要としているローマへ向いた。軍団指揮官と肩をならべ、彼はヴァルスのもとでアルミニウスと鉾《ほこ》をまじえた。トイトブルク森（ゲルマニア地方の古戦場で九世紀までローマ領だった）でゲルマン部族に排撃されたとき、軍団はいまだかつて味わったことのなかった大敗北を喫したが、兵士たちは彼の命令にしたがって整然と退避した。

かつては卑下された十字架のもとで、マクシミリアンの若々しい御子が老マクセンティウスを破り、ローマ皇帝の紫衣を獲得したとき、彼は軍団の総帥として大王コンスタンテヌスとともにマルヴィアの橋に立った。そのコンスタンティヌスにしたがって、彼はボスポラス海峡を乗り切り、ビザンチウムに世界の新しい首府を建設する大事業に手を貸した。

皇帝たちは即位と崩御をくり返した。オストロゴート王国（東ゴートのこと）がイタリアに興り、異国語をあやつる顎《あご》鬚《ひげ》の異邦人がローマ皇帝に代わって支配権を得た。ラティウムの旧土はもはや帝国になんらの敬意を払わなかったが、そのむかしパレスチナで僧侶の奸計に落ちて十字架刑に処せられた主の御名には礼を失しなかった。なぜならば、遠い北端の国にある凍りついたフィヨルドと凍林、あるいは白熱の嚙む南国砂漠を除いて世界は今、人間を罪から救うために拒絶されて果てたあの預言者に敬意を表し、賛歌をうたい、祈りをささげない者を一人として持たなかったからだ。

やがて西のキリスト教者と東のマホメット教徒とのあいだに大きな戦いが起こった。イエルサレム周囲の地形については自分の掌《てのひら》にある皺《しわ》を見るように熟知していたクラウスは、タンクレードやレーモン伯やブイヨンのゴドフロワ（第一回十字軍の指揮官たち）とともに回教徒の手から聖地を奪回すべく進軍した。永遠の忠実を心に誓った愛らしいウナは、武具甲冑《かっちゅう》に身を固め、従者のように鞍《くら》にまたがり、彼のかたわらで駒《こま》をすすめた。婚儀を催した朝以来二人はお互いの声がとどかぬ距離をへだてあったことがなかった。野営のなかで、戦場のなかで、彼女は夫と生活を共にし、男のように甲冑をまとって軍団の行進にしたがい、新しい帝国が建設されたときはビザンチウムへおもむき、旧帝国が分裂し、小国の王や領主や地方貴族がそれぞれ城砦《じょうさい》都市をかまえて彼らの王宮を設立したときは、戦乱に揺れるヨーロッパ大陸を夫とともに駆けぬけながら、彼女はつねにクラウスのそばを離れなかった。時によっては、その長い髪を切り落とすことも、男の服装で馬をすすめることもあった。そしてふたたび、どこか小さな城砦都市で一人だけの居をかまえる束の間の平和を見つけては、髪をもとどおりに伸ばし、その時々に流行している女性の衣服をまとった。そんな折りにみせる彼女のつつましやかでそつのない内助ぶりは、地方領主や群小貴族や土地の実力者など栄誉ある人々をもてなす女主人の手際にふさわしく、やがて彼ら貴族たちの良き社交仲間ともなった。なぜならば、彼女の夫が誇る武術の腕前と戦場での勇猛ぶりは、強大な軍備とそれを指揮して敵を一掃してくれる戦略家とを求める領主たちの大きな注目を集めていたからだった。

ゴドフロワやウスタス伯やボードワンが燃える塔から躍りだし、タンクレードとロベール公爵の軍が聖ステパノン門を破って聖都への血路を切りひらくまで回教徒の進撃を防いだき、クラウスは頼みの片腕ウナと体を接しあって剣を揮《ふる》った。しかし武具をまとった兵士の一団が鋼《はがね》の音をひびかせて街路を闊歩《かっぽ》し、民衆に大殺戮《さつりく》を加えたとき、彼ら二人はそこに居あわせなかった。そのむかし若い預言者が死の行進を行なった古代ダビデ通りに今も立つ古めかしい寺院につどった薄闇《うすやみ》のなかで、黴《かび》くさい礼拝用の絨毯《じゅうたん》に首を切り落とされていく息子たちを見まもる年老いた回教徒のおだやかな貌《かお》を、二人は見つめた。やがて彼ら老齢の回教徒たちもその殺戮に身をゆだね、キリスト教者のふるう斧《おの》に首を落とされ、あるいは長剣で臓腑《ぞうふ》をえぐられて死んでいった。覚悟を固めて座った男たちの膝にすがりつく、恐怖の表情も悲惨な異教徒の女たちを見もした。剣や槍が彼女たちの柔らかい体を切り裂き、その声を奪うまで、彼女たちは何度慈悲を願い、喘ぎ、絶叫したことだろう。二人はこのむごたらしい殺戮を止めさせようと努めた。剣を置いて、救いを絶たれたあわれな敵に慈悲を垂れてやるよう、兵士や騎士に嘆願した。しかし十字架を帯びた者たちに殺戮ばかりをけしかける僧侶や神官たちは、一人に罵声を浴びせ、おまえたちは平和の王を真に愛する忠実な下僕ではないと誹謗《ひぼう》した。

しかし、さしもの殺戮と狂態も終わりを告げ、人々が聖地を拝しに出払ったとき、クラウスをウナは街の散策におもむいた。なつかしい思い出が二人の瞳をおだやかにさせた。

「ここよ、主が死刑場へ導かれていった場所は」膝這《ひざば》いで聖地カルバリへの巡行を行ないにきていた貴婦人たちに向かって、ウナはいった。「ここで主はお手を挙げられ、主に危害を加えた張本人たちにえ祝福をお与えになったわ」だが、彼女のことばを聞いたフランク族の女たちは、その逸話を頭からはねつけ、彼女に非難を浴びせかけた。が、それも道理だった。この日までイェルサレムを見たこともなかった僧侶たちに教えられて、貴婦人たちは主の聖なる御足が踏まれた道や、預言を行なわれた場所を見てきたからだった。学を積んだ聖職者の知識が、だいいち、太腿《ふともも》に長剣を吊るし武装兵たちと肩を並べて闊歩する髪の短い軍営の野《の》女《おんな》が持つ聖事の知識に劣ろうはずはなかった！

しかし、彼女がそのむかし、この敷石の上にひざまずいて、ゴルゴタに向かって十字架を背負われていくキレーネのシモンを見送った思い出をふと漏らしたとき、人々は恐怖の眼差で彼女から引きさがると十字を切り、救い主として知られているすべての聖者の名を叫んだ。魔女よ妖術師よと、彼女を決めつけた。そこへ寺院に仕える男たちが駆けつけ、彼女の腕に綱をうち、聖殿騎士団《テンプラー》の厩舎《きゅうしゃ》下に設けられた牢獄《ろうごく》へ押しこんで、翌朝火あぶりにしてやる、聖都の城内で冒瀆《ぼうとく》を吐いた女がどうなるかみんなの前で見せしめにしてやる、とわめき散らした。

その夜仮の住まいの家に妻がもどってこないことを知ったクラウスは、異教徒たちが戦闘のさい勇気をふるい起こすために服用させる魔的な薬をのんだ男のように狂乱した。そして牢獄に押しかけると、そこに立っていた牢番を一気に蹴《け》ちらした。その勢いに恐れをなした年兵たちは禁忌《タブー》物から退くように逃げ去った。彼は強大な斧で彼女をとらえていた重々しい扉を破り、二人してその場所をあとにした。途中で馬をひろって、港に着くまで疾駆した。そこで二人は船を見つけて、大海へと乗りだした。二人の行く手をさえぎるものはなかった。なぜならクラウスの眼には、北方の稲妻が放つ烈しい炎が燃えあがっていたからだった。もしも二人の行く手に立ちふさがり、おまえたちはどこから来た、何用があってどこへ急、と尋問する者が現われようものなら、クラウスは野蛮な狂戦士の怒りを爆発させずにはおかなかった。

歳月が、川筋を下る激流のように流れ去っていった。そのあいだクラウスとウナは数多い大冒険の道をすすんだ。時には都市に腰を落ち着けることもあったが、さすらいの途にあることのほうがはるかに多かった。あるいは地方地方に割拠した領主たちが持つ軍勢を指揮して戦い、つねに名声と幸運をかち得た。しかし一か所に長くとどまることは、どうしてもできなかった。早晩彼らには僧侶たちとの対立が待ちかまえていたからだった。彼ら一人が偉大な説教師について、その様子をまるで実際に見てきたような口ぶりで語るのを聞いたとき、僧侶たちは二人に魔女と妖術師の悪名を強引に張りつけたのだ。当時聖職者の力はそれほどまでに強く、もし二人が早い逃げ足とたくましい腕に恵まれていなかったら、まず間違いなく火刑に処せられているはずだった。

「ところでだ、ウナ。トールの鉄籠手に誓ってもいいが」と、あるとき僧侶連の怒りをかって逃亡の途についたクラウスがいった。「この世に生きる人間のうちでも、僧侶ぐらい性質を変えん人種はおらんな。あの薄汚い奸計を弄《ろう》して主を十字架にかけたのは、カヤパとその一党だったし、近ごろでは主が生命とひき替えにされた真実を偽りに変え、秘に付してしまっているのは、なんと主の神官であり奴隷であると自称する僧侶たちなのだからな！」

ある年のクリスマス、クラウスとウナはライン川沿いの小さな街に仮小屋を建てて暮らしていた。その年の収穫は豊作とはいえなかった。欠乏と旱魃《かんばつ》とが、街を包囲した敵軍のように路上を闊歩《かつぽ》していた。クリスマスの宴《うたげ》が近かった。しかし農民たちの家には、わずかな歓楽さえ見あたらなかった。わずかな食糧でその日の飢えをしのぐのが精いっぱいの彼らには、主の生誕日に大きな祭りを催す気力さえなかった。

　二人して仮小屋に座りながら、クラウスはふと、歓びの色ひとつ見せない街の子供たちの顔を思い浮かべた。やがて考えをまとめた彼は、一本の彫刀《ナイフ》とひと塊りの木を取り出し、それを削って、冬の雪が積もり車も靴《くつ》も通行が不可能となった折りに使う小さな橇《そり》に似せたものを彫りあげた。

　夫の仕事を見たウナは、声高に笑って、柔らかな腕に彼を抱きしめて、こういった――

「あなた、それと同じものをもっとうんとお作りなさいな。クリスマス・イヴがやってくるまでの残り日を全部使って、できるだけたくさんお作りなさい！　地下窖《ぐら》には舌もとろけそうなお肉がうんと蓄えてあるし、スミルナの土地で摘んだ無花果《いちじく》もあるわ。キプロスとシシリーで採った葡萄《ぶどう》は砂糖漬《づ》けにして干しておいたし、大麦砂糖だって少しくらいならあるわ。その小さな橇をお作りなさいな。そしたらわたしが、その縁までお菓子でいっぱいにしてあげるわ。そうしてキリストのお生まれになった前夜にね、二人して町のいちばん貧しい家々をまわるのよ。家々の戸口に、このささやかな贈り物をそっと置いてきてあげるの。そうすれば朝になって子供たちが起きてきても、黴くさいパンや薄いスープでクリスマスを祝わなくても済むでしょ」

　小さな橇は急速にたまっていった。自分の指が今までになかったすばやさで動くのを、クラウスは感じた。玩具《おもちゃ》ができあがっていく速度のすばらしい勢いにウナはびっくりして、あなたの彫刻は剣や斧の腕前に負けないくらいご立派ね、と褒《ほ》め称《たた》えた。すると彼は笑って、前よりもさらに速い速度で玩具を作りだすのだった。

　クリスマス・イヴは、ひどく冷たい晩だった。夜番の村人も寒さにこごえて戸口に身を寄せたり、地下窖にもぐりこんだりして、荒れ狂う嵐に乗って降ってくる雪を避けた。だからクラウスとウナが村じゅうを巡って、貧しい家々の戸口ひとつひとつに、北国の子供たちが見たこともない果物やお菓子をいっぱい積んだ小さな橇を置いてまわる姿を見たものは、だれもいなかった。けれどたった一人、お腹をへらして眠りにつけない小さな子供が屋根裏部屋の窓から外を見ていて、クラウスのまとった真っ赤なマントを盗み見てしまった。なぜなら、その晩クラウスは武勇の誉れ高い戦士にふさわしく、そのむかし地方領主の信頼を一身に受けながら歩んだ戦将にふさわしく、威風堂々と戦いの赤マントをはおって出かけたからだった。その幼な子は、大人たちが息をひそめて話していた功名と栄誉の大戦士クラウスその人が、自分の家の戸口で足を止めそうになったとき、ほんとうにびっくりして眼をつむった。けれどその子はやがて眠りに落ちてしまい、朝眼を覚ましたころには、自分がいったい夢を見ていたのか、それともほんとうに嵐《あらし》のなかを突きぬけていったクラウスを目撃したのか、どちらとも判断がつかなくなっていた。しかし教会の鐘が、良き明朝《あした》を称え祈りをささげるよう村人に呼びかけるのに応じて家々の扉から閂《かんぬき》がはずされたとき、人々は戸口にお菓子をいっぱい積んだ橇を見つけた。歓びの声は高く、大きかった。クリスマスという日が断食とひもじさに閉ざされた新しい一日でしかないと思い込んでいた幼な子たちは、手を打ちならし、声をあげて幸せな笑い声を精いっぱいにひびかせた。

　こっそりと街へ降りてきたクラウスとウナは、二人の行ないの結果を見、それがうまくいったことを知って胸をときめかせ、幸福の涙で瞳を輝かせた。それまでは悲しみ以外になにもなかったところへ、一人は歓びをもたらしたのだ。彼らは手をたたきあい、いま結ばれたばかりの恋人のように口づけを交わした。この行ないを発案した栄誉をお互いに譲りあい、またお互いにそれを否定しあった。そんな甘い口論をまじえながら、二人は教会堂へおもむき、それからわが家へともどった。わが家に用意された鵞鳥《がちょう》と山菜のご馳走《ちそう》は、街の子供たちに贈ったすばらしい歓びのことを考えるだけで、よりいっそう味わいを増した。

　ところが、貧しい家々の戸口にいつのまにか置かれていた果物と菓子の奇跡を耳にした僧侶たちは、烈火のように怒り狂った。そして、これは真のキリスト教者が行なった行為ではない。魔王サタンの美肉を餌《えさ》にして人の魂を奪い去ろうとする堕天使の汚《けが》れたたくらみにちがいないと、言い張った。

覚めた眼でクラウスのまとった真っ赤なマントを見た子供が、その体験を語った。貧しい人々はこぞって彼の名を称えた。だれもが口をそろえて彼を聖《サンタ》クラウスと呼んだ。人間の姿で地上を忍び歩き、貧困に苦しむ人々に憐《あわ》れみを垂れる聖者と呼んだ。

しかし聖職者たちは街の統治者を訪れて、こう告げた。

「お急ぎを。この男は反逆をくわだてておりますぞ。あなたさまの人民が守っている忠節を、その子らにささやかな贈り物を送ることによって買い取ってしまおうと企てています。よいか、お忘れめさるな。これ以上の害悪を流さぬうちにあやつを捕り押さえておきませぬと、大事な封土《ほうど》としてこの街をあなたさまにお任せになっておられるご領主に対し、顔向けがかないませんぞ」

そこで統治者は反逆のかどで人を投獄する意向を固めた。が、急を知った街の人々が二人のもとに駆けつけ、役人の企てをひと足早く知らせた。そのおかげで二人は、甲冑に身を固めた男たちが武具を鳴らして戸口に押しかける前に脱出を果たし、雪をついて遠く逃げのびた。二人の背後を閉ざすように激しい吹雪が襲い、そのために、追跡してきた兵士たちは溜《た》まり雪のなかにのみ込まれて道を失い、逃げた二人は確実に嵐に巻かれて生命を落としたという知らせをたずさえて、ほうほうの体《てい》で帰還した。だが、クラウスとウナは死ななかった。二人の足もとにぴったりと従う嵐がその場所に長くとどまり、二人の足跡を掻き消してくれたのだ。やがて彼らは見知らぬ街にたどり着き、その冬を無事に過ごした。こうして翌年の春がめぐってきたとき、二人はふたたび旅路についた。

こうして二人の旅は遠くバルト海の岸辺にまで達した。ラプランド（スカンジナヴィア半島の最北端に位置する地域）人の国を越えて、九つの小さな丘が環のように周囲を縁取っている谷間へ足を踏みいれた。しかし土地の人々はその場所へ近づこうとしなかった。地中に住む茶色い小人の一族がその谷間に勢力を張っていて、彼らと顔を付きあわせた人間は必ず彼らの召使にさせられ、世界の終わりがやってくるまで地中の苦役に服さなければならないという言い伝えがあったからだ。それというのも、彼ら小人たちは魂を持ちあわせていない代わりに不死を与えられ、彼らと太古の神のことごとくが至高者の玉座の前に立ち永劫《えいごう》の苦役を命ずる宣下を聞く〈最後の審判日〉がやってくるまで、ずっと生きつづけるはずだったからだ。

　彼ら二人は呪《のろ》われた九つの丘陵を走る道に入り込み、海をめざして馬を駆りすすめていったが、その途中で背中に小嚢《こぶくろ》を背負い悲しげな歌をうたって近づいてくる小人たちの行列に出くわした。

「ごきげんよう、小さな妖精《ようせい》たちよ」クラウスがそう声をかけた。「涙と憂いをたたえた歌を口ずさみながら、おまえたちはなぜそれほど悲しげに旅をつづけている？」

「ああ、これほど悲しいことがあるでしょうか！」小人の王は答えた。「わたしたちはニフルヘイムに向かう途中でございます。そこで隠棲《いんせい》し、永遠の責め苦に落ちていくその日まで、ひっそりと暮らすつもりでございます。それと申しますのも、わたしたちが昔手助けしていた村の衆は今、声を荒らげて小人を悪魔呼ばわりし、ミルク一杯、大麦パン一切れ戸口に残してはくれなくなったからでございます。彼らの父親たちは、小人が行なった善い行ないのことを少しも話さなくなりました。話すのは、ただ恐ろしい話や悪行の話ばかりでございます。こうなったうえは、地上へ出ていって地球の美しいお貌《かお》の上で遊び戯れたり、月光に照らされながら林間の空き地で歌ったり踊ったりすることなど、もうできません。そしてとりわけ悪いことに、隣り人たちはわたしたちの善い行ないを必要としなくなりました。わたしたちの姿を見ると、呪いと賛美歌と鐘と聖書と、それからろうそくとで追いたてるようになりました」

　この話を聞いたとき、クラウスは声高な笑い声を長ながとしぼりだした。彼らの身の上は、貧しい人々に善い行ないをほどこしたばっかりに追われる運命を背負い込んだ彼とウナ自身の経験に、あまりによく似ていた。そこで彼は答えた――「ところでおまえたちは、隣人たる人間たちに奉仕することを幸せと感じるか？」

「はい、それができるのなら、歓びでないはずはございません」と、小人の王はいった。「木と石と金属の細工にかけては、誇るに足る技術を身につけておるわたしたちでございます。わたしたち以上の鍛冶屋《かじや》はおりません。木を材料に使わせれば、わたしたち以上にすばらしい形を作りだすものなど他におりません。しかもその技術が人間の役に立ち、その細工品を農場村々の善き人々に使ってもらえるのなら、歓びは倍加いたします。ですが、ああ、僧侶たちに知恵をつけられた人々は、だれもわたしたちの贈り物を受けとりはしますまい。不幸なことに、昨今は、妖精の品物を贈ることが、受け取り手を侮辱することになるという時勢でございます！」

　クラウスがこの繰り言に耳を傾けていると、どこか遠くからたくさんの鈴の音がひびいてきた。そしてふたたび、あの懐かしい声が彼にささやきかけて、こう告げるのだった——

「クラウス、なんじにはこの小さき者たちの手助けが要る。なんじの足もとに開ける道を、彼らとともに歩め」

そこで彼は小人の王に声をかけた。「どうだ、わしといっしょに安全な場所へ行かないか？　そこで子供たちに歓ばれる品物を思う存分作ってみないか？　もしおまえたちが仕事を引き受けてくれれば、その品物を心から歓んで受けとってくれ、おまえたちの名を呼んでその出来ばえを称えてくれる子供たちの手に、わしが贈り物を間違いなく手渡してやるぞ」

「将軍さま、そのおことばがもしほんとうでございましたら、わたしはたった今からあなたの忠実な下僕《しもべ》でございます。いいえ、わたしばかりではございません。これなる一族こぞってあなたのご命《めい》にしたがいます」小人の王が誓いをたてた。あざやかな緑の芝に膝をつき、彼自身がクラウスの下僕になることを、またクラウスに対して心からなる奉仕を終生つづけることを誓約した。彼と彼の小さな一族たちは誓いのことばを唱え、芝から膝をあげたあと、今彼らの主人となり指揮者ともなったクラウスに喝采《かっさい》を浴びせた。そのあと小人たちは黄金でできた橇を宝蔵から運びだした。剣の攻撃から頭を守るために兵士がかぶる冑ほどの大きさしかない橇だった。橇には四対《つい》の小さなトナカイが結びつけられた。トナカイと橇はすぐに大きくなり、彼らが魔法の橇に乗り込んだとき、小人の王が放った号令に応じて、背後に橇を従えながら山なすバルト海の波間高く天を指して駆けのぼりはじめた。

「トナカイが止まりたいところに着くまで、思う存分走らせるのだ」クラウスがそう命じると、小人の王はそのことばに従った。やがてビフロストの虹橋《にじばし》（北欧神話にあらわれる天地を結ぶ虹のかけ橋）が地上のはるか上空に架かる北方の氷原深くすすんだところで、トナカイたちは足を止めた。彼らはそこに、いつも火が燃えさかる暖炉と高い煙突を配した、太い丸太と厚い壁の家を一軒建てた。そして大きな広間を囲むいくつかの小部屋に炉が作られ、器用な小人たちが金属で玩具を作りはじめると、鉄を鍛える槌《つち》の音が大気を満たした。また、ある小人はのこぎりと小刀と丸鑿《まるのみ》を持ち、木を使って玩具を作りはじめ、またある小人は、漆喰《しっくい》と陶器で人形を作り、あらかじめ用意した大きな織機を使ってウナの指導よろしく織りあげた布切れをあれこれ縫いあわせた服で、人形ひとつひとつを飾りたてた。

ふたたびクリスマスの季節がやってきたとき、できあがった玩具は山のようにたまっていた。クラウスはそれを魔法の橇に積み込み、口笛を吹いて魔法のトナカイを呼び寄せると、そのむかし神々が神の国《アズガルド》へお渡りになるときに使われたというビフロストの虹橋を越えて、遠く橇を飛ばした。八頭の小さなトナカイが出すすばらしい速度と、橇に積まれた玩具の莫大な量をもってすれば、クリスマスを告げる朝の光が差しそめるのを待つまでもなく幼な子の心を歓ばせる贈り物をひとつずつどの家の炉辺にも置いてまわることはやさしかった。クラウスは雲のあいだを駆けて北方のわが家へもどり、そこで彼の帰りを待っていた器用な小人たちやすばらしい妻ウナとともに豪華な宴をもよおした。鹿肉《しかにく》や鮭《さけ》、それにたっぷりと身のついた野鴨《のがも》の焼き肉が卓をきしませ、全員が乾杯《スコール》を、「ごきげんよう」を口々にいい合い、子供たちの幸福を祈りながら何度も何度も杯を重ねるあいだ、はちみつ酒の大杯は泡を吹いた。

はるかむかし、クラウスは剣を捨てた。彼が揮《ふる》った戦《せん》斧《ぷ》は、城壁の上で錆《さび》を集めている。なぜならば、あの遠いとおいむかし、ある夜ベツレヘムへおもむく途中で予言された仕事に従う彼には、武器などすでに必要ではなかったからだ。

オーディンの神は、今や記憶の片隅に残るばかりとなった。彼を祀《まつ》る祭壇は、今、世界のどこにもない。しかし今日でもクラウスは現に生きている。毎年十億人もの幸福な子供たちが彼の訪れを待っている。彼はもう百人隊長クラウディウスでもなければ、北方の戦士クラウスでもない。幼な子を守護する慈愛ぶかい聖者、サンタクロースなのだ。彼の職務は、千年前のあの夜、主が選びたもうたもの。彼の道は、救世主の生誕日が人々に祝われるかぎりもどることを知らない、長いながい道——

風間賢二編『クリスマス・ファンタジー』筑摩書房（一九九二）より再録

《Le forum du Roman Fantastique》翻訳

稲妻マリー

The Shapeshifter Unraveled

S・チョウイー・ルウ　S. Qiouyi Lu　陸秋逸
勝山海百合 訳

マリーは霹靂《へきれき》であり稲妻であり、大平原を引き裂く竜巻であり、向かうものすべてを呑み込む兵器のような憤怒《ふんぬ》だった。わたしはといえば、遠くで草むらにしがみつくネズミであり、彼女を見て、その栄光の軌跡に震えるのだった。

　羨望がわたしを飲み込んだ。彼女になりたかった。このかりそめの肉体ではなく、自然の力そのものに――わたしはわたしの内側にあるもの以外の何かになりたくてたまらなかったのだ。

　わたしはまず貝になった。真珠貝。塩辛い水を飲み、太平洋の冷たい深みに突き進んだ。砂にこの身を磨かせ、美しい何かを作り出そうとした。

　だがそれは結局、砂を噛んでわたしの内側を切り刻んだにすぎなかった。わたしは血を流し、わが身の空虚さを思い知った。本来なら真珠が生じるべき、彼女の裡に見た完璧さが響きわたるべき空洞の。

　わたしは再び試してみた。こんどは孔雀になろう。尾の飾り羽を広げれば、銅《あかがね》に縁取られたエメラルドとサファイアの瀑布《ばくふ》になるのだ。充分に羽づくろいできれば、自らを誇りに思うことができれば、彼女の栄光を少しは我が物にできるかも知れなかった。

　しかしわたしの勢いは潰《つい》え、長い羽は自らの重みでしなだれた。これはわたしでも彼女でもなくまがい物だという思いに引き裂かれた。ただの羽毛の塊になるまで、微塵に。

　真の姿に戻る前に、わたしは炎となり、シエラネバダじゅうの森林を焼き尽くし、破壊の爪痕を残した。わたしは彼女のように見られたかった。彼女のように恐れられ、畏怖されたかった。人々にあるがままの力を見せつけ、ナイフのようなわが身で大気を切り裂きたかった。

けれども、燃えさしが冷え、燻《くす》ぶる灰だけが残ったあと、わたしは思い出した。わたしはこの柔らかい肉の存在にすぎない。円《まろ》やかで剥き出しで壊れやすいまったくの人間であり、この不完全なる生き物こそが、唯一無二、わたしの真の姿だと言えるものだった。

次にマリーに会ったのは、サンフランシスコの中華街だった。わたしは何かのふりをするのをあきらめて、自分自身の醜い身体に戻っていた。同じ茶館に入ったところで、彼女と鉢合わせた。

竜巻が彼女の真の姿だと思っていたが、彼女もわたしと同じ人間だった。彼女の目には未だ雷光を認めることができ、彼女の言葉には雷鳴を聞くことができた。と同時に、彼女がいかに疲れているか、いかに小さくなってしまったかも見てとれた。彼女は霹靂であり稲妻であり栄光であり、ある家だけを狙い定めて引き裂くことができる竜巻であったが、その過程で自分自身をも害《そこな》ってしまっていた。

わたしたちは温かく再会を祝し、わたしは飲み物を一杯おごった。窓際に向かい合って座ると、茶碗に日の光がきらめいた。ぎこちない沈黙が下りた。何年も離れていたし思いがけない再会だったから仕方がないが、彼女のほうから口火を切った。

「あまり連絡しないでごめんね。展覧会の準備や、作品の依頼や、メディア対応……やらなきゃいけないことがたくさんあって」

茶碗を置いた彼女の手首の細さと、左手にはめた翡翠《ひすい》の腕環の輝きがわたしのそれよりも鈍くなっていることに、わたしは気づいた。父の言葉が脳裏をよぎった——輝く腕環は健康の証《あかし》だ。

「いいの」わたしは答えた。彼女は微笑み、その優しさにわたしは赤面した。なんて真摯で率直なんだろう。感情は彼女を強くし、その作品に命を吹き込み——ときに入れ込みすぎて、今のように零落したのがわかった。

「最近は描いてる?」彼女が尋ねた。

わたしは肩をすくめた。「絵を描くのが難しくなっちゃって。ただちょっと……悩み多き年頃で」

「わかる」彼女はもう一口、お茶を飲んだ。「わたし、いつもあなたの作品に感心していた。簡素すぎるとあなたが考えているのは知っていたけど、描線はためらいなくくっきりしていて、誰かがその無駄のない線を自分のものにしようとしたら習得に何年もかかるはず。わたしはずっと、自分の作品がごちゃごちゃしていると感じてた。あなたのに比べると全然未熟だって」

「ありがとう。あなたにそう言ってもらえて、嬉しい」

彼女はお茶を吹き冷まし、もう一口飲んだ。「……小学校が懐かしい」窓の外を見ながらぽつりと言った。「覚えてる？　ふたりで運動場を駆けていって、大きな木によく登ったことを」そこでわたしに視線を戻す。「あなたが友だちじゃないなんて、さびしい」

「わたしも」そう言って、自分の声が震えていることに、肋骨のあいだで心臓がきゅうっとなることに気づいてハッとする。わたしはあまりに長いあいだ彼女になろうとするあまり、忘れてしまっていた。彼女と一緒にいるのがどんな感じか、彼女をどんなに愛しいと感じていたか、そして今でも大事に思っていて、競争するのではなく一緒に協力していける、ということを。

「この街にはまだいるの？」わたしは尋ねた。

「来週は家族に会いに行くけど、それ以外はここにいるつもり」

　彼女の霹靂と雷光の陰に、傷つきやすく不完全な人間の姿が見えた。そして彼女がわたしに向けるまなざしに、わたしも心の何かが目覚めさせられるのを感じた——わたし自身の自然の力が。破壊ではなく、炎のあとの灰から萌える若芽が、蘇る丘につけられた鹿のやわらかな蹄《ひづめ》の跡が。わたしは彼女でないし、決してそうはなれず、そもそもそんな必要はない。わたしはただありのままでいて、彼女がわたしの中の素晴らしさを見出してくれると信じていればいいし、それで充分なのだ。

　わたしはテーブル越しに手を伸ばし、血の気の薄い彼女の手の甲に重ねた。わたしは穏やかさで満たされ、自分自身の身体に、真の姿に落ち着いたように感じた。それは刹那の感覚に過ぎないかも知れなかったが、それでも。

「また友だちになるのに、遅過ぎるってことはないんじゃないかな」わたしは言った。

　外では雨が降り始めた。軽やかなその音は、嵐の到来を告げない。

　彼女は微笑んだ。

「そうね」

S・チョウイー・ルウ（陸秋逸）
アメリカの作家。翻訳家、編集者。中国にルーツを持ち、太平洋両岸で活躍中。ノンバイナリー。八月三十一日に初めての中編 *In The Watchful City* がTor. から発売される。https://s.qiouyi.lu/

《Le forum du Roman Fantastique》創作

天使についての試論

伊藤なむあひ

1、はじめに

二〇二三年十月九日に最初の天使が確認されてからというもの、我が国ではその存在について多くの議論がなされてきた。だが、発見から今に至るまで専門家たりえる存在が確立されなかったこともあり彼ら（果たしてこの呼称が正しいのかもわからないが）の生態を正確に把握しているとはいえない。そんななか私はここに《試論》という形で、天使たちの生態や人類との関わりの歴史をまとめることにする。これ以降、天使に関してこの《試論》との齟齬《そご》を見つけたのであればあなたは私を批判するのではなく、新たな発見した自身を誇ってほしい。そしてその際はどうか、天使に関する新たな試論を残してほしい。

2、天使の生態について

地上で初めて天使が観測されたのは、北海道胆振《いぶり》地区の伊達町という小さな町のタコ山と呼ばれる公園だ。

――歴史上初めて観測された天使はタコの滑り台の途中、ふたつに枝分かれしている部分にその体躯を「へ」の字にしてひっかかり、こちらを見ていた。

（『天使の権利を守る会』の記録より引用）

差別的な人間主義者によって天使に関するジョークとして頻出したこのシチュエーションだが、これは同時に天使たちの特性を表しているともいえる。彼らの多くは我々人類よりも体力、知力が低いとされている。異種族への差別意識からくるものとも言われたこの説だが、二〇二四年に発表された『人類と天使の今後を考えるシンポジウム』でのランダムに選ばれた人間百人、天使百羽を集めた測定結果の比較により立証されている。

天使の数を数えるときの呼び方についても今後再検討が必要だろう。何人、という数え方に対しては人権擁護団体より「天使と人類は違う！」というクレームがつき、何匹という数え方に対しては天使の権利を守る会から過激な反対運動が起こった。最終的には本来天使についていたはずの羽に着目し、何羽という数え方に落ち着いた。だが、天使の権利を守る会からの変更要求は続いている。

彼らの羽については昔から頻繁に議題になっている。天使は骨格から肉のつき方、内臓の位置まで人類によく似ている。彼らの特徴、人間との違いは次の通りだ。

・彼らは白い。白皮症《アルビノ》のそれに近いが彼らは唇も、黒目さえも白い
・彼らの背中、左右の肩甲骨のやや内側にはかつて何かが生えていた傷跡がついている
・彼らに耳、鼻腔・口腔はあっても消化器官、排せつ器官はない。歯もない。
（体内に入ったものは腦臓《どうぞう》と名付けられた器官で吸収されている）
・口腔内に甲状軟骨＝喉仏も舌もなく、稀に口腔全体を震わせるが音は出ない
・手足の爪は平均的な人間の半分ほどしかなく、人の爪でこすると欠ける程度に脆《もろ》い
・彼らの頭部に脳はなく、上記の腦臓からの微弱な命令で行動している
・彼らに生殖器はなく、彼らがどのようにして繁殖しているのかは不明

日本での彼らの数は一番多いときで六百羽程度とされていたが、それは認定された天使の数であり政府に保護されなかったものや、海外の密猟者により日本を去ったものを含めるとその倍近くは存在すると言われている。では次に、天使が日本で増えていった経緯を、歴史を追いながら記していこう。

3、人類と天使の歴史

北海道伊達町で最初の天使を発見したのはタコ山の公園に遊びに来ていた子どもたちだった。不審者がいると子どもらが騒ぎたて、見に来た保護者は人が死んでいると勘違いし警察を呼んだ。警察署が近い位置にあったこともあり、五分程度で二名の警察官が到着。時刻は午前十時過ぎだったという。

駆け付けた警察官たちは、滑り台に引っ掛かっている人物に意識があることが判明するとすぐさま救急車を呼

んだ。その間、ひとりは第一発見者となる子どもたちに状況を確認し、もうひとりは人物の容態を確認した。

　警察官は最初、外国の人間かと思ったという。不審者は、皮膚はもちろん髪まで白かったからだ。かといって目鼻立ちは欧米のそれではない。どちらかというと東洋を想起させる顔立ちだった。一番特徴的だったのは目で、白い眼球に映る自分の姿を見て、警察官は白昼夢を見ているような気持ちになったとのことだ。

　警察官は若くなかったが、カラーコンタクトレンズの存在くらいは知っていた。だがどうしてかその目の色は元々の色なのだと直感した。そして理由は説明できないが、その場で発砲し、殺して、なかったことにした方が良かったんじゃないかと後日知人に語っていたそうだ。子どもたちがいなければ恐らくそうしていた、とも。

　だがその警察官が仮に白い目の存在を銃殺していたとしても、歴史は変わらなかっただろう。なぜなら翌日、最初の天使が伊達町の総合病院の個室で警察官によって事情聴取されていた午前中に、ふたりめ（二羽目）の天使が同じく伊達町に落ちてきたからだ。落ちてきた、と明記できるのは、今回の天使は多くの人間に見られながら空から落下してきたからだ。

　それをはじめに見付けたのは、伊達町中学生の生徒だった。彼女は校舎の窓の外に、なにか大きなものがゆっくりと降りてくるのを目にした。最初は鳥かと思い、次に凧かと思い、最後に人間の姿をしたものだと理解した瞬間、彼女は授業中にも関わらず「あ！」と叫んで立ち上がった。つられるようにして窓際の席の何人かが窓の外を見て同じように叫び、続いて教師を含む教室の半数以上が窓の近くに群がった。

　教師が落ち着くようにと言うなか、何人かの生徒が教室を出て校庭に走った。空からの人物が落下してくると予測された場所だった。教室からは「もっと向こう！」「逆だ逆！」などと歓声がとび、それを聞いた他のクラスの生徒らも窓から校庭を覗いた。全校生徒二百数十名の視線が集まるなか、やがて天使は誰かが用意した横断幕のクッションにゆっくりと背中から着地した。

　前日の不審者騒ぎなど当然知らなかった教師たちだが、どこに連絡したらよいものか迷った末に、やはり警察署に電話をした。電話を受けた警察官は昨日の件を把握しており、すぐに向かうことを告げ上官一名と共に中学校に向かった。

　校庭のほぼ中央に座り込む人物を見て上官は唸ったそうだ。予想していたとはいえ、やはり昨日の人物と類似した風貌だったからだ。言いようのない不安が残るなか、警察官たちは混乱する中学校の関係者たちにろくに説明することなく空から現れた存在をパトカーに乗せ、病院に向かった。

　病院側への許可もそこそこに、警察官たちは昨日から入院している人物と、今日落下してきた人物を対面させた。彼らはお互い一瞬だけ目を合わせたが特にそれ以上の反応はなく、警察官たちはかえって困惑したという。

　警察はもちろん、病院にも彼らがいったいなんなのかわからなかった。わかったのは、彼らは人間の言語を話せない、食事をしない、排泄を（恐らく）しない、いまいる二人に恐らく面識はない、この町の人間ではないし、ましてや日本人でもないということ。だがそれ以上先はお手上げだった。

　町長にも連絡はいったが、当然これらの一連の事象が何か分かるはずはない。問題をどう処理すれば良いのか分からない大人たちをよそに、落下する人間を撮影していた生徒がすぐにそれを動画投稿サイトにアップロードした。面白がった生徒たちは次々にそれをＳＮＳ上に拡散した。その日が終わらないうちに、伊達町の落下人騒ぎは『人間？　天使？　が地上に落ちてきたんだけど…』というタイトルと共に日本はもちろん、世界に知られることとなった。

　翌日、中学校にはマスコミをはじめ大勢の人間が押し寄せた。動画をアップした生徒やＳＮＳにあげた生徒たちにもメール等で連絡が来ていた。学校側は絶対にそれらに返信しないよう通達したが、当然教師にわからないよう連絡を取る者はいた。いくばくかの謝礼もそうだったが、田舎の小さな町で漠然と感じていた閉塞感を外の世界から来た人間が壊してくれるという期待があった、と生徒たちは後に語った。

　学校は午前中で休校となった。マスコミが校門から出ていく生徒たちを捕まえ話を聞いていくうちに、空から落下してきた人物は病院にいるらしいことが分かってきた。伊達町に大きな病院はひとつしかないため、取材者たちは競うようにそこに向かった。それをリアルタイムで撮影している者もいた。

　病院に着いた彼らは入院病棟に向かった。警察官が立っていたため、空から落ちてきたふたりがいる病室は簡単に捕捉された。当然、看護師も警察官もそれを防ごうとしたが、異様な熱気を帯びた取材者たちはどちらも難なく突破した。

　有名な動画なので既に見たことがある者も多いと思うが、取材者は病室に押しかけ空から落ちてきたふたりに突然インタビューのようなことを始めた。

――ふたりいる、どっちだ？

――あなたは、あなたたちは、本当に空から落ちてきたんですか？

――あなたたちは、人間なのでしょうか？

――大がかりな手品や、『やらせ』との声もありますが。

　それらの質問の途中には警察官が制止する声や、看護師の短い悲鳴のような声、我々は知る権利がある！　だとかそれらしいことを叫ぶ取材者の声が飛び交っている。彼らが乱入したのがたまたま他の入院患者同様に清拭の時間だったため、上半身をはだけたふたりの背中の痕に気付いた者がいた。

――背中にあるのは、よく見せて下さい、これは、翼の痕ですか？

　天使の背中とそこにある二つの傷跡がアップで映り、カメラをどけようとした警察官の手が映り込んだかと思うと映像は終わった。私はいまでも考えてしまう。彼らの発見のされ方がもう少しゆっくりと、段階を踏んだものであれば世界における彼らへの理解が違ったものになっていたのではないだろうかと。

　天使に関する問題は既に、伊達町だけではなく国の問題になっていた。先のインタビュー動画を見た世界各国の人権擁護団体から矢のような問い合わせが日本政府にあり、また国内の団体からも同様に彼らの解放を求める運動が起きた。対して日本政府の対応はというと、彼らを札幌にある出入国在留管理局に入れるというものだった。

　当然、国内外問わず激しい批判があった。元々そこは様々な目的で日本を訪れる外国人の管理を行うための施設なのだが、当時の監理局は事実上、不法入国者を強制送還するまでの収容所のようになっていたからだ。その待遇の悪さは刑務所より遥かに劣るとされていた。実際、冷暖房設備も整っていないそこで収容者が冬に肺炎を悪化させ、病院にも連れて行かれず亡くなったことは過去に大きなニュースになっていた。

　そうした間にも伊達町を含む北海道の各地に彼らは落ちていった。既に彼らはこれまでに挙げたふたつの動画により天使という呼称が定着していた。特にキリスト教徒にはそれを望まない声も多かったが黙殺された。政府は批判の声を無視して天使たちをそこに閉じ込めた。だが、一日一羽以上のペースで落ちてくる天使たちはやがて管理局の収容人数を越え、ついには北海道北西部にある離島に、事実上隔離される形でまとめて移動することとなった。

島の名前は天売《てうり》島と言い、その名前に対しても不謹慎ではないかとの批判があったが政府はそれを単なる偶然として片付けた。天売島は留萌《るもい》胆振《いぶり》局管轄ではあったものの、天使の管理は既に北海道の手を離れ、法務省が新設した『特別外国人出入国管理部』によって行われることになった。ただ、実際に配属された職員は二人だけだった。

島には急ごしらえのプレハブが常駐一名の職員用に、コンテナをいくつも組み合わせた巨大なコンテナハウスが天使用に建設された。対外的に発された声明は「天使たちが安心して暮らせるよう最適な環境を用意し、不要な干渉が行われないようこのような形にした」というもので、建物の外観写真も添えられていた。だが『清潔感のある刑務所』という印象は拭えなかった。

天売島へのアクセスは、かつてあったフェリー便が廃止され、代わりに一日に一本、専用のヘリコプターが札幌と島を行き来するようになった。コンテナハウスは必要に応じて増設されていったらしい。ただ、他の入管管理局等と違い天使たちには面会が許されていないため、一般の人間がその姿を見ることはほとんどなくなってしまった。

4、野良天使について

言葉は悪いが『天使』同様、既に定着してしまっているためこの呼称を使わせてもらう。この『野良天使』というのは、海外でアップロードされた天使の動画についていた『Released Angel』というタイトルがいつの間にか意訳された形で定着した呼称だ。

本来、地上に落ちてきた天使は確認され次第、各行政機関による然るべき手続きのうえ天売島に移される。天使たちは自分たちの状況を理解しているのかいないのか、暴れることなくおおよそ六平方キロメートルの島に運ばれていく。

天使たちは北海道にしか落ちてこなかった。理由はわからない。そしてその広大な土地では落ちてきた天使をすべて把握できるわけがなかった。つまり、行政に管理されない天使を拉致し、私物化する『密猟者』たちが現れたのだ。

天使の行政による管理が決まった時点で、天使たちの権利が問題になった。国際人権法によって保護されるかどうかは相当な議論を生んだが、最終的には『天使三原則』という形に落ち着き、いまでは義務教育の一環として小学校でも教えられている。

第一条　人間は天使に対し、あらゆる危害を加えてはならない
第二条　いかなる場合においても人間は、天使を優先するものとする
第三条　天使を殺害した者は、死をもってその罪を償うものとする

　改めて見ると、いかに天使を優遇する内容かが分かる。元は『天使の権利を守る会』（現在はＮＰＯの位置づけだが当時は名前だけの個人的な活動に近かった）が持ち込んだ『天使十一原則』というものだった。だが、それは三原則よりも過度に天使を――この表現が正確かは分からないが――甘やかす内容だったため、そこから精査を繰り返しいまの三原則となったのだ。

　前述のとおり、天使は知的水準、体力的水準が我々人間よりも平均的に低い。天使三原則は天使の権利を守るというよりも、彼らをいかに人間から保護するかという基準によって定められたのだろう。政府の不安は正しかった。しかしそれは想定していた以上に悪い形で的中し、残念なことに天使三原則が効力を発揮することは叶わなかった。

　ケース１。Ａ国では会員制の秘密倶楽部（ある程度以上の社会的地位の人間しか入会できなかったらしい）によって、天使が性的かつ暴力的に消費されていた。天使の口腔を利用した性的行為。下腹部をくりぬいた疑似的な性器を用いた性交（と言っていいのかわからないが）。腹部や脇の下にも同様の穴をあける例もあったという。

　天使の肉体の損傷は酷くなり、最終的に天使が死んだところで彼らは突如として罪の意識に襲われ警察署に駆け込み自分たちの行いを自供したそうだ。彼らは天使三原則により速やかに死刑となった。それは天使三原則による最初の死刑であり、見せしめの意味も強かったのだろう。

　ケース２。Ａ国と似たケースだが、Ｂ国にて日本より密猟した天使を個人の自宅に幽閉し、自身が天使に対して行う三原則に反する行為を月額登録制サイト上で配信した。彼女がどこまで計画的だったのかは分からないが、月額制の課金システムを採用し毎日十分、少しづつ天使をいたぶり続けた。

　最初の頃は髪の毛を抜く、頬を張るなどして天使の反応を見ていた。やがて数日も経つとペンチで爪を剥がす、錐《きり》のようなもので掌《てのひら》を刺す、ハサミで耳の端を切断する、など過激な内容になっていった（流出した映像を見

たが、それでも天使に反応はなかった。恐らくケース1のときもそうだったのだろう）。

一ヵ月を過ぎた頃には更に過激さが増し、ブロックで指を順番に潰していく、漂白剤や除草剤を口から流し込む、ガスバーナーで胸部を焼く（その際、人名を書くように焼いていたがそれは彼女自身の名前らしい）などしておりそのことには彼女のサイトの登録者数は千人を超えていた。彼女の銀行口座には月に日本円にしておよそ一千万円が入っていたことになる。

けれど、彼女はある日突然配信を止めた。登録者に対してそれ以上料金が請求されることはなかったが、熱狂的な天使のファン（もしくは彼女のファンだろうか）と思しき人物が部屋の中の映像から彼女の自宅と特定し乗り込んだことでこの一連の事件は終了した。

彼女の部屋の中には白いドレスを着た彼女と天使が、壁に貼り付けられていた。彼女も天使も既に亡くなっており、二人の指にはリングが嵌められていた。それを目撃した男性は、言葉になっていないような叫びをあげ続け、様子を見に来た隣の住人によって通報されたことでこの事件の全容が明らかとなった。

ケース3。C国によって密猟された天使は主に食料になっていた。飢餓からくるものではなく嗜好品としての天使食だった。天使はさまざまな食品や生薬に加工され、不老不死だとか怪しげな文言を帯び、一部の富裕層や難病に苦しむ者たちに高額で販売された。もちろん、自国だけではなく様々なネットワークによって、加工された天使は世界各国に流通することとなった。確固たる証拠はないが、C国の政府も関与しているとされている。

C国の販売者の言によると、これは天使の遺伝子から作り出したクローンであり、その際天使を殺すことはもちろん危害を加えてもいない。密猟の事実もなく、たまたま自国に落ちてきた一羽の天使から抜け落ちた髪の毛を利用したものだとのことだった。

今も昔も天使が落ちて来たのは北海道でしか前例がなく、明らかに作り話であろう証言だったが、それを覆す証拠がなかった。C国の国際的な評価は落ちたが、日本を含むどの国も、C国を直接非難することも罰することもできなかった。しかし、それが良くなかった。

ケース3を受け、世界は大きな動きを見せた。北海道には以前よりもあからさまな形で世界各国から天使の密猟者が集まることとなり、他国の目がないなか捕らえられた天使は、秘密裏に密猟者の国に運ばれていった。名目上は観光客として北海道に来ているため一時的に北海道の観光収入は伸びたが、地元の多くの人間からは当然反対の声があがっていた。だが、日本は密猟者たちに対してなにもすることはできなかった。

　天使の販売は次第に大胆になっていき、天使肉のステーキや耳の軟骨、内臓等の希少部位を乾燥させた乾きもの、生の眼球から姿造り、果ては天使肉のユッケまでありとあらゆる調理法によって、世界各国で食されていった。もちろん、天使の『生産国』である日本も同じだ。この頃には多くの人間の感覚は麻痺していたように思う。

5、災厄

　以下については特に慎重に語らなくてはならない。

二〇二四年六月十一日、事実上、日本から北海道はなくなった。この日のことについて、私が集めることのできた情報や記録をすべてここに記す。日本時間で十三時。この時刻が何を指していたのかはわからない。最初に、ファンファーレのような音が鳴った。記録に残っている限り北海道だけでなく、日本全土はもちろん世界中の人間がそれを聞いた。

　鳴った、聞こえた、というのは誤りかもしれない。少なくとも空気を震わせたのではないとされる。それは全世界で同時に認識されており、ファンファーレが『音』であれば全世界のあらゆるスピーカーが同時に鳴らない限り同時に聞こえることはないはずなのだ。奇妙なことに知り得る範囲ではろう者もそれを認識しており、聞こえたのではなく「感じた」、というのが近いのかもしれない。

　そうして全世界の人間がファンファーレを感じた後、北海道全土の上空から大量の天使たちが落ちてきた。空を見上げれば必ず一羽は天使が見えた。彼らは厳かではなく、ただなんとなく落下しているように見えたという。そして、天使たちがゆっくりと地上に降りたのと同時に彼らの頭が割れた。比喩ではなく、頭頂部から首まで、ぱっくりとふたつに割れた。

　割れた頭部からは粉のようなものが舞い上がった。粉は真上に噴出すると、十メートルほどの高さまで舞い、風に乗り散らばっていった。それを見ていた者はたくさんいた。そしてその全員が死んだ。

　天使から出た粉は胞子のようなものだったのか。それを調べることができる人間はいたのかもしれないが、研究する前に、天使の遺体を入手しようと近付いた時点で彼らは死んだ。粉にやられた人間は白くなっていく。白くなり、弱くなって、動かなくなり、絶命する。我々が観測した天使のようになっていく。白くなって死んだ人間は天使同様頭が二つに割れ、粉を噴出する。そうしてまた広がっていく。

北海道本土にいた人間はほぼ全員死んだはずだ。そして奇妙なことに、北海道本土以外の天使たちは割れなかった。天売島の天使の頭も割れなかったのだ。割れなかった天使は、まるで自分とはまったく関係ないとでもいうようにいつも通りだった。

だが、恐ろしくなった天使の所有者たちは手元の天使を誰かに押し付けたり、どこかに強制的に送ったり、山の中に捨てたり、海に沈めたりと、とにかく自分から遠ざけようとした。そうやって破棄された天使たちは、ぼんやりと歩きながらあるひとつの方角に向かった。もちろん、北海道のある方角だ。白い、人によく似た生き物が何も言わずゆっくりと同じ場所に向かって歩いて行くのを、人間たちはただ黙って見ているほかなかった。

6、天使（および天国）についての試論

「天使たちは天国を顕現させたのだ」

そう発表したのは『天使の権利を守る会』の会長だった。彼は普段北海道で生活していたが、災厄の日はたまたま長野県で講演があり北海道本土を離れていた。

「天使たちは地上にあって、人間が誰も辿り着けない場所を作った。それこそが天国でなくてなんだというのだ」

彼の言葉の意味は彼以外に理解できなかったが、かつて北海道と呼ばれていた場所に人間が誰も辿り着けないことは真実だった。いま、あの白い粉に覆われた巨大な島がどうなっているのか誰にも分からない。善い行いをして死んでいった人間はそこに辿り着けるのかもしれない。けれど同時に辿り着けないのかもしれない。それは、天国があってもなくても同じということなのだろう。

我々が天使と呼んでいた彼らはどうなったのだろうか。衛星カメラによる天国上空の画像によると、あれからも天使は落ち続けている。天国は白い霧のようになった天使の粉に覆われ、空より下、かつて北海道だった土地の状態は外から見ることもできない。新たに落ちてきた天使たちが、そのまま天国で生活しているのか、また割れているのかは私達には分からない。

私は天使たちを、人類に対しての神からの警告だなどとは思わない。代わりに思うのは、一連のできごとは単に天国の、そして天使たちの引っ越しだったのではないだろうか、ということだ。彼らについて我々が知ること

などいまだ何ひとつないのだから。恐らく永遠に。

7、おわりに

もう彼らを閉じ込めておく必要はない。ドアの開いたコンテナが並ぶ島で私達は静かに暮らしている。私は死んだことになっているか、あるいは世界から忘れ去られているかだろう。天使たちもそうだ。天売島は白い粉に覆われていると思われているのだ。この島に誰かがやってくることは恐らくないだろう。私は割れていない天使たちと、天国の隣にある小さな島で暮らしている。

　これを読んだあなたがもし天使を見たいのならば、この島に来るといい。ただし行きも帰りも、天国の近くや上空は回避することだ。密猟に来るのはお勧めしない。天使はあなたに訓示的ななにかを与える装置ではない。それでも来るというのであれば保存のきく食料を大量に持ち込んでほしい。そしてもし既に私がいなければ、あなたがこの続きを、新たな『天使についての試論』を残してほしい。

《Le forum du Roman Fantastique》創作

蛙中人

柳下亜旅

目利きもできぬのに骨董《こっとう》とくれば手を出さずにはおられない男。成績が乙《おつ》と丙《へい》ばかりだったので仮に乙山丙吉とでもしておこうか。普段は中くらいの商店で帳簿付けをしているこの丙吉が、自宅付近の神社で毎月末開催される骨董市に出かけて行って瀬戸物の蛙の置物を買ってきた。丈が一尺ほどで、まん丸い姿、尖らした口元に愛嬌があるので、女房も値段を聞くまでは褒めていた。ところが値段が丙吉の給金のあらかた四半分にもなると聞いて、即刻返して来いという事になった。

しおしおと神社へ取って返すと、市はお開きになっており、当の商人はとっくに店じまいして帰ってしまっていた。神社の境内で開かれる骨董市などというものはどこのどんな店が来ているのかなど全く分からない。仕方なく丙吉、蛙を抱かえたまま家にもどって来た。女房は怒るだろうけれども、内心返さないで済んだのでしてやったりと言う気だった。女房はむくれ返り、当分お菜は焼きみそだなどと言い放って奥へ引っ込んだ。

蛙は這いつくばってはおらずに後ろの足で立ち上がり、前の足は丸々したお腹のあたりにあてている。その手と手の間に直径一寸ほどの穴が開けてあった。まん丸の体と言わず顔と言わず、枝垂《しだ》れる木や水の流れ、小舟や家などの鄙《ひな》びた風景が、青い線で描かれている。

「古伊万里なんじゃないだろか」丙吉は古伊万里が何かわかりもしないくせにひとりごちた。

丙吉は蛙を寝間の小机の上に据えて、のべつ目をやりながら愛《いと》おしそうに微笑んだ。女房は蛙の値段について丙吉にのべつ思い出させることを怠らなかった。

ある満月の晩、ふと夜半に目覚めて御不浄《ごふじょう》へ行こうと起き上がると、小机の上に小さな月が出ていた。不思議に思って近づくと、瀬戸物の蛙の腹に開いた穴が白く光っているのだった。「なんだろう？」思わず目を近づけて白い光の穴をのぞき込むと、何か吸い込まれるような感覚に襲われて、一瞬意識を失った。


　気が付くと丙吉は細い流れの川岸に座っていた。目の前には自分の部屋にあったのと似たような、穴の開いた蛙の置物がちょこんと鎮座ましましている。

「はて、あの穴から出てきたようにも思えるぞ」

見れば頭上には芽吹いた柳の枝が揺れている。川面には小舟が一艘浮かんでいる。船頭は菅笠をかぶって丙吉に背中を向け、竿を使っていた。これはいったいどうしたことだろうか。俺はもしかしたら眠っているのかな？眠っているのだとしたら好都合だ、この船頭の竿の行くまま川下りと洒落《しゃれ》こもう。

「船頭さん、この船はどこへ行くのだね」丙吉の問いに船頭が振り返った。

　人と言えば人。だがどうにも蛙くさい。人間にもどこか蛙に似たやつがいるものだ。それをもう少し蛙の方へ押しやったらこんな感じになりそうだった。肌は緑とは言わないが顔色が大変に悪い。青黒い。目玉はキョロキョロしてちょっと離れすぎている。鼻はないとは言わないが、ごくごく平べったくて、口はほとんど顔を横断している。手指は細長くて、すこしだけ水掻きめいたものもあるようだ。

「お前様はなんと……」船頭は丙吉の顔を見てキョロキョロした目を一層に見開いた。聴きようによってはケロケロと聞こえなくもない声である。「なんと珍しいお顔の方ラ。これは村長の家にお連れして、お引き合わせしなくてはなるまい。さあ、お乗りなっせ」

　船頭に誘われて、丙吉はエエままよ、とばかりに小舟に乗り込んだ。眠たくなるような、静かな、うららかな陽気である。

「船頭さん、今日は何とも良い天気だね」丙吉がお世辞代わりに声をかけると、船頭は振り向きもしないで「ここはいっつもこうレさ」と答えて竿を差す。いくらも行かない内に小舟は一軒の小屋敷の庭先に設えた船着き場に寄せられた。屋敷の庭では春先の花々があるかないかの風に揺れている。不思議なことに、屋敷の屋根は青い草で葺いてある。

　船頭は先に丙吉を上がらせると、船着き場の杭に船をもやって屋敷の方へ歩き始めた。途中振り返って手招きするので、丙吉も後に続いた。

「ここレちっとお待ちなさい」土間の入り口と思しき引き戸の前で船頭がそう言いのこして、自分だけ家の中へ入ったので、丙吉は言われたとおりにそこで待ちながら辺りを見回した。鶏小屋ほどの大きさの、紗《しゃ》張りの箱があって、その中でわんわんと音がするので見に行ってみると、たくさんのハエがそこに閉じ込められてうなっていた。また同じような別の箱には、小さな蛾がわんさと入っている。何のためにそんなことをしておくのだろうとしゃがんでしげしげながめていると、「この御仁レさ」と言う声がしたので、丙吉は立ち上がってうしろを振り向いた。

　船頭の隣に一人の老女が立っていた。年を取っていると見えるのは何となく皮膚がたるんでいるからで、本当に年寄りなのかどうかは丙吉には分からなかった。

「このお方は……神様レはないか」老女が言った。

「やっぱし神様レござりますか」船頭が言った。

　神様とは何の事かと丙吉がきこうとした矢先、老女が「早く神様を座敷にお連れせよ」と言ったので、聞く暇のないままに丙吉は船頭に連れられて屋敷の内部へと上げられた。床の間の前に置かれた座布団に座らされて、落ち着かぬ尻を動かしていると、ひとりの小母《おば》さんがお茶を運んできて盆のまま丙吉の前に据えた。すぐに老女が入ってきて丙吉の前にぺたりと座り、深々とお辞儀をした。老女の背後の板戸の陰から船頭と小母さんが覗いている。

「神様ようこそお出《い》レくラさいました」

「神様とは何のことです？」

「神様とはあなたさまのことレ」

「俺が神様？　そりゃいったい……」

「この郷をお作りになった神様はあなたさまにそっくりレいらっしゃいます。顔色は黄色レ目はちっこくて鼻がちっとばかり盛り上がっている。口はぼってりして小さい。手指も短くて太いー」

　言われて己の顔かたちと船頭のそれを考えくらべると、たしかにその通りの様だった。

「しかし俺はこの世界を作っちゃいないよ」

「それは承知しております。この郷をお作りになった神様は、もうここレお祀りしとります。それレも、あなたさまのような異なるお貌のお方は神様に決まっております」

「そうなの」

「はい、さようレござります。ロうじょ、この郷にお留《とロ》まりなさりまして、われらをお守りくラさりませ」

　いきなり妙な話になって来た。それでも丙吉はこれはてっきり夢を見ているのに違いないという気になっていたから、ひとつここで神様になってやろうと腹を決めた。

老女はひとくさり挨拶を終わるとまた深々とお辞儀をして下がっていった。

　丙吉は座敷を見回した。床の間を背に左上の壁には神棚が祀ってある。一風変わっている。小さな神殿はこの屋敷と同じく青い草で屋根が葺いてあり、どうやら柱は焼き物でできているようだ。視線を反対側に転じると、広々と開け放たれた縁側の外の庭に、大勢が集まってきているようだ。ここからは板戸に阻まれて見えない台所では、大わらわで調理が始まっている様子が伝わってきた。

　暫時のち、似たような顔の小父《おじ》さんたちが数名、座布団を抱えて入ってきて、ペコペコお辞儀をしながら丙吉の前に二列に並べて行った。それから庭にいた人々が次々と入ってきて座布団の上にすわり、またペコペコとお辞儀をする。そうしてお辞儀をし終えると、まるでそこに丙吉などいないかのようにお互い同士にひそひそ話を始めた。

「こんロの神様は何をしてくラさるのラろうか?」

「コバエを豊作にしてくラさるのラろうか?」

「われはコバエよりも天ビラ蛾が良い」

「われは絹蜘蛛が良い」

虫のことを話しているらしい会話を、理解できぬままに聞き流していると、先刻の老女が入ってきて、丙吉の左隣の座布団に腰を下ろした。一同は静まり返った。老女が手を打つと、似たような顔の小母さんたちが、丙吉の蛙と同じような焼き物を一つ一つ押し頂いて入ってきて、各人の前に置き退出して行った。丙吉の前には何も置かれていない。

「神様は我らのようなものはお召し上がりにならないものラと聞いております」老女が言った。後から入って来た小母さんが丙吉の前に膳を置いて下がっていくまで、老女以外の面々はソワソワと落ち着きなく自分の前に置かれた焼き物の蛙の頭に手をやったり、なで回したりしていた。

　丙吉の前に置かれた膳の上には、焼いた小魚が並べられていた。丙吉の右側に座っていた人物はそれを見て一瞬あからさまに顔をしかめたが、丙吉に見られたのを察してすぐに何食わぬ顔で前方を見つめた。

「さあ皆の衆、それレはー」と老女が言うと、人々はそれぞれ蛙の形の焼き物を手に取った。それから腹のところに開いた穴から長い舌を差し入れて、どうやら何かを舐めとっているようである。そのうちに穴の中から逃れ出たものが宙を飛び、畳の上を這いだした。コバエや小さな蛾、小蜘蛛であった。今度は丙吉の方が胸が悪くなった。そんなものを口にする面々を前にして、食事などできたものではない。人々が盛んに食べている間丙吉は、両腕を懐手にしたままうつむいていた。

「神様、お気に召しませぬか」老女の声がして顔を上げると、心配そうに覗き込む老女の頬を小さな蛾が這っている。老女はやおら長い舌を出して、目も動かさずにピシャリとその蛾をつかまえた。丙吉はえづきそうになるのをどうにか堪《こら》えつつ、

「なに、ついさっき飯を食ったばかりでして。お気になさらず」と答えた。老女はそれを聞いて大きな口をさらに横に引き延ばした。笑っているのだな、と丙吉は思った。

　一同が食べ終わって蛙の形の器を床に置くと、老女がポンポンと手を打った。それを合図に庭先には緑の葉を編んだ輿《こし》が運ばれてきた。

「さあ、神様こちらへ」

　老女にかしずかれて丙吉は輿に座ることになった。輿の下を支えている二本の棒に四名の者が取り付いて、えいほえいほと輿を持ち上げた。存外に高いので丙吉は少し恐怖を覚えた。それから輿が動き出すと、先刻座敷に同席していたものや、台所にいたもの、その他おそらくこの郷に住まいする者たちが総出で後ろからついてくる。長い行列になった。

　輿に乗せられて連れていかれた先は、先ほどの座敷で見た神棚の神殿によく似た建物だった。そこで輿から下ろされて、丙吉は老女に連れられて神殿の入口へと進んだ。そこには平たい石が半畳ほどの広さに敷き詰められていて、周りには溝が彫られていた。

「さて、神様をここレ弑《しい》し奉る訳レごじゃいますが、今からすぐに取り掛かりましょうか、それとも一休みなさり日を改めてという事になさりたいとお考えレごじゃいましょうか」

　丙吉には老女の言葉が理解できなかった。

「シーシタテマツルとは、何のことです？」丙吉の問いに老女は
「神様というものには死ななくてはなれませぬ道理レごじゃいまして、つまりお命頂戴《ちょうらい》ということレごじゃいまする。これこの場所レお首を切り落とし――」

「ちょ、ちょっと待ってくださいよ。何のことやらこっちゃさっぱりだ。死ななきゃ神様になれないと言うんなら、俺は神様なんぞにゃなりたくありませんや」

　丙吉がそう言うと老女ははて困ったという顔になった。

「神様にお成りいたラけないとしても、そのお貌レは死

んレいたラくよりほかないのでごじゃりまするよ」

「どういうことだ」

「あなたさまのお貌《かお》は私共とはじゅいぶんちがっておいレレごじゃいますからー」

「顔が違えば死ぬしかないと言うのか」

　見回せば、西洋人と日本人を比べるより、この郷の者と自分の顔は、同じ動物とは思えないほど違っている。よくよく考えれば、蛙の焼き物に開いた穴に吸い込まれたのだと思われるから、蛙の焼き物の中に暮らすこの人々は、蛙と人の間を取ったような存在なのかもしれない。その中に一人どちらかと言うと猿顔の己がいるのはたしかに異分子である。しかし自分はそれでも、虫を喰うこの人々の中で嫌悪感を覚えつつも彼らの郷におればそれを抑えているのだった。ところが彼らの方は、神様であれば許せるが人としてはこの顔を許せないらしい。何も自分はここにいたくてこうしているわけではないのであって、お気に召さぬとあらばとっととおさらばするまでだ、そう丙吉は思った。そういう夢なら早く覚めるに越したことはない。

「お気に召さないならばすぐに退散いたしますので」丙吉はできるだけ愛想よく老女にそう告げた。そうして『夢から覚めろ、夢から覚めろ』と自分をかき口説きながら両のほっぺたをつねくりまわした。「イテテテテ……」なんと、火が付いたように痛いというのに全く目が覚める気配がない。

「あのもし、お首を頂戴《ちょうらい》するのがお気にめさじゅば、仕方がない、ほかの方法レもよろしゅうごじゃりまするよ」老女の肩越しに顔を出した者がそう提案した。「なあ、村長さま、それレもかまいませぬなあ」すると老女をはじめ残りの者たちがいっせいにうなずいた。

「ほれあの木——」と境内の大木を指さしながら「あの木から吊ることもレきますし、水がよろしければ、大きな樽を持ってまいりましょう。それともハンミョウがよろしいか」

　冗談じゃない、どれだって御免蒙《こうむ》る。

「いやいや、すぐにお暇《いとま》いたしますので。帰り道はどちらでございましょうかな。最初に下りました川をもっと下って行ったら——それとも上って行ったら——」丙吉が脂汗をかきながらそういうと、周りを取り囲んでいた人々の輪がぎゅっと縮まったようであった。

「ここからロこへ帰ると仰るのかな。ここからはロこへも行くことなロ、レきませぬじょえ。さあ、すっぱりとお覚悟お決めくラされ」老女のきっぱりとした物言いに、彼らは自分を帰らせてくれるつもりなどないことが丙吉にもわかって来た。先ほど座敷で自分を前にして彼らが臆面もなく話し合っていたこと。つまり彼らは俺を神様にすることで食い物の豊作をあてにしているのだ。そう言うことであれば、どうやったって逃がしてはくれまい。ここは一旦《いったん》時を稼いで何とか逃げ出す方法を考え出すより仕方がないだろう。

「そ、それではな、只今は少々長旅で疲れておりますので、また後日日《ひ》を改めて、という事はいかがでございましょうな」丙吉は揉み手をせんばかりにへりくだった態度でこう言ってみた。すると彼らは驚くくらいすんなりとそれを受け入れてくれた。

「そう言うこととレごじゃいますれば、この神殿のなかにお布団を延べさせていたラきますのレ、それまでここレお寝みくラさい。我らはまた明日御目文字《おめもじ》いたしましょう。ご用があればこの者をここに置いていきますのレ何なりとお申し付けくラさいませ」老女はそう言っていやにガタイの良い男を前に引き出した。

『つまりは見張りか』丙吉は思った。

　ガタイの良い男と丙吉を置いて皆が引き揚げて行ったあと、小母さんが二人ばかり来て布団を延べ、行燈と先ほど自分が手をつけなかったものと見られる膳を置いて行った。それから程なく日も暮れた。このまま自分がじっとしておれば、あの見張りも夜半には眠気がさして眠ってしまうやもしれない。それからが勝負だ。丙吉はともかく布団にごろりと横になって、見張りの目を欺こうとした。そうしているうちに自分の方がうとうとと少し眠ってしまったらしい。勤め先で帳面を付けている夢を見ていると「のうのう、おまえさま」という声で目が覚めた。見上げれば、行燈の光の中で自分を見下ろしているのは、蛙顔ではなくて自分と同じ猿顔の老人だった。外の様子を覗うと見張りの男はいびきをかいて眠り込んでいるようだった。丙吉は起き上がり、

「なんだ、あんたも神様にされる口か」と聞いた。男は首を振り、「いや、われはもうすでに神になった者だ」と言った。

「なんだって？　それじゃあんたは――」

「そう。もう死んでおるの。それよりおまえさま、どうしてここへ来なすった。もしや、あの蛙の置物の窓から中を覗きなすったのか」

「それじゃあんたが俺の前の持ち主か」

「いや実は、あの置物はわれがこしらえたものなのだ――」

男は自分がここへ来た顛末を話し出した。

われは陶工でな。蛙が好きであったものだから、商売ではなく己のためにあの置物をこしらえたのだ。流行《はや》り病で妻子を亡くし、親を亡くし、飢饉に人の浅ましさを目にしたわれはほとほと世の中に愛想が尽きていた。そんなとき唐の昔話に壺中天というものがあるのを知って、蛙の壺の中に蛙中天を作り、そこに暮らそうと考えた。蛙の形の中空の置物をこしらえて、そのおもてにわれが望む蛙の世界の模様を描き入れ、その中に暮らしたいと朝に夕に強く念じながら暮らしておった。ある夜おまえさまもご存じの蛙の腹に開けた窓から光がさしているのを見て、思わずそこを覗き込むと、おやふしぎ、たちまちこの郷に降り立ったと言う訳だ。見ればこのとおりのどかな場所で、とろとろと春の様な穏やかな陽気。ここにずっと暮らせるとすればこのような有難いことはないと思い歩いておると、おまえさまも会ったであろうこの郷の蛙人と出くわした。元より蛙の郷を思い描いていたわれは彼らの顔を見ても驚くことなどなかった。仲良くなって一緒に暮らそうと思ったのだが、あれらは異形のわれを見て『神様』と決めつけてしまった。そうして生きているものは神様にはなれぬ、命を捨てて神様になってくれ、と頼み込まれたのだ。どうやら彼らの方にもいろいろと願い事があるらしく、それをわれに叶えてもらえると思ったらしいのだ。この郷はわれが作ったものだから、帰ろうと思えばわれに方策がないわけではなかった。しかしわれはあの乱れた世、望みの失せた世にもどろうとは思わなかったのだ。

「――であるから、われはここで神様になったのだよ」

「ではそのときはお首を頂戴ということに――」

「そのことについては思いだしたくない」

「さもありなん」

「それにしても、われが神様となって彼らを守り、暮らしを豊かにする手助けをしてしまったがために、彼らは神様が多ければ多いほどもっとご利益があると思い込んでしまったのであろうなあ。おまえさまには済まないことをしてしまったようだ」

神様の陶工は丙吉に向かって頭を下げた。

ところで、陶工の語る物語を聞いていた丙吉は、『帰ろうと思えば方策がある』と言った言葉を聞き逃していなかった。学校の成績は乙と丙ばかりでも、命が掛かるとならばボンヤリはしていない。

「帰ろうと思えば方策があると仰いましたが、俺でも帰ることができましょうか」丙吉は先ほどまでの少し馴れ馴れしい態度を改めて、神様の陶工にできるだけ丁寧に尋ねた。すると神様の陶工は気軽に「あるな」と答えた。

「一度もやってみたことがないのだが、来た時のことを考えれば、同じことをしたならきっとできるはずだ。しかし一日やそこらでできることではないから、おまえさまは何とかお首頂戴を日延べさせるのだ。腹が痛いから命を落としても神様になれぬとか何とか言いつくろえばいいだろう」

「そんなことで日延べしてくれますか」

「おそらくな。われの作った者たちだからその程度だと思うよ。そうして、気ぶっせいだからとかなんとか理屈をつけて、われの作った工房を見たいとお言いなさい」

「あなたさまが工房をお作りになったのでございますね」

「神様になってから、ここの者たちに焼き物を教えたのだよ。その工房にいる者にそう言って、土を捏《こ》ねて伸《の》した板を張り合わせて、箱のようなものを作らせなさい。なに、枕だとかなんとか言っておけばよろしい。その箱にあなたさまのやってきた部屋の景色を寸分たがわずに描きこめば、それが部屋への入り口になると言う訳だ」

「わたしの部屋でございますか」

「そうだ。そうしてその部屋に戻りたい戻りたいと朝に夕に念じ続けていると、きっと同じことが起きて、おまえさまの部屋に置いた蛙の置物の窓から向こうへ抜けることができるはずだ」

　翌朝、老女は数名の村役らしきものを引き連れてやって来た。

「ロうでごじゃりまするか。今日はお日柄もよろしゅうごじゃります。神様になってくラさいましょうか」

　丙吉は本当にそんな理屈で相手が引き下がってくれるものかどうかいぶかりながら、腹の調子が良くないのでこのまま死んでも神様にはなれないと言ってみた。すると神様の陶工の言ったように、あっさりと日延べを許してもらえた。

「まだ蟲共《ロも》が蛋《たまご》を孕《はら》むまレに間がごじゃりますのでな。ゆっくりとお休みいたラいて、良い神様になってくラさいませ」

　その上、気ぶっせいだから工房を見せてほしいと言うと、これもあっさりと承諾された。

　工房へ案内してもらうと、青い葉で屋根を葺《ふ》いた差し掛け小屋の中で数名の蛙人が立ち働いていた。

「これの。神様におなりになるお方がお前方の仕事ぶりをご覧になりたいとおっしゃられる。失礼のないようにご覧に入れなさい」老女がそう声をかけると、彼らは丁寧に丙吉を工房へ迎え入れた。丙吉は彼らの仕事を感心して眺めるふりをしながら、

「ほほう、ほほう、うまく作るものでございますねえ。そう言えば、以前陶器の枕を持っておりましたが、あれは冷やっこくて塩梅の良いものでございましたな」と持ち掛けた。気の良い蛙人の陶工たちは、

「そんなものレよろしければ、すぐと作って差し上げましょう程に。どのような形がお望みレごじゃいますか」

と言って丙吉が言うような箱型のものをすぐに作ってくれた。これを乾燥させて素焼きし、釉をかけて部屋の模様を描き、焼き上げれば出来上がるのだ。

　半月ほど経って箱が出来上がっても、まだ蟲が蛋を産むには間があったらしく、逃げ出そうとしない丙吉を監視する目も緩んできた。丙吉は郷の中をうろついて、蛙人たちの暮らしをのんびり見て歩いている風を装っていたが、その実本当にここから逃げ出せるかどうか考え詰めに考えていたので、毎日判で押したように膳に出される焼いた小魚もどうかすると残してしまう日もあるくらいだった。

　工房で部屋型の箱を受け取ってきたその夜から、丙吉は神様の陶工に見守られて、部屋そっくりに自分で絵付けをした箱を抱え込んで、『帰りたい帰りたい』と念じ続けた。それでも中々に自分の世界へ立ち戻ることができないでいるうちに、とうとう村長の老女がやってきて、

「蟲共が孕む季節が近じゅいておりまする。明日はどうレも神様になっていたラかなくては」と告げた。

　万事休すである。

　その夜は見張りのガタイの良い蛙人も三人に増えて、誰かが眠り込むようなことがあっても残りの者が起きておけるように体制も整えられてしまった。

『逃げても外へ出ることはできないなんて言っていたくせに、随分と厳重にしやがる』心の中でつぶやきながら丙吉は必死に『帰りたい帰りたい帰りたい帰してくれ帰してくれ』と念じ続けた。

　小魚にも手を付けずに念じ続けた夜半過ぎ、ふと気が付くと箱型の陶器の窓の部分に開けた穴から、白い光が漏れていた。

「神様の陶工さん、これは！」

「おお、これはまさしく！　ささ、早うお覗きなされ、お覗きなされ」

　言われるまでもないと丙吉がその光に目を近づけると、あの日と同じ吸い込まれるような感覚があって意識を失った。

丙吉は目を覚まし「とうとう帰って来たぞ！」と胸をなでおろした。

しかし辺りは真っ暗である。さてはこちらの世界では夜であったか、と思いながら辺りを手探りして見たが、何ひとつ手に触れるものもない。這いずりながらどこまでも手探りをしていったが、本当に何一つ手に触れるものはなかった。

そう言えば、蛙中天へ入り込んだとき、目の前に同じような蛙の置物があったのを思い出した。しかしこの真っ暗闇には自分の部屋に置いてあったはずの蛙の置物も見当たらない。

「あの置物の窓から出てきたものとばかり思っていたのに、これはまたどうしたことなのだろう」


女房は丙吉がいなくなって帰ってこないことに腹を立て、蛙の置物を叩き割ってしまっていた。そのことを丙吉が知らなかったというのは致し方のないことである。

しかしそれにしても丙吉がいるこの場所は一体どこなのであろうか？

自分の元いた所でも蛙中天でもない、誰もいない、何もない、時間さえない場所であることは間違いない。

メドゥーサ

E・H・ヴィシャック　安原和見訳

アトリエサード発行　書苑新社発売　二三〇〇円（税別）

〈Reader's Review〉長尾竜之

装画：中野緑

奇妙な出来ゆえに、いつまでも心に残る小説がある。本書はそんな一冊だ。原書は一九二九年刊。九十二年も前である。

老境を迎えたウィリアム・ハーヴェルが自分の少年時代を綴っていくスタイルで物語は進む。不幸と不運の連続の末に天涯孤独となった少年ウィリアムは、ある親切な船主と出会い、彼の息子を探す旅に同行する……と、ここまでは正統派海洋冒険小説風。だが、めざす息子がいると思われる海賊船をようやく見つけたものの無人だった、というあたりから次第に怪奇幻想色が強くなる。そして終盤、怪物の登場とともにラヴクラフトの作品世界のようになり、いきなり終わる。

登場人物には謎が多く、終盤の展開には何の説明もなし、船主の息子探しの物語はどこへやら、何もかも放り出して作者ヴィシャックは物語を閉じている。思うに……彼は脳裡に浮かんだ終盤の場面を描写したくて本書を書き始めたのだろう。きめ細かな物語の組み立てに神経を配る気はなかったに違いない。そう思わせるほど終盤の描写には力があり、だからこそ描写し終えたら創作意欲が途切れ、さっさと物語を完結させてしまったのだ。

ではその終盤はというと、ヴィシャック独自の感性がみなぎる悪夢の如き光景が連続している。この部分を読むだけでも価値がある。「ラヴクラフトの作品世界のよう」と書いたが、実際、終盤を読んでいくと、ラヴクラフトの『クトゥルーの呼び声』がちらりと頭をよぎる。同作の影響を考えてみるが、まずないだろう。確かに『クトゥルーの呼び声』は『メドゥーサ』以前の発表で、一九二八年の『ウィアード・テールズ』誌二月号が初出である。とはいえ、もともとがイギリスの詩人で高名なミルトン研究家でもあるヴィシャックだ。レ・ファニュやストーカー、ポーに触れながら評論『恐怖小説の意義』を書くような怪奇幻想小説好きの一面を持ってはいるが、アメリカのパルプマガジンにまでは手を出さなかったとみるのが正しいように思う。

イギリス人の怪奇作家で海洋奇譚の名手といえばホジスンだが、『メドゥーサ』刊行の十一年前に四十歳で戦死している。もし生きて『メドゥーサ』を読んでいたら、と思う。きっと光る部分を挙げつつ、『ロンドン・タイムズ』の酷評を浴びたヴィシャックを励ましただろう。良きアドバイスのひとつも送ったかもしれない。

人魚の嘆き・魔術師

谷崎潤一郎　水島爾保布画　春陽堂書店　三六〇〇円（税別）

〈Reader's Review〉石倉康司

装丁：白座

一九一九年、春陽堂書店から版行された豪華挿絵本『人魚の嘆き・魔術師』が、一〇一年の時を経て、当時の風合いをそのままに復刻された。芥川龍之介の言を借りると「古往今来比肩すべき者、かのビイアズレエが挿画を加へたるワイルドの神品サロメを措いて、未嘗《いまだかつて》有らざるなり」とのことだが、この美しい本を手に取ると頷かざるを得ない。大判で見る水島爾保布の挿絵は、吸い込まれるような魅力を放っている。さらに、これまでモノクロでしか見ることができなかった絵がカラーで収録されているのも嬉しい。

尚、水島爾保布がビアズリーの影響を受けたと書かれた記事を目にすることがあるが、当時の『中央公論』に収録されている『挿画に就いての漫談』によると本人は影響を否定している。口ではいくらでも言えるので真偽は不明だが。

さて、今さら谷崎潤一郎について語ることなどあるだろうか？ と自問しながら収録された二篇を読んだが、そんな問いも吹き飛ばされるほど、濃密な読書体験だった。

まず、谷崎の小説全般に言えることだが語彙の豊富さが凄まじい。本作は特に突出している。例えば美しさを表す言葉をとっても、玲瓏、瑰麗、繊妍、姚冶と、見慣れない単語が並ぶ。ただ、旧字体であることと、活版印刷特有の掠れも再現されているため少々読みにくい部分もあると言える。しかしその分じっくりと、この甘美なる幻想を味わえるとも言えるだろう。

収録されている『人魚の嘆き』『魔術師』のどちらも、美を愛し、美のために全てを捧げる男が主人公である。谷崎本人を投影していると思われるが、この二篇では日本の伝統美ではなく海外へ目線が向けられている。いわばモダニストとしても谷崎が顔を覗かせているのである。『魔術師』では『アルンハイムの地所』『ランダーの別荘』、映画版の『黒猫』（一九三四）と、ポーの作品への言及が見られるのも興味深い。

だが『人魚の嘆き』で描かれる通り、人間のままでは、求める美に到達できないのである。そこには彼岸に辿り着けない悲しみが横たわっている。『魔術師』での「お前は初めから人間などに生まれる必要はなかったのだ」という言葉には、谷崎のやりきれない思いと慰めが垣間見える。だからこそ、その切実な言葉は普遍性を帯び、一〇〇年以上の時を経てもなお、幻想の中に美を求める人々にも響くのだ。

秘密　異形コレクションLI

井上雅彦監修

光文社　一〇〇〇円（税別）

〈Reader's Review〉早高叶

装丁：坂野公一（welle design）装画：Q-TA

秘密のある物語は、人を惹きつける。しかし、こんな経験はないだろうか。本を読み進め、隠されていた秘密が明らかになった時、「なあんだ」と幻滅や落胆を感じてしまった、というようなことは。ご安心願いたい。本書に収められた十六編の物語には、その心配は無用である。

通算五十一冊目となる『異形コレクション』はいつも読者を愉しませてくれる名アンソロジーだが、「秘密」というテーマは幻想と怪奇の物語とは相性が良いのか、ことさらに出色の作品が揃っている。全作に言及するのは難しいので、完全に個人の好みになるが、以下、三作品を紹介したい。

櫛木理宇「蜜のあわれ」は人類が宇宙へ進出した後に流刑地とされた地球が舞台で、気軽に性転換を行える時代というSF的設定。ただし物語が展開するのは美しい薔薇が飾られたレトロなレストラン。二十四年ぶりに地球を訪れた「わたし」は旧知のシェフを相手に、地球外では味わえなくなった美味を愉しむ。二人の会話とコース料理の進行とともに「わたし」の父の死にまつわる秘密が明らかになるさまは、薔薇の花びらが一枚ずつ剥ぎ取られていくかのよう。優美かつ残酷。読了後、タイトルにも深く納得する。

皆川博子「風よ　吹くなら」は掌編小説と言ってよい短さながら、忘れがたい印象を残す。公園、夜の駅、野原、出窓に置かれた硝子壜——何気ない風景が、幻視者・皆川博子の手にかかれば世界の秘密を垣間見せる格好の舞台装置となる。世界は裏返り、ねじれ、元に戻り、最後に消える。圧巻。

平山夢明「世界はおまえのもの」は掉尾を飾るにふさわしい傑作だ。心理カウンセラーの「私」の患者・歳破が自殺を遂げる。死後、彼は賭博と宝くじのみで高収入を得ていたことが明らかに。「私」のもとには歳破から不審な本が届き、挟まれたメモに「先生が心から幸せにしたい奴の名前を書けば良い」とあった。「私」は妻と娘、息子の名前を本に書き記す。するとその名前のそばに「とまるたいまつ、もえてもえてみんなくろこげ」「うそのおおさまそうりそうりとものかげからずどん」「けちゃなみにあらわれてどんぶらこ」という謎めいた文が出現——。本はいかなる法則により名を記された者の命を奪うのか。なぜ本の持ち主に富がもたらされるのか。その秘密が解明される過程も目が離せないが、法則がわかった後の絶望こそが読みどころ。これほどに人間を苦しめる秘密は、そうそうあるまい。

幻想小説とは何か 三島由紀夫怪異小品集

三島由紀夫　東雅夫編　平凡社　一七〇〇円（税別）

〈Reader's Review〉藪下明博

装画：中川学

一般に、三島由紀夫の代表作やマス・メディアでの露出（自決事件や言論等のイメージ）を鑑《かんが》みれば、三島由紀夫という作家は、幻想文学、或いは怪奇小説とは無縁の作家であるように思われるかも知れない。

確かに、そういった視点で三島作品を俯瞰した場合、明確に該当する作品はそう多くは存在しない。いや、むしろ少ないと云っても過言ではないが、作家の根源的な資質を洞察するとき、作品の多寡は余り重要ではない。問題は作品に対するリテラシーの的確さであり、本書が成立し得たのも、博覧強記の怪奇・幻想アンソロジスト、東雅夫氏の慧眼があってこその結果であろう。

氏は編者解説の中で、本書を「かつてないコンセプト」とした上で「小説よりもむしろ論考とエッセイをはじめとするノンフィクション作品および初期の小品と戯曲に光を当てる」と明記している。小説篇、戯曲篇、対談・書評・書簡篇、評論篇の四つのカテゴリーに分け、三島と怪奇・幻想文学との繋がりの糸口を見出す試みだ。

まずは、小説篇で特筆するのは「仲間」であろう。これは『暗黒のメルヘン』（澁澤龍彦編）にも収録され、後に『血と薔薇のエクスタシー』（幻想文学編集部編）にも再録されている。明確に吸血鬼譚と銘打たれた訳ではないが、その独特のアトモスフィアを通じて、いかにもヴァンパイアの系譜に繋がる作品であることを示唆している。

また、怪奇譚の名作「朝顔」をはじめ、三島文学でも異色のストーリー展開を見せる超珍作「卵」や、まだ見ぬ男女の十三年後の出会いを、幻想的ムードから一気に恐怖へと突き落とす「伝説」など、九篇が収められている。

戯曲篇は「王朝夢幻、鏡花の縁」と副題がある通り、泉鏡花を意識した作品が三篇並ぶ。思えば三島由紀夫の文学的原体験は、祖母の所有する鏡花の初版本であり、そのことは、対談・書評・書簡篇所収の「鏡花の魅力」でも語られている。ここでは、畏友であった澁澤龍彦との交流を中心にした作品が十篇選ばれているが、晩年の三島由紀夫に怪奇・幻想趣味の影響を少なからず与えた澁澤龍彦の魅力も、併せて堪能できる仕組みとなっている。

評論篇九篇では「小説とは何か」が、稲垣足穂「山ン本五郎左衛門只今退散仕る」をはじめ、国枝史郎、バタイユ、柳田國男、吉田知子、サド、沼正三などに触れ、いみじくも「幻想小説とは何か」に応答する形をとっている。幻想作家三島由紀夫を、改めて再認識させる異色アンソロジーだ。

平井呈一　生涯とその作品

荒俣宏編　紀田順一郎監修　松籟社　二四〇〇円（税別）

〈評〉牧原勝志

装丁：安藤紫野（こゆるぎデザイン）

『幻想と怪奇3　平井呈一と西洋怪談の愉しみ』に、編者から「平井呈一年譜の作成を終えて」の寄稿を受けてちょうど一年後。年譜に未発表作品や俳句、評論など、さらに縁者による回想記を加えた大冊が、この五月に上梓された。監修者の序文にあるとおり、平井呈一という一文学者について、初めて「客観的な全体像」を明らかにするものだ。少年時代から薫陶を受けた編者の手によるだけに、内容の濃さと込められた熱意には、分量をさらに超えたものがある。

年譜では平井呈一の父、初代谷口喜作に始まり、双子の兄である二代目喜作にも詳しく言及している。菓子舗「うさぎや」を興すまでの初代喜作の遍歴（川上音二郎一座の番頭だったこともある！）はそのまま小説のようでもあり、また店を継ぎつつ多くの文人と交友を持ち、自身も俳句を詠み創作を手がけた二代目喜作には、平井本人に劣らぬほど興味を惹かれる。

だが、この年譜でもっとも重要なのは、永井荷風偽筆問題を精査し、事実を明らかにしていることだろう。また、平井を怪奇文学の「専門家」とした『魔人ドラキュラ』翻訳の意義があらためて実感できる。平井の歿後を経て、昨二〇二〇年の年譜脱稿に至る詳細さには、敬服するほかない。

未発表の怪奇小説「鍵」「顔のない男」「奇妙な墜死」の収録にも注目すべきだろう。いずれも編者の推定では創作集『真夜中の檻』（中菱一夫名義　一九六〇）刊行前後に書かれたもので、同傾向の「エイプリル・フール」と比しても遜色ないモダン・ホラーに仕上がっている。

評論・随筆・解説では、「翻訳三昧」「翻訳よもやま話」で平井が自ら語る翻訳観が興味深い。こと後者は、不得手という推理小説に関する一文ながら、森鷗外、上田敏、永井荷風を「翻訳の三神」と仰ぎ、自身は「一職人として甘んじ、徹することを常時心がけているだけだ」と一歩退きつつ、独自の翻訳論を語っている。また収録の俳句からは、平井の心根の優しさが伝わる。

さらに、平井を生活を共にし文筆活動を支えた吉田文女（ふみ）と、兄・谷口喜作の文章から、平井の生涯の一面を縁者の目を通して知ることができるのも貴重だ。

『幽霊島　平井呈一怪談翻訳集成』（東京創元社）を皮切りに、その訳業があらためて注目される今、本書は平井呈一を知るのに随一の一冊である。怪奇文学のみならず文学全般の愛好者は見逃してはならない。

恐怖　アーサー・マッケン傑作選

アーサー・マッケン　平井呈一訳　東京創元社　一五〇〇円（税別）

〈評〉植草昌実

装画：タダジュン　装丁：山田英春

平井呈一の訳文には、読者を有無をいわさず惹きつける独特の力がある。原文と具《つぶさ》に比べれば正確でないところもあるだろうが、勘所はけっして外していない。時に古語や漢語、さらにはオノマトペも織り交ぜられ、会話は生き生きとして、日本語の文章を読む愉しみに満ちている。ふと「名人芸」という言葉が浮かぶような翻訳だ。平井の訳文にはたしかに、落語や講談などの話芸とも共通するものがある。

平井の訳業から代表的なものを三つ選ぶとすれば、『全訳小泉八雲作品集』全十二巻（恒文社　一九六四〜六七）、ブラム・ストーカー『吸血鬼ドラキュラ』（東京創元社　七一）と共に挙げるべきは、やはり『アーサー・マッケン作品集成』全六巻（牧神社　六八〜七〇）だろう。平井みずから「二十代にはじめてかれの『パンの大神』を読んで圧倒されて以来、五十年ちかくマッケン文学に心酔してきた」と述べているほどなのだから。

その『集成』を古書店で探さずとも、傑作の数々を文庫一冊で読めるようにした、本書の刊行を祝いたい。収録作は、表題作と「パンの大神」「白魔」の名作に加え、「怪奇クラブ」（「三人の詐欺師」）の狂言回しダイスンが登場する「内奥の光」など全三編と、平井の愛着がことに深い「生活の欠片」。

ダイスンものの、探偵小説的な謎解きが進むにつれて怪異が浮かびあがってくる無気味さもさることながら、「恐怖」の題名そのままの怖ろしさは比類ない。〈こういう話〉と言ってしまえばそれまでだし、このテーマをさらに発展させた作例は多いが、信じがたい真相に一歩一歩近づき、信じざるをえないところまで迫る筆致は、後年の追随を許さない。

また、一見は表題そのままに、十九世紀末の一英国市民の日常を語るばかりのような「生活の欠片」は、その日常と同じところにあり、普段は見過ごしている〈神秘〉への目を開かせる。ダイスンがロンドンの街角で垣間見た〈向こう側〉が、ふとした時に閑静な郊外にも現れるのだ。平井が「マッケン独自の世界」と呼んだ、「われわれが日々生活しているこの現実世界の溶解」を描いた傑作である。

なお、平井の代表的な訳業にもう一つ加えるとすれば、擬古文（思潮社　七二）と現代文（牧神社　七五）の二つの訳を成したウォルポールの『オトラント城奇譚』かと愚考する。その話はいずれまた、機をあらためて。

スティーヴン・キング論集成
――アメリカの悪夢と超現実的光景

風間賢二　青土社　三四〇〇円（税別）

〈評〉牧原勝志

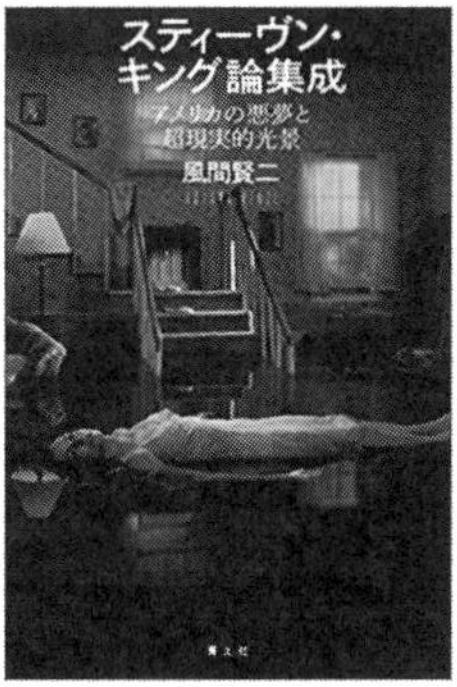

写真：Gregory Crewdson
装丁：コバヤシタケシ

日本語で書かれた最高のスティーヴン・キング論として、そして最良の読書ガイドとして、本書はキング・ファンやホラー愛好者だけでなく、翻訳小説の読者に必携をお奨めする。翻訳と評論の双方でキングを紹介してきた著者が長きにわたって発表してきた、このホラーの巨匠に関する文章を、五百ページのうちにまとめたものだ。収録の文章はいずれも大幅に加筆され、書き下ろしの章もあり、質量ともに長編評論と呼ぶべき大冊に仕上がっている。

本書では、著作をデビュー作から『ザ・スタンド』までの七〇年代、モダンホラー全盛の八〇年代から今世紀までと大きく分け、キングの世界を一望する構成になっている。作品ごとのテーマに則し、先行作や共通項をもつ作品を挙げながら進んでいく考察は深い。八〇年代ホラーと二〇世紀アメリカ文学のそれぞれにおける『ＩＴ』の重要性や、創作論としての『ミザリー』、『デスペレーション』に内在する自然主義文学など、どこを読んでも示唆に富んでいる。もちろん、論じられる作品を読んでいなくても興味を削がれることはない。ほどよいところで踏みとどまる紹介は、むしろ読む意欲を増し、「あれもこれももう読んだよ」という年季の入ったキング・マニアでも、たまらなく読み返したくなる作品が、かならずいくつも出てくるはずだ。

圧巻は第三部、本書の約四分の一を占める分量の《ダークタワー》論。シリーズの訳者でもある著者が角川文庫版の各巻に寄せた「訳者あとがき」を元にしたもので、深い踏み込みには脱帽するほかない。

四十余年も書き続けているだけあって、キングの作品は膨大な数になる。だが、著者もキングを紹介して三十余年、的確な目配りに敬服する。主に論じる作品は作風の中核となるホラーだが、それ以外の作品を流してはいない。こと近年の短編集への言及は丁寧だ。さすがに息子たち（ジョー・ヒル、オーウェン・キング）との合作まで入れていないのは、この分量にはおさまらなくなるからだろう。もちろん、巻末には全作品の紹介が収録されている。

著者の初期のキング研究書『COMPLETE STEPHEN KING増補改訂新装版』（奥沢茂樹共編著　一九九一）に熱中した長年のファンはもちろん、彼の作品を読みはじめたばかりの読者にも、楽しみと発見が尽きない一冊だ。本書をぜひ書棚に、できれば『死の舞踏』の隣に、置いていただきたい。

『幻想と怪奇』バックナンバー
のご案内

お近くの書店にてお申し込みいただくか、
弊社HP記載のweb書店にてお求めください。

http://www.shinkigensha.co.jp/ （※サイト内で「幻想と怪奇」と検索してください）

幻想と怪奇3　平井呈一と西洋怪談の愉しみ

発売日：2020年08月24日
ISBN 978-4-7753-1854-6

西洋怪談に惹かれた名訳者、平井呈一（1902−76）の訳業を、評論、エッセイと共に顧み、彼が愛した作家たちの作品をはじめ、傑作を新旧取り交ぜて収録した。

幻想と怪奇2　人狼伝説　変身と野生のフォークロア

発売日：2020年05月25日
ISBN 978-4-7753-1824-9

名のみ高い古典作品『人狼ヴァグナー』をはじめとする英国怪奇小説から、パルプ・フィクションを経て現代の都市伝説にまで脈々とつながる、変身と野生のフォークロアを追究した。

幻想と怪奇1　ヴィクトリアン・ワンダーランド　英國奇想博覧會

発売日：2020年02月22日
ISBN 978-4-7753-1761-7

19世紀後半のイギリスで、自由な想像力をペンに乗せて競った文豪たちや流行作家たちの奇想あふれる小説と、かの時代に夢を馳せる現代作家たちの作品を収録した。

TSUTAYA　レイクタウン	埼玉県越谷市レイクタウン4-2-2 イオンレイクタウンkaze A-108
明屋書店イケヤ　高丘店	静岡県浜松市中区高丘東1-2-40
ジュンク堂書店　名古屋栄店	愛知県名古屋市中区新栄町1-1 明治安田生命名古屋ビルB1
丸善名古屋本店	愛知県名古屋市中区栄三丁目8-14
ちくさ正文館書店	愛知県名古屋市千種区内山3-28-1
小濱書店	三重県松阪市日野町2 ベルタウン1F
ジュンク堂書店　三宮店	兵庫県神戸市中央区雲井通6-1-15 サンシティビル7F
文信堂書店　長岡店	新潟県長岡市城内町1-611-1 CoCoLo長岡内

●こちらに関するお問い合わせ
（株）新紀元社 営業部　TEL：03-3219-0921
受付時間【平日】9:00-17:00（年末年始、夏季休暇時期を除く）

幻想と怪奇6　夢境彷徨　種村季弘と夢想の文書館

発売日：2021年05月22日
ISBN 978-4-7753-1921-5

古今の幻想と怪奇の物語から、夢と悪夢を描いたものを集めた。種村季弘の未発表翻訳作品から、英国幻想文学大賞受賞作まで。冊中さらにアンソロジーを収めた、小さな夢想の文書館。

幻想と怪奇 5　アメリカン・ゴシック　E・A・ポーをめぐる二百年

発売日：2021年02月17日
ISBN 978-4-7753-1896-6

アメリカン・ホラーの巨匠たちがみな、敬愛を込めてその名を口にする文学者、ポー自身の作品を中心に、彼が登場する以前のゴシック文学から、21世紀の作家によるオマージュまでを収録した。

幻想と怪奇4　吸血鬼の系譜　スラヴの不死者から夜の貴族へ

発売日：2020年11月21日
ISBN 978-4-7753-1872-0

ブラム・ストーカーの『吸血鬼ドラキュラ』(1897) 以後、追随作品は数かぎりない。吸血鬼がもたらす恐怖と蠱惑の作品を、古今東西から収録した。

『幻想と怪奇』応援店のご案内

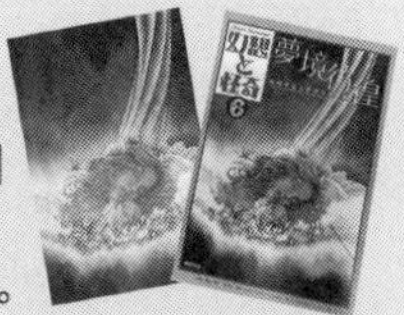

バックナンバーを揃えていただいている以下の書店で『幻想と怪奇』をお買い求めいただくと、特典ポストカード（タイトル入りver.と装画ver.）を配布中です（数量限定につき、ご購入の際に書店にお問い合わせください）。

- 『幻想と怪奇』応援店（順不同）

丸善&ジュンク堂書店　札幌店	北海道札幌市中央区南一条西一丁目8-2
ブックファースト　新宿店	東京都新宿区西新宿1-7-3 コクーンタワーB1F
盛林堂書店	東京都杉並区西荻南2-23-12
ジュンク堂書店　藤沢店	神奈川県藤沢市藤沢559 ビックカメラ7F
TSUTAYA　栃木城内店	栃木県栃木市城内町2-6-23

【『幻想と怪奇6』お詫びと訂正】

『幻想と怪奇6　夢境彷徨』に、以下の誤りがありました。御寄稿者各位ならびに読者の皆様にお詫びのうえ、訂正いたします。（M）

(1)「詩と神々」解説（南條竹則）

一八ページ下段の参考文献のタイトル等を以下のように訂正いたします。

Ken Faig, Jr.「The Strange Story of "Poetry and the Gods" by Anna Helen Crofts and Henry Paget-Lowe (United Amateur, September 1920)」(*The Fossils, Inc., Historians of Amateur Journalism*, July 2009)

(2) トルネード・スミスの大冒険

（ブラックウッド　渦巻栗訳）

二四二ページの導入文での初出は、書籍の初収録。マイク・アシュレーによる作者の評伝*Starlight Man* (Stark House Press, 2019) によると、作品の初出は、*Country Life* 一九二九年一二月七日号になります。

【ジョージ・W・M・レノルズ『人狼ヴァグナー』ついに完訳！】

『幻想と怪奇2　人狼伝説』に第十二章が、訳者・夏来健次氏の解説とともに収録された『人狼ヴァグナー』が、ついに完訳出版された（国書刊行会　定価四八〇〇円＋税）。

十九世紀の英国娯楽小説を京伝や馬琴に喩える荒俣宏氏の推薦文も心にくく、時代色を活かしつつテンポよく進む訳文は、開巻するや物語に引き込む。

本書の他に『高原英理恐怖譚集成』『マルペルチュイ』『骸骨』と、怪奇幻想愛好者には見逃せない新刊をこの夏に連打する、国書刊行会に瞠目せよ！

【高評続く！『幻想と怪奇』叢書】

二月の発刊以来『幻想と怪奇』叢書は、リサ・タトル『夢遊病者と消えた霊能者の奇妙な事件』、ジョー・R・ランズデール『死人街道』共に、日本経済新聞、本の雑誌はじめ各所で紹介されています。両作をお見逃しなく！

寄稿者一覧（五十音順）

（括弧内の数字は掲載頁）

荒俣宏《あらまたひろし》（214）

作家・博物学者。著書多数。近著に『妖怪少年の日々　アラマタ自伝』『妖怪大戦争ガーディアンズ』（共にＫＡＤＯＫＡＷＡ）、『平井呈一年譜』（編著　紀田順一郎監修　松籟社）がある。

伊藤《いとう》なむあひ（253）

小説家。北海道生まれ。文学フリマ等のイベントに参加するほか、自ら隙間社という仮想出版社を立ち上げ『神聖なる』、『天国崩壊』といった電子書籍を出版中。主に縁起の悪い小説を書いている。

井上雅彦《いのうえまさひこ》（158）

小説家。星新一ショートショートコンテスト受賞を経てデビュー。主な著書に『夜会 吸血鬼作品集』（河出書房新社）、『ファーブル君の妖精図鑑』（講談社）など多数。企画監修をつとめる書下ろしアンソロジー《異形コレクション》（光文社文庫）は、第51巻『秘密』に続いて、最新刊となる第52巻を現在鋭意制作中。

岩田佳代子《いわたかよこ》（118）

翻訳者。主な訳書にヘイリー・リンド『贋作と共に去りぬ』（贋作ミステリーシリーズ）（東京創元社）がある。本シリーズでの翻訳は、『幻想と怪奇５　Ｅ・Ａ・ポーをめぐる二百年』所収のフィッツ＝ジェイムズ・オブライエン「七番街の錬金術師」に続き五度目。

植草昌実《うえくさまさみ》（22／他）

翻訳者。主な訳書にジョー・Ｒ・ランズデール『死人街道』、エレン・ダトロウ編『ラヴクラフトの怪物たち』（共に新紀元社）、テイテルバウム＆ロテム編『シオンズ・フィクション』（竹書房　共訳）がある。

宇野利泰《うのとしやす》（58）

翻訳家。一九〇九年、東京に生まれる。訳書多数。怪奇幻想小説の訳書に、ブラッドベリ『十月はたそがれの国』、ブラッティ『エクソシスト』などがあるほか、ラヴクラフト、ハワードの翻訳も手がけた。九七年歿。

勝山海百合《かつやまうみゆり》（250）

小説家。近著『厨師、怪しい鍋と旅をする』（東京創元社）。『ベストＳＦ２０２１』（竹書房）に「あれは真珠というものかしら」収録、『ＳＦマガジン』十月号にＳ・チョウイー・ルウの「年年有魚」、『小説すばる』十月号にトシヤ・カメイの「黎明の龍」が拙訳で掲載予定。

高澤真弓《たかざわまゆみ》（98）

翻訳者。主な訳書にダグ・リチャードソン『狂信者の黙示録』、ロバート・ライス『ルシタニアの夜』、トロイ・クック『最高の銀行強盗のための47ヶ条』（以上、東京創元社）がある。

中村融《なかむらとおる》（58）

英米文学翻訳家、アンソロジスト。主な訳書にアレン・スティール『キャプテン・フューチャー最初の事件』、ジョン・ウィンダム『トリフィド時代』（共に東京創元社）、サム・Ｊ・ミラー『黒魚都市』（早川書房）、主な編書に『猫は宇宙で丸くなる』（竹書房）がある。

夏来健次《なつきけんじ》（43）

翻訳者。訳書にＷ・Ｈ・ホジスン『幽霊海賊』（アトリエサード）、Ｒ・Ｌ・スティーヴンスン『ジキル博士とハイド氏』（創元推理文庫）、ウォルター・Ｓ・マスターマン『誤配書簡』（扶桑社）等。最新刊はジョージ・Ｗ・Ｍ・レノルズ『人狼ヴァグナー』（国書刊行会、七月）。

西山智則《にしやまとものり》（77）

埼玉学園大学人間学部教授。主な著書に『ゾンビの帝国──アナトミー・オブ・ザ・デッド』（小鳥遊書房）、『エドガー・アラン・ポーとテロリズム──恐怖の文学の系譜』、『恐怖の表象──映画／文学における〈竜殺し〉の文化史』（共に彩流社）、『恐怖の君臨──疫病・テロ・畸形のアメリカ映画』（森話社）がある。

野村芳夫《のむらよしお》（178）

英米文学翻訳家。主な訳書に、イアン・バンクス『蜂工場』、グレイ＆ガルシア＝モレーノ編『ＦＵＮＧＩ──菌類小説選集』Ⅰ・Ⅱ（Ｐヴァイン）、Ｗ・Ｈ・ホジスン『〈グレン・キャリグ号〉のボート』（アトリエサード）がある。大橋渡『奇襲』（Ｐヴァイン）を編纂・解説した。

ひらいたかこ（表紙イラスト）

イラストレーター。軽井沢絵本の森美術館『鏡の国のアリス』展（前期から一部展示替え。後期、六月二十三日～十月十一日）が進行中。「不思議の国のアリス」をテーマにした画集『アリス、アリス、アリス！』（東京創元社）も好評発売中。

深《ふか》田《だ》亨《とおる》（167）

小説家。『チャチャ・ヤング　ショート・ショート』（眉村卓編・講談社）にてデビュー。星新一ショートショートコンテスト優秀賞受賞（別名義）。『異形コレクション』『ショートショートの宝箱Ⅰ～Ⅳ』（いずれも光文社）などに作品掲載。

藤《ふじ》元《もと》直《なお》樹《き》（150）

古新聞古雑誌愛好家。編著に『戦時下雑誌アンケート索引―1936-1945における問いと答え』（金沢文圃閣）。近著に、ヴェルヌのミハイル・ストロゴフ舞台化の歴史を追った「密使の系譜」（新島進編『ジュール・ヴェルヌとフィクションの冒険者たち』水声社・所載）がある。

藤《ふじ》原《わら》ヨウコウ（159／169）

イラストレーター、挿絵画家。最近の仕事に、武内涼著『源平妖乱　鬼夜行』（祥伝社）装画などがある。

牧《まき》原《はら》勝《かつ》志《し》（17／他）

『幻想と怪奇』編集室長。合同会社パン・トラダクティア代表社員。

柳《やなぎ》下《した》亜《あ》旅《たび》（264）

自称小説家。Amazon Kindle にて、長編「仔遣り谷の砂漠の狐と南蛮の仔」、「持て余し気味」他長編2作、短編集10作を販売中。蛙好き。

YOUCHAN（装丁）

イラストレーター。今年は江戸川乱歩づいており、小鳥遊書房刊行の『白昼夢』と『人間椅子』（共に長山靖生・編）、東都我刊我書房刊行の『再刷版　孤島の鬼』の装画を手掛ける。6月に開催した個展の図録『文学山房　ゾランさんと探偵小説』が書肆盛林堂より発売中。

◆**投稿募集**

『幻想と怪奇』では、プロ・アマ不問で投稿を募集しております。怪奇幻想に関する各原稿をお寄せください。

【創作】上限二万字を目安に。

【翻訳】分量は創作に準じます。著作権確認のため、原題、著者名、出版社／掲載誌、発表／刊行年を、原書表記のまま応募原稿に付記してください。

【評論】上限四千字程度。

【書評】過去二年以内に刊行された本の書評。八百字以上、一千字以内。

　編集室での厳正な選考のうえ、優秀な作品を十二月発売の『幻想と怪奇8』以降に収録いたします。採用者には規定の原稿料をお支払いいたします（書評のみ相当額の図書カードで）。

　締切は九月末日。応募原稿は左記のアドレス、もしくは奥付記載住所の「株式会社新紀元社内『幻想と怪奇』編集室」宛に。メール送信のさいは、原稿のファイル形式は問いません。

romanfantastique@shinkigensha.co.jp

◆七月も末の東京は、コロナウイルス禍の緊急事態宣言下でオリンピック開催という、当惑するほかない状況にあります。フィクションでもありそうにない現実を経験したことが後世に有意であるよう、願わずにいられません。そんな中、幻想と怪奇の物語が、読者の皆様に有為なものでありますように。

◆『ウィアード・テールズ』は、オリジナルの『幻想と怪奇』でも第十二号（一九七四年十月）で特集しています。また、国書刊行会『ウィアード・テールズ』全五巻（八七～八八）は、その魅力を堪能できる好アンソロジーでした。本書では先行書を念頭に置きつつ、別の角度からこの伝説の雑誌の妙味を再発見しようと試みました。たとえば、アンソロジーでは分量的に敬遠されがちな中編を収録するなど。なお、女性作家の章の題は、リザ・クルーガーとメラニー・R・アンダースンの好著 *Monster, She Wrote* (Quirk Books) から拝借しました。女性作家による幻想文学を論じた同書は、いずれ機会を設けて詳しく紹介したいと考えています。

◆知れば知るほど『ウィアード・テールズ』は面白く、この一巻では終われない、という思いは強まるばかりです。ハワードの英雄活劇や、クインの超時空ロマンスなど、有名作家にも未訳の秀作がまだありますし、紙幅の都合で見送った、未知の作家の佳作、怪作もあります。本書が御好評いただければ、第二集を編纂できるかもしれません。

◆次巻では「夢遊病者と消えた霊能者の奇妙な事件」の探偵コンビも登場します。御期待を！

（M）

次回配本

幻想と怪奇8

魔女の1ダース＋1

魔法と魔術の14の物語（仮）

モンタギュー・サマーズ
アレイスター・クロウリー
マージョリー・ボウエン
リサ・タトル　他

二〇二一年十二月上旬刊行予定

幻想と怪奇　7
ウィアード・テールズ　恐怖と冒険の王国

2021年9月5日　初版発行

企画・編集　牧原勝志（『幻想と怪奇』編集室）

発 行 人　福本皇祐
発 行 所　株式会社新紀元社
〒101-0054 東京都千代田区神田錦町1-7 錦町一丁目ビル2F
Tel.03-3219-0921　Fax.03-3219-0922
http://www.shinkigensha.co.jp/
郵便振替　00110-4-27618

協　　力　紀田順一郎　荒俣 宏

題　　字　原田 治
表 紙 絵　ひらい たかこ（Pen Studio）
デザイン　YOUCHAN（トゴルアートワークス）

組　　版　株式会社明昌堂

印刷・製本　中央精版印刷株式会社

ISBN978-4-7753-1952-9
Printed in Japan